Maísa Akiko Guimarães
Livraria Modelo, 12 de agosto de 2002

COMO SER LEGAL

NICK
HORNBY

COMO SER LEGAL

Tradução de Paulo Reis

Rocco

Rio de Janeiro – 2002

Título original
HOW TO BE GOOD

EDITORA ROCCO LTDA.
Rua Rodrigo Silva, 26 – 5.º andar
20011-040 – Rio de Janeiro, RJ
Tel.: 2507-2000 – Fax: 2507-2244
e-mail: rocco@rocco.com.br
www.rocco.com.br

Printed in Brazil / Impresso no Brasil

preparação de originais
HELENA MOLLO

CIP-Brasil. Catalogação-na-fonte
Sindicato Nacional dos Editores de Livros, RJ.

H788c

Hornby, Nick, 1957-
Como ser legal / Nick Hornby; tradução de Paulo Reis. – Rio de Janeiro: Rocco, 2002

Tradução de: How to be good
ISBN 85-325-1373-5

1. Romance inglês. I. Reis, Paulo, 1952 II. Título.

02-0063

CDD - 823
CDU - 820-3

Para Gill Hornby

AGRADECIMENTOS

Agradeço a Tony Lacey, Helen Fraser, Juliet Annan, Joanna Prior, Anya Waddington, Jeremy Ettinghausen, Martin Bryant, Wendy Carlton, Susan Petersen Kennedy, Amanda Posey, Ruth Hallgarten, Caroline Dawnay, Annabel Hardman, Mary Cranitch, Anna Wright e Gaby Chiappe.

1

Estou num estacionamento em Leeds quando digo a meu marido que não quero continuar casada com ele. David nem sequer está no estacionamento comigo; está em casa cuidando das crianças, e eu só liguei para lembrá-lo de que precisa escrever um bilhete para a professora da Molly. O resto meio que... escapole. É um erro, obviamente. Embora aparentemente eu seja – para minha imensa surpresa – uma pessoa capaz de dizer ao marido que não quer continuar casada com ele, nunca pensei que fosse uma pessoa capaz de dizer isso pelo telefone celular, num estacionamento. É claro que este item específico da minha auto-avaliação deve ser revisto. Por exemplo, eu posso me descrever como uma pessoa que não esquece nomes, pois já lembrei de nomes milhares de vezes e me esqueci de apenas um ou dois. Mas a maioria das pessoas diz apenas uma vez – se é que chega a isso – que quer acabar um casamento. Quem escolhe dizer isso pelo telefone celular num estacionamento em Leeds não pode depois afirmar que uma ocasião como essa não tenha sido representativa, assim como Lee Harvey Oswald não podia afirmar que matar presidentes não era uma característica sua. Às vezes, nós temos de ser julgados pelas coisas que só fazemos uma vez.

Mais tarde, no quarto do hotel, não consigo dormir. Isto parece uma espécie de consolo, pois embora eu tenha me tornado uma mulher capaz de terminar um casamento num estacionamento, ao menos ainda tenho a decência de ficar me revirando na cama mais tarde. Repasso a conversa mentalmente, com o maior número possível de detalhes, tentando descobrir como fomos de A (a consulta dentária de Molly) a B (divórcio iminente) em três minutos. Ou dez. Isto se transforma numa ruminação interminável (até três da madrugada) sobre nossa trajetória de A (encontro num baile universitário em 1976) a B (divórcio iminente) em vinte e quatro anos.

Para dizer a verdade, a segunda parte desta auto-reflexão só demora tanto porque vinte e quatro anos é muito tempo, e um monte de coisas passa involuntariamente pela minha cabeça: pequenos detalhes narrativos que não têm muito a ver com a história, na realidade. Se meus pensamentos sobre o nosso casamento fossem transformados num filme, os críticos diriam que era tudo encheção de lingüiça, sem enredo, e que a coisa podia ser resumida assim: duas pessoas se conhecem, se apaixonam, têm filhos, começam a discutir, engordam e resmungam (ele), se entediam, se desesperam e resmungam (ela), e se separam. Eu não reclamaria dessa sinopse. Nós não temos nada de especial.

Mas o telefonema... eu continuo sem enxergar o elo, o ponto em que a coisa deixou de ser um papo relativamente harmonioso e autenticamente banal sobre assuntos domésticos menores e virou este momento cataclísmico, de fim-do-mundo-tal-como-o-conhecemos. Lembro do começo da conversa, quase palavra por palavra:

Eu: – Oi.

Ele: – Olá. Tudo bem?

Eu: – Tudo. As crianças estão bem?

Ele: – Estão. A Molly está aqui, vendo televisão, e o Tommy está na casa do Jamie.

Eu: – Só liguei para dizer que você precisa escrever um bilhete para a Molly levar à escola amanhã. Sobre o dentista.

Estão vendo? Estão vendo? Todos pensariam que seria impossível chegar aonde chegamos a partir deste início. Mas todos estariam errados, porque foi isso que nós fizemos. Tenho quase certeza de que o primeiro salto foi dado aqui, neste ponto. Pelo que recordo agora, houve uma pausa, um silêncio sinistro, do outro lado da linha.

E aí eu disse algo como: – O quê?

E ele disse: – Nada.

Eu disse novamente: – O quê?

E ele disse novamente: – Nada.

Mas é claro que David não estava confuso, nem achando graça da minha pergunta. Estava apenas mal-humorado, e convenhamos: isso sempre significa que é preciso ir em frente. E assim eu fiz.

– Pode falar.

– Não.

– Pode falar.

– Não. Isso que você disse.

– O que foi que eu disse?

– Que só ligou para me lembrar do bilhete da Molly.

– Qual é o problema?

– Seria legal se você ligasse para o seu marido para falar sobre outra coisa qualquer. Talvez para dizer oi. Para ver como o seu marido e seus filhos estão.

– Ah, David.

– "Ah, David", o quê?

– Isso foi a primeira coisa que eu perguntei. "Como as crianças estão?"

– É. Legal. "Como as crianças estão?" E não poderia ser "Como você está?"

Esse tipo de conversa nunca acontece quando as coisas estão bem. Não é difícil imaginar que em outros relacionamentos – relacionamentos melhores – um telefonema que começasse assim não iria – e nem poderia – levar à menção de divórcio. Em um relacionamento melhor, seria possível passar logo pela parte do problema dentário e abordar outros assuntos – tais como o dia da pessoa no trabalho, seus planos para a noite, ou até, num casamento espetacularmente funcional, algo ocorrido no mundo exterior ao lar, como um acesso de tosse no programa *Today*, digamos – também comuns e banais, mas que constituem e talvez até sustentem um relacionamento comum, banal e amoroso. David e eu, no entanto... não estamos mais nessa situação. Telefonemas desse tipo só acontecem depois que as duas pessoas já passaram vários anos ferindo-se mutuamente; a essa altura, cada palavra dita ou ouvida já vem codificada e carregada, tão complicada e cheia de subtexto quanto uma peça melancólica. E de fato, enquanto eu me revirava na cama naquele quarto de hotel, tentando entender o que acontecera, fiquei abismada diante da inteligência com que inventamos nosso código: são necessários anos de uma espécie de engenhosidade sofrida para chegar a tal ponto.

– Desculpe.

– Você se interessa em saber como eu estou?

– Para ser sincera, David, não preciso perguntar como você está. Dá para ouvir como você está. Saudável o suficiente para tomar conta de duas crianças e simultaneamente brigar comigo. E muito, muito magoado, por razões que permanecem obscuras para mim a esta altura. Mas tenho certeza de que você me esclarecerá.

– Por que você acha que eu estou magoado?

– Ora, você é a própria definição de "magoado". Uma definição permanente.

– Que bobagem!

– David, você é pago para ser magoado.

Isto é verdade, em parte. A única renda fixa de David vem de uma coluna jornalística que ele assina no jornal do nosso bairro. A coluna é ilustrada por uma fotografia de David rosnando para a câmera, com a legenda "O Homem Mais Irritado de Holloway". A última que agüentei ler era uma diatribe contra pessoas idosas que viajam de ônibus: "Por que elas nunca têm o dinheiro da passagem à mão? Por que não usam os assentos reservados para elas na frente do ônibus? Por que insistem em levantar dez minutos antes de chegar ao ponto, expondo-se a cair freqüentemente de forma alarmante e indigna?" Já deu para entender.

– Se você não notou, possivelmente é porque nunca se dá ao trabalho de ler minha coluna, caralho...

– Onde a Molly está?

– Vendo tevê na outra sala. Caralho, caralho, caralho. Merda!

– Quanta maturidade...

– ... possivelmente porque nunca se dá ao trabalho de ler minha coluna, caralho, tudo que eu escrevo é irônico.

E então rio ironicamente.

– Bom, por favor, desculpe os habitantes do número 32 da Webster Road, se eles não perceberem sua ironia. Nós acordamos com o homem mais irritado de Holloway todos os dias de nossas vidas.

– Qual é a razão disso tudo?

No filme do nosso casamento, escrito por um roteirista à cata de formas breves e elegantes de transformar discussões chatas e superficiais em algo mais significativo, talvez este tenha sido o momento de dizer "Boa pergunta... Onde a gente vai parar assim?... O que a gente está fazendo?... Alguma coisa, alguma coisa, alguma coisa... Está tudo acabado." Tudo bem, daria um pouco mais de trabalho, mas funcionaria. No entanto, como

David e eu não somos Tom e Nicole, permanecemos cegos diante destes pequenos e geniais momentos metafóricos.

– Não sei qual a razão disso tudo. Você ficou com raiva porque eu não perguntei como você estava.

– Pois é.

– Como você está?

– Vá se foder.

Suspirei bem no bocal do telefone, para que ele ouvisse o que eu estava fazendo; tive de mover o celular do ouvido para a boca, coisa que roubou a espontaneidade do momento, mas a experiência me ensinou que o celular não é bom para nuanças não-verbais.

– Cristo! O que foi isso?

– Foi um suspiro.

– Parece que você está no cume de uma montanha.

Ficamos calados por alguns instantes. Ele estava calado numa cozinha da zona norte de Londres, e eu estava calada num estacionamento em Leeds. De repente, fiquei nauseada diante da forma e da textura daquele silêncio, que eu já conhecia tão bem, com todos os seus cantinhos pontiagudos. (E é claro que não se trata, absolutamente, de um silêncio. Dá para ouvir uma tagarelice cheia de palavrões da nossa própria raiva e o sangue que bombeia nos nossos ouvidos, mas – nesse momento – o barulho de um Fiat Uno entrando de ré numa vaga vizinha.) A verdade é que não houve elo algum entre o interrogatório doméstico e a decisão do divórcio. É por isso que não consigo encontrá-lo. Acho que eu simplesmente entrei de sola.

– Estou tão cansada disso, David...

– De quê?

– Disso. De brigar o tempo todo. Desses silêncios. Do clima ruim. De todo esse... veneno.

– Ah. Isso... – disse David, como se o tal veneno houvesse

pingado dentro do nosso casamento pelo telhado, e ele andasse pensando em consertar a goteira. – Bom, agora é tarde demais.

Respirei fundo, em benefício próprio e não dele, de modo que desta vez o telefone permaneceu perto do meu ouvido.

– Talvez não.

– Como assim?

– Você quer mesmo passar o resto da vida assim?

– Não, é claro que não. Você está sugerindo alguma alternativa?

– É, acho que estou.

– E não quer me dizer qual é?

– Você sabe qual é.

– É claro que sei. Mas quero que você seja a primeira a falar.

Àquela altura, isso já não me importava mais.

– Você quer se divorciar?

– Quero que fique registrado que não fui eu que falei nisso.

– Tudo bem.

– Foi você, e não eu.

– Eu, e não você. Vamos, David. Estou tentando conversar sobre uma coisa triste e adulta, e você fica aí marcando pontos.

– Para poder contar a todo mundo que *você* pediu o divórcio. Sem mais nem menos.

– Ah! Foi completamente sem mais nem menos, não foi? Não houve sinal algum disso, porque a gente vivia num paraíso de felicidade. É nisso que você está interessado? Em contar a todo mundo? É isso que é o mais importante para você?

– Assim que a gente desligar, vou ligar para todo mundo. Quero dar a minha versão antes que você possa dar a sua.

– Tudo bem, então não vou desligar, pronto.

E aí, enjoada de mim mesma, dele e de tudo que tinha relação com nós dois, fiz o contrário e desliguei. Por isso é que agora estou me revirando na cama de um quarto de hotel, em Leeds, tentando examinar os estágios dessa conversa, soltando um ou outro palavrão diante da frustração de não conseguir dormir, ligando e desligando a luz e a tevê, e, no geral, transformando a vida do meu amante num inferno. Ah, acho que ele deve entrar em algum lugar da sinopse do filme. Eles se casaram, ele engordou e ficou resmungão; ela se desesperou e ficou resmungona; ela arranjou um amante.

Escutem: eu não sou uma pessoa ruim. Sou médica. Um dos motivos que me fez ser médica é que eu pensava que isso seria uma coisa legal – legal no sentido de Boa, e não de empolgante, bem-paga ou glamourosa. Eu gostava do som dessas frases: "Quero ser médica", "Estou estudando para ser médica", "Sou clínica geral com um pequeno consultório na zona norte de Londres". Achava que isso me dava uma boa imagem: profissional, meio intelectualizada, não muito espalhafatosa, respeitável, madura e afetuosa. Quem diz que os médicos não ligam para as aparências, só porque são médicos? É claro que ligamos. Enfim: eu sou uma pessoa legal, uma médica, estou deitada na cama de um quarto de hotel com um homem que não conheço muito bem, chamado Stephen, e acabo de pedir o divórcio ao meu marido.

Não é de surpreender que Stephen esteja acordado.

– Você está bem? – pergunta ele.

Não consigo olhar para ele. Duas horas atrás as mãos dele estavam apalpando todo o meu corpo, e era isso que eu queria; mas agora não quero mais Stephen nesta cama, nem no hotel, nem em Leeds.

– Estou meio inquieta – digo, saindo da cama e começando a me vestir. – Vou dar uma caminhada.

O quarto do hotel é meu, e então levo o cartão-chave comigo, mas no momento em que o coloco na bolsa percebo que não vou voltar. Quero estar em casa, brigando, chorando e me sentindo culpada pela confusão que estamos prestes a criar na vida dos nossos filhos. O Ministério da Saúde já pagou o hotel, mas Stephen terá de arcar com a conta do frigobar.

Depois de duas horas na estrada, paro num posto de gasolina para tomar uma xícara de chá com uma rosquinha. Se isto fosse um filme, nesta viagem para casa aconteceria algo que ilustraria e iluminaria a importância da jornada. Eu conheceria alguém, resolveria me tornar uma pessoa diferente, ou me envolveria em algum crime – talvez fosse seqüestrada pelo criminoso, um rapaz de dezenove anos viciado em drogas e com pouca instrução, mas que se revelaria mais inteligente e até mais afetuoso do que eu, coisa que seria irônica, já que eu sou médica, e ele, um assaltante armado. Ele também aprenderia alguma coisa – embora só Deus saiba o quê – comigo, e continuaríamos solitariamente nossa jornada pela vida, sutil mas profundamente modificados por esse encontro fugaz. Mas como eu disse antes, isto não é um filme, portanto como a rosquinha, bebo o chá e volto para o carro. (Por que teimo em falar de filmes? Só fui ao cinema duas vezes nos últimos dois anos, e ambos os filmes que vi eram estrelados por insetos animados! Pelo que sei, a maioria dos filmes distribuídos atualmente pode até ser sobre mulheres que viajam sem peripécia alguma de Leeds à zona norte de Londres, parando para tomar chá com rosquinhas na beira da estrada.) A jornada durou três horas, incluindo as rosquinhas. Chego em casa às seis; é uma casa que dorme, e que – percebo agora – está começando a exalar um cheiro azedo de derrota.

Ninguém acorda até quinze para as oito, então fico cochilando no sofá. Estou feliz por estar novamente em casa, apesar de amantes e telefonemas pelo celular; estou feliz por sentir o calor dos meus filhos inocentes atravessando as tábuas do assoalho que range. Não quero ir para o leito conjugal esta noite, ou esta manhã, ou seja lá o que for agora – não por causa de Stephen, mas porque ainda não decidi se voltarei a dormir com David algum dia. O que adiantaria isso? Mas também, será que alguma coisa adianta, com divórcio ou sem divórcio? Isso é muito estranho, pois já tive inúmeras conversas com ou sobre pessoas que estão "dormindo em quartos separados" – como se dormir na mesma cama fosse a única coisa que importasse num casamento – mas por pior que as coisas estivessem, compartilhar uma cama nunca foi problema para mim. São os outros aspectos da vida que me horrorizam. Em certas ocasiões recentes, depois que nossos problemas começaram, tive vontade de vomitar ao ver David acordado, ativo, consciente, andando e falando, tamanha a repulsa que sinto por ele. À noite, porém, a história é outra. Ainda fazemos amor, de forma funcional e desanimada, mas não por tesão, e sim porque nos últimos vinte e poucos anos acabamos descobrindo como dormir juntos. Eu já desenvolvi contornos para os cotovelos, joelhos e a bunda dele, e não há ninguém que se encaixe em mim da mesma forma, principalmente Stephen, que – apesar de ser mais magro, mais alto e mais várias coisas que normalmente o recomendariam a mulheres à cata de parceiros sexuais – parece ter todas as partes do corpo no lugar errado. Na noite passada, houve momentos em que comecei a me perguntar melancolicamente se David não seria a única pessoa do mundo com quem algum dia me sentirei à vontade, se nosso casamento e talvez inúmeros casamentos não teriam sobrevivido até hoje graças a um diferencial perfeito entre peso e altura que jamais foi pesquisado adequadamente, e se o relacionamento de qualquer casal não estaria condenado caso um dos parceiros fosse uma fração de milímetro menor ou maior nesses aspectos. Mas também não é só isso. Quando David adormece, posso transformá-lo novamente na pessoa que eu ainda amo; posso impor minha idéia do que deveria ser, e costumava ser, ao seu corpo adormecido. As sete horas que passo com esse David são a conta exata para que eu consiga passar todo o dia seguinte com o outro David.

Fico, então, cochilando no sofá até que Tom desce, ainda de pijama. Ele liga a tevê, prepara uma tigela de cereal, senta-se numa poltrona e assiste a desenhos. Não olha para mim, nem diz nada.

– Bom dia – digo alegremente.

– Oi.

– Como você está?

– Bem.

– Como foi a aula ontem?

Mas ele já se foi; tapou-se a fugaz brecha para conversa que meu filho oferece pela manhã. Eu levanto do sofá e ponho a chaleira no fogo. Molly é a próxima a descer, já vestida para ir à escola. Ela fica olhando para mim.

– Você disse que ia embora.

– Voltei. Senti muita falta de vocês.

– Nós não sentimos falta de você. Sentimos, Tom?

Tom não responde. Aparentemente, estas são as minhas opções: agressão patente por parte da minha filha, e indiferença silenciosa por parte do meu filho. É claro, porém, que isso é pura autopiedade; eles não são nem agressivos nem indiferentes, são apenas crianças, e não desenvolveram a intuição de um adulto da noite para o dia, quanto mais de ontem para hoje.

Por último, mas não menos importante, chega David; como de costume, ele está de short e camiseta. Quando vai colocar a chaleira no fogo, fica momentaneamente confuso ao perceber que ela já está lá; só então lança um olhar sombrio pela casa, para ver se consegue descobrir explicação para esta inesperada atividade por parte da chaleira. Encontra a explicação esparramada no sofá.

– O que você está fazendo aqui?

– Vim conferir seu talento paternal quando eu não estou em casa. Estou impressionada. Você é o último a levantar, as crianças preparam o próprio café da manhã, a tevê está ligada...

É claro que estou sendo injusta; aqui é sempre assim, esteja eu em casa ou não. Mas é melhor não esperar o ataque dele: eu creio firmemente em retaliação preventiva.

– Então o tal curso de dois dias terminou um dia antes – provoca ele. – O que foi? Todos vocês falaram merda duas vezes mais depressa do que o normal?

– Eu não estava no clima.

– Não, imagino que não. Em que clima você está?

– Vamos conversar mais tarde, quando as crianças estiverem na escola?

– Ah, é, claro. Mais tarde.

Essa última palavra sai cuspida com profunda – mas na realidade intrigante – amargura, como se eu fosse famosa por fazer as coisas "mais tarde", como se todos os nossos problemas fossem gerados por minha obsessão em adiar as coisas. Eu acabo rindo dele, coisa que não contribui para aliviar a tensão.

– O que foi?

– Há algum problema em sugerir que a gente converse mais tarde?

– Ridículo – disse ele, sem oferecer motivo algum para isso. Claro que é tentador fazer as coisas do modo dele, e conversar sobre meu desejo de me divorciar na frente dos nossos filhos, mas um de nós precisa pensar feito adulto, ainda que temporariamente. Estou com vontade de subir e dormir.

– Bom dia para vocês, crianças.

David fica olhando para mim.

– Aonde você vai?

– Estou morta.

– Uma das falhas na nossa divisão de tarefas não era o fato de você nunca poder deixar as crianças na escola? Eu achava que um direito maternal básico estava sendo negado a você.

Eu preciso estar no consultório antes de as crianças irem para o colégio, e assim sou poupada de levá-las até lá de manhã. E embora eu me sinta grata por isso, a gratidão não me impede de maldizer a sorte sempre que discutimos sobre quem não faz o quê. É desnecessário dizer que David sabe que no fundo eu não desejo levar as crianças à escola, e é por isso que ele está gostando tanto de relembrar minhas queixas anteriores. Assim como eu, David é altamente treinado na arte do combate conjugal e, por um instante, eu me distancio e admiro sua inteligência venenosa. Boa jogada, David.

– Passei metade da noite acordada.

– Não faz mal. Eles vão adorar.

Escroto.

Eu já tinha pensado em divórcio antes, é claro. Quem não pensou? Eu já fantasiava que estava divorciada antes mesmo de me casar. Nessas fantasias eu era uma ótima mãe descasada que trabalhava, preservava um relacionamento maravilhoso com o ex-marido – freqüentando juntos as reuniões de pais e professores, examinando velhos álbuns de fotografia em noites nostálgicas; esse tipo de coisa – e tinha uma série de namoricos com boêmios mais jovens ou mais velhos (ver Kris Kristofferson, *Alice não mora mais aqui*, meu filme predileto aos dezessete anos). Lembro que tive essa fantasia na véspera do meu casamento com David; creio que isso deveria ter me indicado algo, mas isso não aconteceu. Acho que eu me incomodava com a falta de esquisitices e perversões na minha autobiografia: eu fui criada num subúrbio verdejante (Richmond), meus pais eram – e ainda são – felizes no casamento. Eu fui monitora na escola, passei no vestibular, fiz faculdade, arranjei um bom emprego, conheci um homem legal e fiquei noiva dele. Só via espaço para o tipo de variação metropolitana sofisticada que desejava na fase pós-casamento, e por isso concentrava lá minha energia mental.

Cheguei até a fantasiar o momento da separação. David e eu examinando folhetos de viagem: ele quer ir para Nova York, e eu quero fazer um safári na África. Como esta é a milionésima conversa hilariante – do tipo eu-digo-A-você-diz-B – seguida que temos, olhamos um para o outro, rimos afetuosamente, trocamos um abraço e concordamos em nos separar. Ele sobe, faz as malas e se muda, talvez para o apartamento ao lado. À noite, nós jantamos com meu namorado e a namorada dele, que conseguimos – sabe-se lá como – conhecer nessa mesma tarde; todos se dão muito bem juntos, brincando afetuosamente uns com os outros.

Mas agora percebo como essa fantasia é irreal, e começo a desconfiar que as tais noites nostálgicas com os álbuns de fotografias talvez nunca aconteçam. Na realidade, é bem mais provável que as fotografias sejam cortadas ao meio – e, conhecendo David, já devem ter sido cortadas ontem à noite mesmo, logo depois do nosso telefonema. Isso é até meio óbvio, se a gente pensar bem: é improvável que pessoas que se odeiam a ponto de não agüentarem morar na mesma casa queiram acampar juntas quando chegarem as férias. Minha fantasia falhava por pular direto de um casamento feliz para uma separação feliz, pois é claro que acontecem coisas infelizes entre os casamentos e as separações.

Eu entro no carro, levo as crianças à escola e volto para casa. Nesse momento David já está no seu escritório, com a porta fechada. Como hoje não é dia de escrever a coluna, ou ele está escrevendo uma brochura empresarial, pelo que recebe uma grana preta, ou escrevendo o seu romance, pelo que não recebe nada. Ele dedica mais tempo ao romance do que às brochuras, mas isto só se torna uma fonte de tensão quando as coisas entre nós estão mal; quando estamos bem, eu tenho vontade de dar apoio a ele, cuidar dele, e ajudá-lo a realizar todo o seu potencial. Quando não estamos, tenho vontade de rasgar aquele romance idiota em pedacinhos e obrigá-lo a arranjar um emprego decente. Li uma parte do livro há algum tempo e detestei. O título é *Os guardiães verdes*, e é uma sátira sobre o clima fresco-sensível reinante na Inglaterra pós-Diana. O último trecho que li falava que todos os funcionários da Guardiães Verdes – uma empresa que vende creme de banana para os cotovelos, loção de queijo Brie para os pés e vários outros cosméticos comicamente inúteis – solicitavam terapia de apoio depois que o jumento mascote morria. Tudo bem; eu não sou qualificada, de modo algum, para ser crítica literária, até porque já não leio mais livros. Lia antigamente, na época em que eu era uma pessoa diferente, mais feliz e mais engajada. Atualmente, toda noite adormeço segurando um exemplar de *Captain Corelli's Mandolin*, cujo primeiro capítulo ainda não consegui terminar, apesar de estar tentando há seis meses. (Não é culpa do autor, por falar nisso, e tenho certeza que o livro é tão bom quanto minha amiga Becca disse que era ao me emprestar seu exemplar. A culpa é das minhas pálpebras.) Mesmo já não tendo a menor noção do que constitui uma literatura passável, sei que *Os guardiães verdes* é péssimo. É um livro besta, mesquinho e cheio de si: bastante parecido com David, ou com o David que emergiu ao longo dos últimos anos.

Um dia depois de ler essa cena, atendi uma mulher que tivera um filho natimorto, sendo obrigada a passar pelo trabalho de parto sabendo que produziria uma criança morta. É claro que recomendei terapia de apoio, e é claro que pensei em David e seu livro debochado. Quando cheguei em casa, foi com um prazer amargo que disse a ele que só conseguíamos pagar nossa hipoteca todo mês porque eu ganhava dinheiro recomendando exatamente aquilo que ele acha desprezível. Tivemos mais uma noite boa.

Quando a porta do escritório de David está fechada, ele não pode ser perturbado, nem que sua mulher tenha pedido o divórcio. (Pelo menos é o que estou presumindo, pois não fizemos provisão para esse tipo de eventualidade.) Eu faço outra xícara de chá, pego o *Guardian* na mesa da cozinha e volto para a cama.

No jornal só consigo achar uma matéria que tenho vontade de ler: uma mulher casada se meteu em encrenca por fazer sexo oral com um desconhecido na classe executiva de um avião. O sujeito era casado e também está encrencado; mas é pela mulher que fico interessada. Será que eu sou assim? No mundo exterior não sou, mas dentro da minha cabeça, sou. Perdi o prumo, sabe-se lá como, e isso me assusta. Eu conheço Stephen. É claro que conheço Stephen, mas depois de vinte anos de casamento, qualquer contato sexual com qualquer outra pessoa parece uma coisa devassa, aleatória, quase animalesca. Conhecer um homem num simpósio de Saúde Comunitária, sair para tomar um drinque com ele, sair para tomar outro drinque com ele, sair para jantar com ele e beijá-lo depois, e acabar combinando dormir com ele após um congresso em Leeds... Isso para mim equivale a ficar só de sutiã e calcinha na frente de um avião cheio de passageiros e "cometer um ato sexual", como dizem os jornais, com um desconhecido. Adormeço cercada por partes do

Guardian, e tenho sonhos que são sexuais, mas de forma alguma eróticos; sonhos cheios de pessoas fazendo coisas com outras pessoas, como a visão do inferno de algum artista.

Quando acordo, David está na cozinha fazendo um sanduíche.

– Oi – diz ele, gesticulando em direção à tábua de pão com a faca. – Quer um?

A domesticidade tranqüila desse gesto me dá vontade de chorar. Divorciar-se significa nunca mais receber um sanduíche, pelo menos do ex-marido. (Será que isso é mesmo verdade, ou não passa de baboseira sentimental? É realmente impossível imaginar uma situação futura em que David se ofereça para colocar um pedaço de queijo entre duas fatias de pão para mim? Olho para ele, e concluo que sim, que é impossível. Se nós nos divorciarmos, David passará o resto da vida com raiva – não porque me ame, mas porque ele é assim. Dá até para imaginar uma situação em que ele não me atropele se eu estiver atravessando a rua – Molly cansou-se, digamos, e eu a estou carregando no colo –, mas é difícil pensar numa situação em que ele se ofereça para fazer um simples ato de bondade.)

– Não, obrigada.

– Tem certeza?

– Tenho.

– Você é quem sabe.

Esse já é um tom mais normal. Uma leve nota de despeito surgiu de algum lugar, como se tais suadas tentativas de "fazer amor, e não a guerra", esbarrassem numa beligerância contínua.

– Você quer conversar?

Ele dá de ombros.

– Pode ser. Sobre o quê?

– Bom, sobre ontem. Sobre o que eu disse naquele telefonema.

– O que você disse naquele telefonema?

– Eu disse que queria me divorciar.

– Disse mesmo? Puxa. Isso não é muito amistoso, é? Não é uma coisa muito legal para uma mulher dizer ao marido.

– Por favor, não faça isso.

– O que você quer que eu faça?

– Que você converse direito.

– Tudo bem. Você quer se divorciar. Eu não. Isso significa que você tem de se mudar para outro lugar e esperar cinco anos, a não ser que prove que eu tenho sido cruel, indiferente ou algo assim, ou então que tenho transado com outra pessoa. Se eu fosse você, iria já. Cinco anos é muito tempo. É melhor não adiar a coisa.

Eu não tinha pensado em nada disso, é claro. Sabe-se lá como, meti na cabeça que bastaria dizer aquilo, e que a mera expressão desse desejo seria prova de que meu casamento não estava dando certo.

– E se eu... você sabe.

– Não, eu não sei.

Não estou preparada para nada disso. Simplesmente, a coisa parece estar saindo por si só.

– Adultério.

– Você? A Senhorita Certinha? – ri ele. – Primeiro você precisa encontrar alguém que queira adulterar você. Depois precisa parar de ser a clínica geral Katie Carr, mãe de duas crianças, e adulterar o sujeito de volta. E não adiantaria nada, porque mesmo assim eu não me divorciaria de você.

Fico dividida entre o alívio – recuei da beira do abismo, a confissão sem volta – e o ultraje. Ele acha que eu não tenho coragem de fazer o que fiz ontem à noite! Pior ainda: ele acha que ninguém quereria fazer a mesma coisa comigo! O alívio vence, é claro. Minha covardia é maior do que o insulto dele.

– Então você vai simplesmente ignorar o que eu disse ontem.

– Basicamente, é. Era tudo besteira.

– Você está feliz?

– Ai, meu Jesus Cristo – reclama ele. Existe um grupo de pessoas que sempre reage a uma das perguntas mais básicas e pertinentes com uma espécie de blasfêmia leve e impaciente; David é um membro dedicado desse grupo. – O que isso tem a ver?

– Eu disse o que disse ontem porque não estava feliz. E acho que você também não está.

– Claro que eu não estou feliz, caramba. Que pergunta imbecil.

– Por que não está?

– Por todas as razões costumeiras, porra...

– E quais são elas?

– A idiota da minha mulher acaba de pedir o divórcio, para começar.

– O objetivo da minha pergunta era fazer você entender por que a idiota da sua mulher pediu o divórcio.

– O quê? Você quer se divorciar porque eu não estou feliz?

– Em parte.

– É muita magnanimidade sua.

– Não estou sendo magnânima. É que estou odiando viver com alguém tão infeliz.

– Azar.

– Não, azar não. Eu posso mudar isso. Não agüento mais morar com uma pessoa tão infeliz. Você está me encurralando.

– Pode fazer qualquer porra que você quiser.

Dito isso, ele sai com o sanduíche, de volta ao seu romance satírico.

Na clínica onde trabalho somos treze ao todo, cinco clínicos gerais e todos os outros funcionários que fazem o centro funcionar: um gerente, as enfermeiras e as recepcionistas, que se dividem entre tempo integral e meio expediente. Eu me dou bem com quase todo mundo, mas minha melhor amiga é a Becca, uma das clínicas gerais, como eu. Becca e eu almoçamos juntas sempre que podemos, e uma vez por mês saímos para tomar um drinque e comer uma pizza. Ela me conhece melhor do que qualquer outra pessoa por aqui. Nós somos muito diferentes uma da outra. Ela é alegremente cínica a respeito do nosso trabalho e da nossa motivação, e não vê diferença entre o campo da medicina e o da propaganda, por exemplo. Acha hilariante a minha auto-satisfação moral. Quando não falamos de trabalho, falamos dela. Ah, ela sempre me pergunta por Tom, Molly e David, e geralmente eu forneço um exemplo da grosseria de David que a diverte; mas simplesmente, não sei como, parece haver muito mais a dizer sobre a vida dela. Becca vê e faz coisas, e sua vida amorosa é caótica, a ponto de fornecer narrativas cheias de intrincadas peripécias. Ela é cinco anos mais nova do que eu, e está solteira há dois anos, desde que se separou – de forma demorada e dolorosa – de um namorado de faculdade. Hoje à noite ela está sofrendo por causa de um cara que viu três vezes no último mês: acha que a relação não vai dar em nada, e não sabe se os dois realmente se entendem, embora se entendam bem na cama... Quando ela fala desse tipo de coisa, geralmente eu me sinto velha, porém interessada – lisonjeada por ouvir confidências, empolgada vicariamente com todas as separações, reencontros e flertes, e até vagamente invejosa da aguda solidão que Becca agüenta a intervalos periódicos, quando nada está acontecendo. Tudo isso me parece indicativo da centelha da vida, de atividade elétrica em partes do coração que eu fechei há muito tempo. Mas hoje fico entediada. O que interessa tudo isso? Para mim não faz diferença se ela vai ou não se encontrar com o cara. Afinal, o que está em jogo ali? Já eu, por outro lado, sou uma mulher casada que tem um amante...

– Bom, se você não tem certeza, para que tomar uma decisão? Por que você não empurra a coisa com a barriga um pouco? – digo, ouvindo o tédio na minha voz. Mas Becca não percebe, porque eu nunca fico entediada quando estou com ela. Isso não faz parte da nossa combinação.

– Não sei. Quando estou com ele não posso estar com mais ninguém. Faço coisas de casal em vez de fazer coisas de solteira. Amanhã à noite nós vamos ao Cinema no Parque ver um filme chinês. Isso é bom para quem está namorando firme. É o que todos os casais fazem, certo? Mas para quem não está, é pura perda de tempo. Quem eu vou conhecer no Cinema no Parque? No escuro? Sem poder conversar?

Subitamente, sinto um profundo anseio de ir ver um filme chinês no Cinema no Parque – e na realidade, quanto mais chinês fosse o filme, mais eu gostaria. Eis outra parte do meu coração que não mostra atividade elétrica alguma – a parte que costumava cintilar vivamente quando eu via um filme que me comovia, lia um livro que me inspirava, ou escutava música que me dava vontade de chorar. Eu mesma fechei essa parte, por todas as razões habituais. E agora, ao que parece, fiz um pacto com um demônio filisteu qualquer: se eu não tentar reavivar essa parte, receberei um mínimo de energia e otimismo para poder atravessar um dia de trabalho sem querer me enforcar.

– Desculpe. Isto tudo deve parecer bobagem para você. Até para mim parece bobagem. Se eu soubesse que viraria uma mulher que vive reclamando com as amigas casadas por ser solteira, já teria dado um tiro na cabeça. É sério. Vou parar. Imediatamente. Nunca mais vou falar disso.

Ela dá um suspiro cômico, e antes de soltar o ar já volta a falar.

– Mas talvez desse certo com ele, não é? Como vou poder saber? O problema é esse. Eu vivo tão apressada que não tenho tempo de ver se eles são legais ou não. É como fazer compras na véspera do Natal.

– Eu estou tendo um caso.

Becca sorri distraidamente e, depois de uma breve pausa, continua a falar.

– A gente vai jogando tudo na cesta, e depois do Natal...

Ela não termina a frase, presumivelmente porque percebeu que essa analogia não vai levar a lugar algum, e que namorar um homem nada tem a ver com cestas e compras de Natal.

– Você ouviu o que eu disse?

Ela sorri novamente.

– Não. Na verdade, não.

Eu me tornei um fantasma, do tipo comicamente impotente e inofensivo que a gente vê em livros infantis e velhos programas de tevê. Por mais que eu grite, Becca jamais me ouvirá.

– O seu irmão é solteiro, não é?

– Meu irmão é um deprimido semi-empregado.

– Isso é genético? Ou só uma circunstância? Porque se for genético... seria um risco. Mas no começo até que não. Não existem muitas crianças deprimidas, existem? É uma coisa que ataca mais tarde. E eu já sou tão velha que não estarei mais aqui quando eles se tornarem adultos deprimidos. Talvez valha a pena pensar nisso. Se ele estiver a fim, eu estou.

– Vou dar o recado. Acho que ele gostaria de ter filhos.

– Ótimo. Excelente.

– Sabe aquilo que você não ouviu?

– Não.

– Quando eu disse "Você ouviu o que eu disse", e você disse "Não".

– Não.

– Pois é.

– Ele tem a minha idade, não tem? Mais ou menos?

E ficamos conversando sobre o meu irmão, sua depressão e sua falta de ambição, até Becca perder todo o interesse na idéia de parir os filhos dele.

2

Nada acontece por duas semanas. Não conversamos sobre nada; mantemos os compromissos sociais que já assumimos, o que significa jantares nos fins de semana com outros casais com filhos, casais esses que vivem mais ou menos dentro da mesma faixa de renda e bairro que nós. Stephen deixa três recados no meu celular, e eu não respondo a nenhum. Ninguém nota que eu faltei ao segundo dia da Oficina de Saúde Familiar em Leeds. Já voltei ao leito conjugal, e David e eu fizemos sexo, mas só porque estávamos deitados ali, um ao lado do outro. (A diferença entre sexo com David e sexo com Stephen é como a diferença entre ciência e arte. Com Stephen, tudo é empatia, imaginação, exploração e o choque da novidade; o resultado é... incerto, se é que dá para entender o que eu quero dizer. Eu entro na coisa, mas sem necessariamente ter certeza do que é aquilo. David, por outro lado, aperta este botão, depois aquele, e bingo! As coisas acontecem. É como operar um elevador – tão romântico quanto realmente útil.)

Todos nós, que vivemos nessa faixa de renda e nesse bairro, temos uma grande crença no poder das palavras: lemos, falamos, escrevemos, temos terapeutas, conselheiros e até padres que prazerosamente nos escutam e nos dizem o que fazer. Portanto, para mim foi um certo choque ver que minhas palavras – palavras grandes, pareceu-me na hora, palavras que mudariam a minha vida – foram tratadas como bolhas. David dera um tapa nelas, e as bolhas simplesmente estouraram, sem deixar indício algum de que realmente tinham existido.

Mas e agora? O que acontece quando as palavras nos deixam na mão? Se eu levasse um tipo de vida diferente num tipo de mundo diferente, mundo em que os atos contassem mais do que as palavras e os sentimentos, eu faria algo: iria a algum lugar, talvez até batesse em alguém. Mas David sabe que eu não vivo nesse mundo, e pagou para ver o meu blefe; ou seja, ele não vai obedecer às regras vigentes.

Uma vez nós levamos Tom a um jogo de tiroteio num parque de diversões. Todo mundo vestia uma espécie de mochila eletrônica; quando a pessoa era atingida, a mochila apitava, e a pessoa morria. É claro que qualquer um podia simplesmente ignorar o apito e continuar, se quisesse bancar o anarquista e melar o jogo; afinal de contas, um apito é só um apito. E era exatamente isso que eu estava fazendo quando pedi o divórcio. Estava apitando, e David teimava em não escutar.

É como se fosse assim: você entra numa sala e a porta se tranca atrás de você, que entra em pânico por alguns instantes, procurando uma chave, uma janela ou qualquer coisa assim. Quando você percebe que não há saída, começa a se adaptar da melhor forma possível à situação em que está. Experimenta a cadeira, e percebe que ela não é tão desconfortável assim. Vê a tevê, folheia alguns livros e abre uma geladeira cheia de comida. Há lugares piores, não é mesmo? O pedido de divórcio foi meu acesso de pânico, mas logo passei ao estágio seguinte e comecei a examinar a situação. E a situação é que tenho dois filhos adoráveis, uma casa agradável, um emprego bom, um marido que não bate em mim e aperta todos os botões certos no elevador... acho que dá para levar. Dá para viver essa vida.

Sábado à noite nós saímos para jantar com Giles e Christine, que são nossos amigos desde a faculdade. David e eu estamos bem, e o restaurante é bom: uma cantina italiana em Chalk Farm, com torradas, vinho na cestinha e uma ótima vitela (e se partirmos da premissa que os médicos não podem – a não ser que sejam como o Doutor Morte, que injeta soros letais em criancinhas e aposentados – ser Pessoas Ruins, acho que tenho direito a um pouco de vitela de vez em quando). Lá pela metade da noite, com David no meio de uma arenga do Homem Mais Irritado de Holloway (um ataque violento, caso alguém esteja interessado, ao processo de seleção do Museu de Cera de Madame Tussaud), eu noto que Giles e Christine estão morrendo de rir. E eles não estão rindo de David, e sim com ele. E embora eu já esteja farta das arengas de David, da sua irritação aparentemente inesgotável e absorvente, percebo subitamente que ele sabe divertir as pessoas, e sinto-me cheia de boa vontade, quase calorosa, em relação a ele. Quando chegamos em casa, nós nos permitimos apertar mais alguns botões.

Na manhã seguinte, levamos Molly e Tom a um parque aquático em Archway. Molly é derrubada por uma das ondas minúsculas geradas pela máquina de ondas, e desaparece sob meio metro de água. Todos nós, até David, temos um acesso de riso, e assim que nos acalmamos eu percebo que me tornei uma reclamona horrível. Não estou sendo sentimental; sei que este feliz instantâneo familiar foi só isso, um instantâneo, e que um vídeo não editado teria captado o mau humor de Tom antes de chegarmos à piscina (ele odeia nadar conosco e queria ir à casa de Jamie) e uma arenga de David depois (eu proíbo as crianças de comprarem biscoitos na vendedora automática, porque vamos direto para casa almoçar, e ele se sente compelido a me dizer que eu sou a corporificação viva do Estado-Babá). Ou seja: minha vida não é um longo verão dourado que por auto-absorção excessiva eu não consigo apreciar (embora é claro que talvez seja, e por auto-absorção excessiva eu não consiga apreciar isso), mas é possível ter momentos felizes, e enquanto esses momentos felizes forem possíveis eu não tenho o direito de exigir nada mais para mim, dado o caos que se seguiria.

À noite tenho uma briga enorme com David, e no dia seguinte Stephen aparece no meu trabalho; subitamente, parece que derramei o proverbial copo meio cheio em cima de mim mesma.

Não vale a pena falar da briga, na verdade. É só uma briga entre duas pessoas que na realidade não se gostam o suficiente para não brigarem. A coisa começa com um saco plástico furado (eu não sabia que aquilo estava furado, e mandei David usá-lo para... Ah, vamos deixar para lá). E termina quando digo a David que ele é um idiota mesquinho e sem talento, e depois que ele declara que não consegue ouvir minha voz sem ter vontade de vomitar.

Já a coisa com Stephen é muito mais séria. As manhãs de segunda-feira são de ambulatório, e eu acabo de atender um sujeito que subitamente convenceu-se de que tem câncer no reto. (Não tem. Ele está com um furúnculo – resultado, imagino eu, dos métodos boçais de higiene pessoal que ele adota, mas prefiro não entrar em maiores detalhes.) Quando chego à recepção para pegar a ficha médica seguinte, vejo Stephen sentado na sala de espera, com o braço numa tipóia que obviamente foi feita em casa.

Eva, nossa recepcionista, inclina-se sobre o balcão e começa a cochichar.

– O cara da tipóia. Disse que acaba de se mudar para o bairro e ainda não tem comprovação de residência nem cartão médico. Só quer ser atendido por você. Diz que alguém a recomendou. Despacho logo o cara?

– Não, tudo bem. Vou atender o cidadão agora. Como é o nome dele?

– Hum... – diz ela, olhando para o bloco à sua frente. – Stephen Garner.

É o nome verdadeiro dele, mas eu não esperava que ele o usasse aqui.

Olho para ele.

– Stephen Garner?

Ele se levanta de um salto.

– Sou eu.

– Quer entrar, por favor?

Caminhando pelo corredor, percebo que várias pessoas na sala de espera aproximam-se de Eva para reclamar que Stephen furou a fila. Eu me sinto culpada, e quero sair logo do campo de audição delas, mas nosso caminho até o consultório é lento, porque Stephen, que claramente está se divertindo muito, resolveu ainda por cima mancar. Eu o faço entrar, e ele senta-se com um largo sorriso no rosto.

– O que você está fazendo aqui? – pergunto.

– De que outra maneira eu poderia falar com você?

– Mas foi exatamente essa a mensagem que eu quis transmitir quando não retornei os seus telefonemas, entende? Não quero mais ver você. Acabou. Aquilo foi um erro.

Assim pareço ser eu mesma: fria e levemente irritada. Mas não me sinto eu mesma. Sinto-me assustada, empolgada e rejuvenescida, e essa jovem emergente começa a questionar se Eva notou como Stephen é atraente. (Quero que a certa altura do dia ela diga: – Você atendeu aquele cara da tipóia? Uau! – E eu teria de me controlar para não dizer algo prosa.)

– Vamos tomar um café e conversar sobre o assunto?

Stephen é assessor de imprensa de uma organização que cuida de refugiados políticos. Ele se preocupa com o Projeto de Lei de Asilo, com Kosovo, e com o Timor Leste; já confessou que às vezes nem consegue dormir à noite por conta disso. Como eu, ele é uma pessoa legal. Mas aparecer numa clínica fingindo estar machucado para perturbar uma das médicas... Isso não é Legal. Isso é Ruim. Eu fico confusa.

– Estou com uma sala cheia de pacientes lá fora. Todos eles, sem exceção, estão passando mal, ao contrário de você. Não posso sair para tomar café sempre que tenho vontade.

– Gostou da minha tipóia?

– Por favor, vá embora.

– Só depois que a gente marcar um encontro. Por que você foi embora do hotel no meio da noite?

– Estava me sentindo mal.

– Por quê?

– Por dormir com você tendo marido e dois filhos, presumivelmente.

– Ah. Isso.

– É. Isso.

– Só vou embora depois que a gente marcar um encontro.

Só não mando expulsar Stephen daqui porque estou achando tudo isto curiosamente emocionante. Poucas semanas atrás, antes de conhecer Stephen, eu não era esta pessoa que obriga homens a fingir que se machucaram seriamente só para conseguir alguns instantes preciosos de intimidade. Eu sou perfeitamente apresentável, e sei que quando me esforço ainda provoco uma espécie de admiração relutante no meu marido, mas não me iludo com a minha capacidade de deixar o sexo oposto ensandecido de desejo. Eu era a mãe de Molly, a esposa de David, e a médica do bairro; sou monogâmica há duas décadas. E não é que eu tenha ficado assexuada, porque ainda faço sexo, mas só com David, e isso parece já não ter nada a ver com atração e coisas assim: nós transamos um com o outro porque combinamos não transar com mais ninguém, e não porque morremos de tesão.

E agora, vendo Stephen implorar à minha frente, sinto uma certa vaidade palpitar dentro de mim. Vaidade! Dou uma olhadela no espelho do consultório; e por um momento, um segundo apenas, até percebo por que posso levar alguém a pôr o braço numa tipóia. Não estou sendo monstruosamente vaidosa, afinal: não estou dizendo que posso levar alguém a se lançar da borda de um precipício, morrer de fome, ou ficar em casa ouvindo músicas tristes e entornando uma garrafa de uísque. Stephen provavelmente levara vinte minutos para fabricar a tipóia, e isso já presumindo certo grau de incompetência; somando o percurso de carro de Kentish Town até aqui, teremos um máximo de quarenta e cinco minutos de inconveniência, pouquíssima despesa e nenhuma dor. Não chega a ser *Atração fatal*, não é? Não, eu mantenho as coisas em perspectiva, e embora seja ridículo presumir que valho muito mais do que uma tipóia falsa, fico com a impressão de que, na verdade, valho ao menos isso, o que é uma sensação inteiramente nova e não de todo desagradável. Se eu fosse solteira, ou tivesse embarcado recentemente no último de uma longa série de relacionamentos, acharia o comportamento de Stephen patético, ameaçador ou irritante, no mínimo; mas não sou solteira, sou uma mulher casada, e a conseqüência paradoxal disso é que digo que vou tomar um drinque com ele depois do trabalho.

– Sério? – pergunta ele. Parece espantado, como se soubesse que passou dos limites, e que nenhuma mulher de juízo perfeito concordaria com um encontro nestas circunstâncias; por um instante, isso abala minha recém-descoberta confiança sexual.

– Sério. Ligue para o meu celular mais tarde. Mas por favor vá embora, e me deixe atender alguém que esteja mal de verdade.

– Tiro a tipóia, para parecer que você me curou?

– Deixe de ser bobo. Mas talvez seja melhor parar de mancar na saída.

– É demais?

– É demais.

– Combinado. A gente se vê mais tarde.

E ele sai alegremente do consultório.

Como se fosse uma coreografia ensaiada, Becca entra segundos mais tarde – deve até ter esbarrado com Stephen no caminho.

– Preciso falar com você – diz ela. – Estou lhe devendo um pedido de desculpas.

– Por quê?

– Alguma vez você já ficou deitada na cama sem conseguir dormir, e aí acabou anotando uma conversa recente que teve? Como se a coisa fosse uma peça?

– Não.

Eu adoro a Becca, mas já começou a me ocorrer que talvez ela seja maluca.

– Bom, devia. É divertido. Eu guardo essas conversas e leio algumas de vez em quando.

– Você devia pedir à pessoa com quem teve a conversa para ir lá e ler a parte dela.

Ela olha para mim e faz uma careta, como se a maluca fosse eu.

– Para que fazer isso? Enfim: sabe a última vez que nós saímos para comer pizza?

– Sei.

– Bom, eu estava anotando a nossa conversa, entende? E lembrei de todas aquelas coisas sobre o seu irmão. Mas... não ria, hein... você não disse algo a respeito de um caso?

– Fale baixo! – digo eu, fechando a porta atrás dela.

– Meu Deus! Você disse mesmo, não foi?

– Disse.

– E eu simplesmente ignorei a coisa.

– Foi.

– Katie, desculpe. Por que será que eu fiz isso?

Faço uma careta para dizer que não posso ajudá-la.

– Você está bem?

– Estou. Mais ou menos.

– Mas o que está acontecendo?

É interessante escutar os tons da voz dela. Há tons no plural ali. Há o tom de menina-caramba, quero-saber-de-tudo; mas ela conhece David, Tom e Molly, de modo que há também um tom de cautela, de preocupação e, provavelmente, de reprovação.

– A coisa é séria?

– Não quero falar sobre isso, Becca.

– Mas queria.

– É, queria. Mas agora não sei mais o que dizer.

– Por que você está fazendo isso?

– Não sei.

– Você está apaixonada por ele?

– Não.

– Então o que é?

– Não sei.

Mas acho que sei. O problema é que Becca não compreenderia. E se compreendesse, começaria a sentir tanta pena de mim que eu não agüentaria. Eu poderia falar da empolgação que senti nas duas últimas semanas, e da sensação sonhadora e sobrenatural que tive quando fizemos amor. Mas não poderia contar que o interesse e a atração que Stephen sente por mim parecem ser o único futuro que me resta. Isso seria patético demais. Becca não gostaria disso.

Estou nervosa quando reencontro Stephen depois do trabalho, porque parece que estou entrando na Fase Dois de algo, e a Fase Dois parece potencialmente mais séria do que a Fase Um. Eu sei, é claro, que a Fase Um envolveu coisas sérias de diversos tipos – infidelidade e mentira, para declarar apenas duas –, mas já tinha acabado, e eu tinha ficado satisfeita com isso. Achava que o caso com Stephen era algo que eu podia afastar feito uma migalha, sem deixar vestígio algum. Mas se aquilo fosse uma migalha que eu afastara, não teria entrado na clínica com uma tipóia falsa hoje de manhã. Esse caso está começando a parecer menos uma migalha e mais uma mancha de vinho tinto, de gordura ou de molho indiano, daqueles entregues a domicílio, perversos e bastante visíveis. Seja como for, o principal é que estou nervosa, e estou nervosa porque não vou encontrar Stephen com a intenção de dizer que jamais quero vê-lo novamente.

Não quero que ele me apanhe no trabalho, porque as pessoas são abelhudas, e então combinamos um encontro numa rua residencial a um quarteirão de distância. Para evitar um desencontro, combinamos nos encontrar diante de uma certa casa nessa rua. No trajeto, tento pensar no sujeito do furúnculo, porque estou fazendo uma coisa ruim, ruim, traiçoeira e falsa, e só uma pessoa legal examina furúnculos na área do reto (a não ser que a pessoa seja ruim, muito ruim, suponho eu, tarada, corrupta e decadente). Por isso, quando vejo o carro de Stephen não estou em condições de me concentrar no que estou fazendo, nem na atitude que devo ter. Entro no carro e nós partimos; vamos até Clerkenwell, porque Stephen conhece um bar discreto num hotel novo e elegante que existe lá. Só mais tarde me pergunto por que um sujeito que trabalha para uma organização com sede em Camden conhece hotéis novos e elegantes em Clerkenwell.

Mas é o lugar certo para nós: discreto, sem alma e cheio de alemães e norte-americanos. Eles oferecem tigelas de amendoins com os drinques. Ficamos sentados ali um pouco, e, pela primeira vez, me ocorre que não sei quase nada sobre este homem. O que devo dizer agora? Com David posso conversar de forma sublime sobre relacionamentos, pois sei como chegar lá – Cristo, a esta altura já devo ter aprendido! Mas com este cara... Não sei nem o nome da irmã dele. Como posso conversar com ele sobre a possibilidade de abandonar meu marido e meus dois filhos?

– Qual é o nome da sua irmã?

– O quê?

– Qual é o nome da sua irmã?

– Jane. Por quê?

– Não sei.

Não parece ter adiantado nada.

– O que você quer?

– O quê?

– De mim. O que você quer de mim?

– Como assim?

Stephen está me irritando; mas acho que ele ficaria surpreso se soubesse que sua contribuição mínima à conversa até aqui – dois "O quê?" e o nome de batismo da irmã, fornecido mediante solicitação minha – estava provocando esta reação. Simplesmente, ele parece não entender o que está acontecendo. Eu estou encarando a destruição iminente de tudo que amo, ou pelo menos costumava amar, e ele fica ali sentado, bebericando sua cerveja especial e indiferente a tudo, exceto o conforto do ambiente e seu encanto pela minha presença. Fico com medo de que a qualquer instante ele se recoste na cadeira, suspire satisfeito e diga: – Ah, que gostoso!...

Eu quero angústia, sofrimento e confusão.

– Você quer que eu saia de casa? Que eu vá morar com você? Que eu fuja com você? O que você quer?

– Caramba.

– "Caramba"? É só isso que você tem a dizer?

– Eu realmente ainda não pensei em tudo isso, para ser sincero. Só queria ver você.

– Pois talvez seja bom pensar.

– Agora?

– Você sabe que eu sou casada e tenho filhos, não sabe?

– Sei, mas... – diz ele, suspirando.

– Mas o quê?

– Mas não quero pensar nisso agora. Quero conhecer você melhor antes.

– Sorte sua.

– Por que sorte?

– Nem todo mundo tem tanto tempo.

– Mas você quer fugir comigo primeiro e me conhecer melhor depois?

– Então você só quer ter um caso.

– Será que é o momento certo para contar a você que eu vou passar a noite aqui?

– Não entendi.

– Reservei um quarto aqui. Por via das dúvidas.

Bebo meu drinque até o fim e vou embora.

Da próxima vez que nos vemos – pois há uma próxima vez, como eu percebi que haveria assim que entrei no táxi que me levou de volta a meu marido e meus filhos –, ele pergunta:

– O que aconteceu lá? Por que você me largou naquele hotel?

Eu faço uma brincadeira boba, do tipo que-espécie-de-mulher-você-acha-que-eu-sou, mas na verdade não há grande motivo para brincar. É tudo muito triste. É uma tristeza que ele não saiba por que eu não aceitei aquele convite cafajeste; é uma tristeza que eu tenha acabado me convencendo de que um sujeito capaz de fazer aquilo é uma figura importante e valiosa na minha vida. Mas nós não conversamos sobre coisas tristes. Estamos tendo um caso e nos divertindo demais para isso.

Quando chego em casa, vejo que David apelou para as costas novamente. Não percebo que isto acabará sendo um momento decisivo na nossa vida, mas por que deveria perceber? As costas de David estão sempre conosco. Embora eu prefira não vê-lo assim – sofrendo imóvel no chão, com dois livros embaixo da cabeça e o telefone sem fio equilibrado na barriga – já vi esse quadro vezes demais para ainda me preocupar. A bateria do telefone sem fio precisa ser recarregada, e isso talvez explique por que não há recados na caixa postal do meu celular.

David está ainda mais irritado do que eu esperava. Está irritado porque eu estou atrasada (mas tão irritado, por sorte, que nem se interessa em saber onde eu estive ou o que andei fazendo), irritado porque foi obrigado a cuidar das crianças nesse estado de incapacidade física, e irritado porque está envelhecendo e suas costas vêm dando problemas com mais freqüência.

– Como você pode ser médica se não consegue fazer porra nenhuma a respeito disto?

Resolvo ignorar a pergunta.

– Você quer ajuda para se levantar?

– Claro que não quero que você me ajude a levantar, sua tonta. Quero ficar aqui. Só não quero ficar aqui e ter de cuidar de duas crianças, caceta.

– Elas já lancharam?

– Ah, sim, claro. Comeram aqueles palitos de peixe que sobem no fogão e se cozinham sozinhos.

– Se foi uma pergunta idiota, desculpe. Não sei direito quando as suas costas começaram a doer.

– Há séculos, caralho.

Aqui em casa ninguém fala palavrão descuidadamente; isso só é feito com muito, muito cuidado. Quando David pragueja desse jeito na frente das crianças – que apenas fingem estar vendo tevê, pois giram as cabeças assim que ouvem uma palavra que não deveriam ouvir –, está comunicando a todos nós que ele se sente infeliz, que sua vida é horrível, que ele me odeia, e que as coisas andam tão mal que ele já não consegue controlar seu linguajar. Mas é claro que na maior parte do tempo ele consegue, e essa manipulação me deixa com ódio dele.

– Cale a boca, David.

Ele suspira e resmunga entre dentes, desesperançado diante da minha frescura e falta de solidariedade.

– O que você quer que eu faça?

– Que você sirva o lanche a elas e me deixe em paz. Logo vou conseguir levantar, se conseguir descansar um pouco – diz ele, como se eu estivesse prestes a pedir-lhe que dançasse freneticamente, pregasse umas estantes na parede ou me levasse lá para cima para fazermos amor.

– Você quer o jornal?

– Já li.

– Vou ligar o rádio.

Ouvimos a agenda cultural na Rádio 4, ouvimos os *Simpsons*, e ficamos escutando os palitos de peixe estalando no fogão. Eu tento não pisar no meu marido, enquanto anseio por quartos de hotel em Leeds e Clerkenwell – não pelo que aconteceu dentro deles, mas pelos quartos em si, com sua calma, lençóis de linho e insinuações de uma vida melhor.

David passa a noite no colchonete do quarto de hóspedes. Tenho de ajudá-lo a se despir. Como é inevitável, acabo pensando em necessidades, carências, direitos, deveres e homens com furúnculos no reto, embora não chegue a lugar algum com isso. Depois vou para a cama, e leio no jornal um artigo do arcebispo de Canterbury sobre o divórcio e a síndrome da grama-mais-verde. Ele diz que não deseja negar a ninguém o direito de acabar um casamento brutal e degradante, mas... (Por que todos os jornais estão cheios de troços sobre mim mim mim? Quero ler matérias sobre acidentes ferroviários em que não estive, carne perigosa que não vou comer, tratados de paz em lugares onde não moro; em vez disso, meu olho é atraído por reportagens sobre sexo oral e o colapso da família contemporânea.) Por isso, acabo pensando em casamentos brutais e degradantes, e na possibilidade de meu casamento ser assim. No entanto, por mais que eu tente me iludir – *ah, mas o significado das palavras "brutal" e "degradante" é diferente no nosso bairro; ele me chama de tonta, cria um clima ruim quando minha família vem nos visitar, é sempre negativo acerca das coisas que eu prezo, acha que as pessoas idosas deveriam ficar nos assentos projetados especialmente para elas nos ônibus* – sei que não é. Não sou nem brutalizada nem degradada pela minha relação com David; simplesmente não gosto muito dessa relação, e isso é um tipo de queixa bem diferente.

Para que serve um caso, no frigir dos ovos? Ao longo das três semanas seguintes transo com Stephen duas vezes, e não gozo em nenhuma (não que gozar seja tudo, embora a longo prazo até acabe sendo); conversamos sobre nossas férias na infância, sobre meus filhos, sobre o período que ele passou morando com uma mulher que se mudou de volta para os Estados Unidos, e sobre a antipatia que compartilhamos por pessoas que não fazem perguntas... Aonde tudo isso me leva? Aliás, para começar, aonde quero ser levada? É verdade que não converso há algum tempo com David sobre férias na infância, por razões óbvias, mas será isso – a oportunidade de olhar para trás e tecer loas às piscinas rochosas de Cornwall – que realmente está faltando no meu casamento?

Talvez eu devesse experimentar esse tipo de conversa,

como dizem que todos os casais devem tentar passar um fim de semana fora sem os filhos e usar roupas íntimas sensuais. Talvez eu devesse ir para casa e dizer: – Sei que você já ouviu isso antes, mas posso repetir a história da moeda que eu encontrei embaixo de um caranguejo morto que meu pai me proibira de tocar?

Mas essa história já foi chata até da primeira vez; só se tornou palatável devido ao incessante fascínio de David por absolutamente tudo que me acontecera antes de nós nos conhecermos. Atualmente, eu teria sorte se ele soltasse um suspiro e alguma obscenidade inaudível.

O que eu realmente quero, e que consigo com Stephen, é a oportunidade de me reconstruir a partir do zero, entendem? O quadro que David fez de mim já está completo, e tenho quase certeza de que nem eu nem ele gostamos muito desse quadro. Tenho vontade de arrancar fora a página e recomeçar numa folha nova, como fazia quando era criança e estragava um desenho. Tanto faz quem seja essa folha nova, na verdade; e por isso pouco importa se eu gosto de Stephen, ou se ele sabe o que fazer comigo na cama. Eu só quero a atenção fascinada dele quando digo que meu livro predileto é *Middlemarch*, e só quero essa sensação – a sensação que tenho com ele – de ainda não ter dado errado.

Resolvo contar tudo sobre Stephen a meu irmão, que é mais novo do que eu, não tem filhos, e no momento não está namorando ninguém. Tenho quase certeza de que ele não vai me julgar, embora adore Molly e Tom, e já tenha até saído para beber e jantar sozinho com David algumas vezes. Mark e eu somos bastante próximos; juro confiar no que ele disser e respeitar o seu instinto.

Mas ele diz:

– Você perdeu a porra do juízo.

Estamos num restaurante tailandês em Muswell Hill, a um quarteirão do lugar onde ele mora, e as entradas ainda nem chegaram; sinto vontade de ter guardado a parte difícil da noite para mais tarde. (Mas eu achava que não ia ser difícil. Como pude me iludir assim? Por que achei que meu irmão não ligaria para isso? Eu imaginara comentários divertidos, acompanhados por cerveja gelada e salgadinhos indianos, mas agora percebo que me enganei, e que meu irmão não seria um irmão se sorrisse e abanasse a cabeça afetuosamente.)

Olho para ele, dou um sorriso débil e digo:

– Eu sei que deve parecer isso. Mas na verdade, você não entende.

– Tudo bem. Pode explicar.

– Eu ando muito deprimida.

Ele sabe bem o que é isso. Na nossa família, ele é considerado uma ovelha negra: tem um histórico empregatício irregular, é um solteirão, toma pílulas e faz terapia.

– Então preencha uma receita para você mesma. Vá conversar com alguém. Não vejo como um caso vai resolver isso. E um divórcio certamente não vai.

– Você não vai me escutar, não é?

– Claro que vou. Mas escutar não é a mesma coisa que incentivar, é? Qualquer uma das suas amigas pode fazer isso.

Penso em Becca, e solto um muxoxo.

– Para quem mais você contou isso?

– Para ninguém. Quer dizer, para uma pessoa. Mas acho que ela nem escutou.

Mark abana a cabeça impacientemente, como se eu estivesse falando por meio de metáforas femininas.

– O que isso quer dizer?

Faço um gesto de impotência. Mark sempre invejou meus relacionamentos com gente feito Becca. Acharia difícil acreditar que ela simplesmente sorriu para mim com indulgência, como se eu fosse a vítima de um derrame e estivesse dizendo bobagens.

– Cristo, Kate. O David é meu amigo!

– É mesmo?

– Tudo bem, não é o meu melhor amigo. Mas você sabe, ele é da família.

– E isso significa que ele tem de ser da família para sempre, porque é seu cunhado e vocês foram jantar fora algumas vezes. Pouco importa o que ele faça comigo.

– O que ele fez com você?

– Não é... o que ele fez. Ninguém que a gente conhece faz coisas. Ele simplesmente... ele está sempre em cima de mim.

– Tadinha.

– Cristo, Mark. Você fala que nem ele.

– Então talvez seja bom você se divorciar de mim também. E fugir de todo mundo que não aprovar você totalmente a cada segundo do dia.

– Ele está destruindo o meu ânimo. Está me puxando para baixo. Nada dá certo, eu não consigo fazer com que ele se sinta feliz...

– Vocês já pensaram em terapia de casal?

Solto um bufo de desdém; Mark se dá conta de que estamos falando de David, e faz aquele barulho debilóide típico de Homer Simpson: "Dã!"

Por um instante, voltamos a ser irmão e irmã.

– Tudo bem, tudo bem – diz ele. – Péssima idéia. Quer que eu fale com ele?

– Não.

– Por que não?

Fico calada; não sei bem o porquê. Mas não queria que nada desta conversa vazasse para o mundo real. Só queria que por uma noite meu irmão entrasse nessa pequena bolha esquisita em que eu vivo. Eu queria empatia, e não ação.

– O que mudaria as coisas para você?

Sei a resposta a esta pergunta. Já pensei nisso, e respondo quase de cor.

– Quero que David não seja mais David.

– Ah. E quem você quer que ele seja, então?

– Uma pessoa diferente. Uma pessoa que me ame direito, que faça com que eu me sinta bem, que me valorize e me ache maravilhosa.

– Ele já acha você maravilhosa.

Começo a rir. Mas meu riso não é irônico nem amargo, embora certamente jamais tenha existido momento mais adequado a um riso amargo do que este. Meu riso é, na verdade, uma gargalhada. Há meses não ouço uma coisa tão engraçada assim. Não tenho certeza de muitas coisas no momento, mas sei com todos os átomos do meu corpo que David não me acha maravilhosa.

– O que foi que eu disse?

Levo algum tempo para me recompor.

– Desculpe. Foi só a idéia de que David me acha maravilhosa.

– Eu sei que ele acha isso.

– Como?

– Ora... você sabe.

– Não. Não sei mesmo. Essa é que é a questão, Mark.

É verdade que quero que David não seja mais David. Quero que as coisas continuem as mesmas estruturalmente – quero que ele seja o pai dos meus filhos, quero que ele realmente esteja casado comigo há vinte anos, e não me importo com o excesso de peso e as costas ruins dele. Só não quero mais aquela voz, aquele tom e aquela permanente cara feia. Quero que ele goste de mim. De verdade. Será que é demais pedir isso de um marido?

3

Volto para casa depois do trabalho; David sai do escritório, quase saltitando, para me receber.

– Veja só – diz ele fazendo reverências vigorosas, como se eu fosse a rainha e ele fosse uma espécie de monarquista lunático.

– O quê?

– Minhas costas. Não sinto mais nada. Nem uma pontada.

– Você foi falar com o Dan Silverman?

Dan Silverman é um osteopata que recomendamos na clínica, e mando David ir consultá-lo há meses. Anos, provavelmente.

– Não.

– O que aconteceu, então?

– Consultei outra pessoa.

– Quem?

– Um cara.

– Que cara?

– Um cara de Finsbury Park.

– De Finsbury Park? – pergunto. Dan Silverman tem um consultório em Harley Street. Não existe qualquer equivalente de Harley Street em Finsbury Park, que eu saiba. – Como você descobriu esse cara?

– Vi um anúncio dele no jornaleiro.

– No jornaleiro? Que qualificações ele tem?

– Absolutamente nenhuma.

Essa informação é dada com uma grande dose de orgulho e agressividade, como é inevitável. As qualificações médicas pertencem ao meu lado do grande divisor de águas conjugais, e portanto devem ser desprezadas.

– Então você deixou que uma pessoa totalmente desqualificada mexesse nas suas costas. Que decisão inteligente, David! Provavelmente ele deixou você aleijado pelo resto da vida.

David começa a fazer reverências novamente.

– Eu pareço aleijado?

– Hoje, não. Mas ninguém cura uma dor nas costas com uma sessão só.

– Pois é, mas BoasNovas curou.

– Que boas novas?

– Esse é o nome dele. BoasNovas. Com B maiúsculo e N maiúsculo, tudo numa palavra só. D. J. BoasNovas, na realidade, para dar o título inteiro dele.

– D. J., e não Dr.

– É gíria de boate, entende? Acho que ele trabalhava numa discoteca, alguma coisa assim.

– Isso é sempre útil para tratar de problemas nas costas. Então você consultou um sujeito chamado BoasNovas.

– Eu não sabia que ele se chamava BoasNovas quando fui até lá.

– Só por curiosidade, o que o anúncio dizia?

– Uma coisa do tipo, sei lá... "Problema nas costas? Curo você em uma sessão." E dava o telefone dele.

– E isso deixou você bem impressionado?

– É claro. Para que ficar ciscando por aí?

– Presumo que esse tal de BoasNovas não seja um terapeuta alternativo.

Talvez seja uma surpresa dizer que David nunca foi grande fã de qualquer tipo de medicina alternativa. Ele já argumentou veementemente, tanto comigo quanto com os leitores de sua coluna jornalística, que não acredita em curas que não sejam prejudiciais a crianças pequenas e mulheres grávidas, e que todos que divergem disso são débeis mentais. (Por falar nisso, David é um conservador hidrófobo em tudo, exceto a política. Já notei que hoje em dia existem muitas pessoas assim: são pessoas que parecem irritadas a ponto de clamar pela volta da pena de morte, mas que não fazem isso porque são liberais, como quase todo mundo aqui no nosso bairro. Por isso, a irritação delas precisa sair por outros buracos. As opiniões dessas pessoas podem ser lidas nas colunas e nas páginas de cartas dos leitores dos nossos jornais liberais todos os dias; elas vivem irritadas com filmes de que não gostam, comediantes que não consideram engraçados e mulheres que usam lenços na cabeça. Às vezes acho que a vida seria mais fácil para nós se David vivenciasse uma conversão política violenta, e pudesse assim se irritar com bichas e comunistas, em vez de homeopatas, passageiros idosos e críticos gastronômicos. Deve ser muito frustrante dispor de saídas tão diminutas para tamanha torrente de fúria.)

– Não sei do que ele pode ser chamado.

– Ele deu alguma droga a você?

– Neca.

– Eu achava que era assim que você definia um terapeuta alternativo, como alguém que não dava drogas aos pacientes.

– O importante é que ele deu jeito no meu problema. Ao contrário do imprestável Serviço Nacional de Saúde.

– E quantas vezes você tentou o imprestável Serviço Nacional de Saúde?

– Não interessa. Aquilo não presta.

– Mas o que esse cara fez?

– Só esfregou um pouco as minhas costas com um tal de Calor Profundo, e me mandou embora. Dez minutos.

– Por quanto?

– Duzentos paus.

Fico olhando para ele.

– Você está brincando.

– Não.

Dá para ver na cara dele que ele está orgulhoso dessa quantia absurda. Em outras ocasiões David teria gargalhado – ou possivelmente até dado um soco – na cara de um charlatão desqualificado que quisesse lhe cobrar duzentas libras por dez minutos de trabalho, mas agora BoasNovas (e se BoasNovas virar um tema de conversa freqüente aqui em casa, precisarei encontrar outro nome para ele) tornou-se uma arma útil na guerra entre nós. Como eu acho duzentas libras demais, David paga alegremente as duzentas libras. Pensando bem, a perversidade dessa lógica é até alarmante, pois onde esse negócio irá parar? Por exemplo: será que ele venderia as crianças a um grupo de pedófilos por uma ninharia, só porque isso me deixaria louca? É verdade que David adora as crianças. Mas ele me odeia tanto que é difícil chegar a uma conclusão.

– Duzentas libras.

– Posso voltar lá quantas vezes quiser. Por qualquer quantia. Até de graça.

– Mas ele dá jeito em tudo na primeira vez. Ninguém precisa voltar.

– É por isso que ele vale o que cobra. E é por isso que cobra tanto.

Ele faz mais algumas reverências, para cima e para baixo, e sorri para mim. Abano a cabeça e vou procurar os meus filhos.

Mais tarde vemos televisão juntos, como uma família. Não pela primeira vez em tempos recentes, eu me pergunto como uma noite pode parecer tão normal e doméstica quando a vida não é assim. Ao longo das últimas semanas, apesar de Stephen e apesar de toda a nossa agressividade, criamos um novo hábito nas noites de segunda-feira: jantar com os pratos no colo assistindo a *Caminhando com os dinossauros*. O ritual familiar parece ser uma flor do deserto extraordinariamente resistente, preparada para brotar nos terrenos mais inóspitos.

David ainda se esforça para arruinar nossa harmonia. Primeiro deita-se no chão e tenta fazer abdominais, tentativa essa frustrada devido à sua barriga e condição atlética geral, e não por suas costas; mas como não foram as costas que o prejudicaram, ele passa vários minutos elogiando as virtudes de BoasNovas, e tem de ser silenciado pelas crianças. Depois fica debochando da narração do programa.

– Três semanas depois, o macho volta para nova tentativa de acasalamento – diz Kenneth Branagh.

– Tem certeza de que não foi uma quinzena, Ken? – diz David. – Afinal, isso foi há cem milhões de anos. Talvez você tenha se enganado por alguns dias.

– Cale a boca, David. Eles estão gostando.

– Um pouco de rigor crítico não mata ninguém.

– É exatamente disso que as crianças precisam. Rigor crítico.

Mas no final tudo se ajeita e assistimos ao programa. Depois damos banho nas crianças, colocamos os dois na cama e jantamos praticamente em silêncio. Passo o tempo todo à beira de dizer ou fazer algo, mas não sei o que dizer nem o que fazer.

No dia seguinte Tom passa todo o café da manhã olhando fixamente para nós dois. Depois de um tempo, começo a achar aquilo um pouco desconcertante. Tom é uma criança desconcertante; ele é calmo, inteligente e direto a ponto de parecer rude. Tem a personalidade de uma criança-prodígio, mas nenhum talento discernível.

– O que há com você? – pergunto a ele.

– Nada.

– Por que você está olhando para a gente?

– Quero ver se vocês vão se divorciar.

Se isto fosse um filme, eu estaria segurando uma caneca de café junto aos lábios; as palavras de Tom provocariam um enorme engasgo de riso, e haveria café saindo do meu nariz e escorrendo blusa abaixo. Acontece que eu estou de costas para ele, pondo pão na torradeira.

– Por que nós iríamos nos divorciar?

– Alguém na escola me falou isso.

Ele diz isso sem mágoa alguma; se alguém no trabalho me dissesse que eu estava me divorciando, e eu não tivesse consciência alguma de problemas conjugais anteriores, eu ficaria mais irritada com a fonte da notícia do que com qualquer outra coisa. Mas é claro que a infância é uma época em que a gente recebe informação de todos os lados, e para Tom tanto faz se quem lhe deu essa notícia foi a mãe, o pai, ou o Billy da turma 2C.

– Alguém, quem? – diz David com uma agressividade levemente excessiva, e por isso mesmo revelando imediatamente ser a fonte do vazamento.

– O Joe Salter.

– Quem é Joe Salter, diabos?

– Um garoto lá da escola.

– O que ele tem a ver com isso?

Tom dá de ombros. Ele não está interessado em Joe Salter. Está interessado, sim, em saber se eu e David vamos nos separar. Dá para entender o ponto de vista dele.

– Claro que nós não vamos nos divorciar – digo, e David me lança um olhar triunfante.

– Então por que o Joe Salter disse que vocês iam? – pergunta Tom.

– Não sei. Mas se nós não vamos, pouco importa o que o Joe Salter diz, não é? – respondo. Ouvi o nome de Joe Salter pela primeira vez há apenas três minutos, e já estou com ódio dele. Faço uma forte imagem mental de um garotinho louro, convencido e malévolo; todos o acham angelical, exceto seus coleguinhas (e agora David e eu) que já entreviram sua alma venenosa e fedorenta. – Ora essa, nós sabemos mais a respeito do assunto do que ele. E vamos continuar casados, não é, David?

– Você é quem sabe – diz ele, que na realidade está se divertindo com isto. Não posso dizer que o culpo.

– Vocês vão se divorciar um dia? – pergunta Molly. Meu Jesus. Pela primeira vez percebo quantas vespas cabem num vespeiro, e por que não é uma boa idéia mexer em vespeiros, sob quaisquer circunstâncias.

– Não estamos planejando isso – digo a ela.

– Com quem nós iríamos morar, se vocês se divorciassem?

– Com quem você gostaria de morar? – pergunta David. Nem no mais boçal dos livros de orientação para pais e mães se recomenda fazer uma pergunta dessas.

– Com o papai! – diz Molly. Depois acrescenta, como que lembrando-se subitamente: – Mas não com o Tom.

– O Tom pode ir morar com a mamãe, então. É justo.

– O papai está brincando – digo rapidamente a Tom. Mas desconfio que o mal já foi feito: no tempo necessário para se comer uma tigela de cereal, David conseguiu separar o irmão da irmã, a filha da mãe, e o filho do pai. E eu acabo de prometer que não vou me divorciar dele. Como diriam meu irmão, meu filho e Homer Simpson: – Dã!

Por insistência minha David vem ao consultório na hora do almoço, e vamos a um café barato na esquina conversar sobre o que foi dito durante o café da manhã. David mostra-se impenitente. (Talvez seja melhor dizer que David é Impenitente. Assim como James Bond é 007.)

– Se a gente não vai se divorciar, qual é o problema? É uma situação puramente hipotética.

– Ora, David, não banque o ingênuo.

– Mas o que foi que eu fiz?

– Você estava preparando armadilhas.

– Você está falando da frase "se a gente não vai se divorciar"? Isso é uma armadilha?

– Você quer que eu diga "Ah, mas talvez a gente se divorcie", só para poder me acusar de ser incoerente, e de dizer uma coisa a você e outra às crianças.

Há algum tempo vejo com desprezo as minas verbais enterradas por David, pois elas são chocantemente óbvias (e não deve surpreender ninguém que a conversa do autor de *Os guardiães verdes* seja tão chocantemente óbvia quanto a sua prosa). Porém, tornei-me desleixada, porque a alacridade com que David lança-se sobre meu último comentário sugere que ele esperava que eu dissesse exatamente isso.

– Espere aí, espere aí. O que você disse quando me ligou de Leeds?

– Eu não disse... bom, eu disse, mas só queria...

– Não. O que você disse?

– Você sabe o que eu disse.

– Diga de novo.

– Não é necessário, David. Você sabe o que eu disse naquela hora, e sabe o que eu disse às crianças hoje de manhã.

– E isso é coerente?

– Dá para entender que pode parecer incoerente do seu ponto de vista.

– E do seu? É sério, eu estou interessado. Quero saber como pode não parecer incoerente alguém pedir o divórcio e depois dizer que não quer se divorciar.

– Nada disso interessa – digo, e estou falando sério. Prefiro descobrir como ele pôde pedir à nossa filha para escolher entre o pai e a mãe, por que ele foi tão impensavelmente cruel com Tom, e por que ele vem falando de nossos problemas conjugais aos pais de garotinhos como Joe Salter, ou aos amigos dos pais de garotinhos como Joe Salter. É justo que eu queira saber essas coisas, assim como é justo que ele queira saber por que eu disse que queria acabar com nosso casamento, aparentemente sem mais nem menos; mas só temos a hora do almoço para conversar. E subitamente me parece que para isso nem uma vida inteira seria suficiente, que dirá uma hora de almoço, porque se uma conversa durante o café da manhã pode ser quebrada em tantos fragmentos diminutos, nenhum dos quais pode ser colado novamente, quantos fragmentos diminutos poderíamos extrair do último quarto de século? Ele disse, eu disse, ele disse, eu disse, ele pensou, eu pensei, ele pensou, eu pensei, ele fez isso, eu fiz aquilo, e... Não devia ser assim. Não é assim que as coisas deviam ser. Se fosse o que *nós* pensamos e o que *nós* fizemos, não haveria motivo para discutir, porque teríamos pensado e feito as coisas juntos, mas a única coisa que conseguimos fazer juntos foi criar uma tremenda confusão, e eu não vejo como...

– David, não vejo como a gente vai sair desse atoleiro.

– Do que você está falando agora?

Tento articular as palavras – as palavras que disse antes, e que desdisse ainda hoje de manhã –, mas por sorte elas não vêm; em vez disso, começo a chorar, soluçando sem parar, enquanto David me tira do café e me leva para a rua.

Talvez eu esteja mesmo enlouquecendo; por outro lado, talvez eu esteja simplesmente confusa e infeliz; por um terceiro lado, talvez eu saiba exatamente o que quero, mas não tenha coragem de ir em frente por causa da imensa dor que isso causaria, e a tensão entre esses dois estados de alma me faça ter vontade de explodir. Mas quando David me toca dessa forma, com ternura, amor e preocupação, tudo se esvai e desaparece; eu só quero ficar com ele e meus filhos pelo resto da vida. Não quero encostar em Stephen, não quero brigar sobre o que David pode ou não ter dito a outras pessoas, nem sobre o que ele certamente disse a Molly e Tom. Só quero fazer o meu serviço durante o dia, assistir aos dinossauros no fim da tarde e dormir com David à noite. Nada mais importa. Eu só preciso segurar esta sensação, e tudo dará certo.

Vamos até o carro e ficamos sentados lá um pouco; David me deixa chorar.

– Não posso deixar que isso continue assim – diz ele.

– Não vai continuar. Isto é o fim.

– Você quer me contar o que anda acontecendo?

Isso é típico do David. É típico de todo homem. Algo deve "andar acontecendo" para que uma pessoa fique nesse estado. É claro, porém, que ele tem razão: algo anda acontecendo, algo que sem sombra de dúvida contribuiu para a minha infelicidade recente. Subitamente – a partir da decisão dos dinossauros, do afeto que David demonstra por mim, e da convicção de que estas lágrimas assinalam o fim de tudo – vejo com total clareza o que devo fazer e dizer.

– David... eu ando me encontrando com uma pessoa.

Conto isso para ele porque sei que não ando encontrando mais ninguém, porque dentro da minha cabeça já sei o que quero, e porque sei que isto estabelecerá uma comunicação com David. Nem por um instante me ocorre que para David esta confissão assinala o começo de algo, ou que o fato de nos conhecermos há vinte e cinco anos não significa que ele me conheça ou compreenda agora.

Ele fica em silêncio por um instante, e depois diz:

– Você pode voltar direto para casa hoje à noite?

– Posso. Claro. A gente conversa lá.

– Não há nada para a gente conversar. Mas quero tratar do eczema da Molly, e preciso que você cuide do Tom.

Estou jogando comigo mesma só para saber como é essa sensação. O jogo é o seguinte: eu não estou sentada na cozinha do lar conjugal vendo meu filho fazer o dever de casa, e sim na cozinha de um apartamento aqui perto. No jogo, é aqui que eu moro, depois de me separar. Molly não está aqui, porque no momento ela se recusa a falar comigo; ela me culpa pelo que ocorreu (David deve ter feito a ela um relato bastante astuto dos acontecimentos), e vira as costas toda vez que tento falar com ela. Aquela brincadeira horrível do David, dividindo a família ao meio, revelou-se uma profecia óbvia e prosaica.

Sob certos aspectos, o jogo é instrutivo. Por exemplo: por que eu escolhi imaginar esta cozinha como uma cozinha diferente? Em outras palavras, por que acho tão difícil imaginar que seria eu quem ficaria no mesmo lugar no caso de um cataclisma doméstico? Não é só porque a culpa foi minha (pois há circunstâncias atenuantes e eu não sou tão culpada assim, já que meu casamento é um pouco brutal e degradante, embora eu admita que se trata de uma versão delicada, classe média, de brutalidade e degradação); é porque eu sou o arrimo da família. É o David que leva as crianças à escola, que prepara o café para elas, que supervisiona o dever de casa delas, e que apanha as duas na casa dos amigos, amigos esses que eu nem conheço. Se David e eu nos separássemos, a minha partida causaria uma perturbação mínima na vida delas, enquanto que se ele partisse, não sei o que faríamos. Eu sou o homem aqui. Sou o papai. Não porque eu tenha um emprego, mas porque David na verdade não tem, e portanto cuida do lar em primeiro lugar. É por isso que para mim é tão fácil me visualizar de mudança: são os pais que sempre se mudam. E é por isso que é tão fácil imaginar Molly sem falar comigo: ela jamais me preferiria ao David, e, além disso, as filhas sempre se recusam a falar com os pais quando descobrem que eles andam tendo casos. Existem todas aquelas coisas que acontecem, e todo aquele negócio freudiano. Será que é demais sugerir que na realidade Molly sente um certo ciúme sexual de mim?

– Tom?

– Hum.

– Você pensa em mim como sua mãe ou seu pai?

– O quê?

– Não pense muito, responda a primeira coisa que passar pela sua cabeça.

– Mãe.

– Tem certeza? Não teve de pensar uns dois segundos antes, por se sentir confuso?

– Não. Penso em você como minha mãe, e no papai como meu pai.

– Por quê?

– Mamãe, eu estou muito ocupado, está bem? – diz ele, abanando a cabeça tristemente.

Molly sofre de eczemas desde muito pequena. Tem eczemas no corpo todo – mãos, braços, pernas, estômago – e não há creme, dieta ou remédio homeopático que melhore isso. Hoje de manhã, antes que ela fosse para a escola, apliquei um creme esteróide muito forte – e provavelmente prejudicial – nas mãos dela, que estavam cobertas por rachaduras de aparência dolorosa. Mas agora, ao voltar para casa, ela vem em disparada pelo corredor e mostra as mãos para mim: não há sinal das rachaduras. Levanto o suéter dela, e a história se repete no estômago; ela exibe as panturrilhas, e nada vejo ali. É claro que senti um bolo no estômago ao ouvir Molly e David entrarem, e é claro que estou aterrorizada pela perspectiva do que esta noite pode trazer; mas só conseguimos falar sobre o que aconteceu com as horríveis feridas da Molly. (E se os eczemas de Molly são mais importantes do que o meu adultério, o que adianta cometer adultério, para começar?)

– Que coisa espantosa – digo.

– Ele tocou nas feridas, e elas sumiram – diz Molly. – Eu vi tudo.

– Ele não tocou nelas, apenas – diz David. – Usou um creme também.

– Não usou, papai. Eu fiquei olhando. Ele não fez nada. Só tocou nelas.

– Com o creme.

– Ele só tocou nelas, mamãe.

– Quem tocou?

– O D. J. BoasNovas.

– Ah, o D. J. BoasNovas. Eu já devia saber. Há alguma coisa que o D. J. BoasNovas não consiga fazer?

– Por acaso ele mencionou que era bom com eczemas – diz David. – Achei que valia a pena tentar.

– Costas e eczemas. É uma combinação de especialidades bastante incomum.

– Ele também cuidou da dor de cabeça do papai – diz Molly.

– Que dor de cabeça? – pergunto a David.

– Só uma... só uma dor de cabeça normal. Por acaso eu mencionei que estava com dor de cabeça, e ele... massageou as minhas têmporas. Foi bom.

– Portanto, cabeça, eczema e costas. Ele é um verdadeiro mago, não é? Mais duzentos paus?

– E você não acha que valeu a pena?

Solto um muxoxo, embora não saiba o que quero dizer com esse muxoxo. Não sei por que estou me comportando assim. Eu teria pago o dobro para ver Molly melhorar, mas a oportunidade de ser mordaz é sempre irresistível, sejam quais forem as circunstâncias.

– Você devia ir lá, Tom – diz Molly. – É maravilhoso. A gente fica toda quentinha.

– É por causa do creme – diz David. – Ele fez a mesma coisa com as minhas costas.

– Ele não usou creme nenhum. Papai, por que você teima em dizer que ele usou creme, se ele não usou?

– Você não podia ver o que ele estava fazendo.

– Podia, sim. E de qualquer forma, eu sei qual é a sensação que o creme dá. Uma sensação cremosa...

– Dum! – diz Tom.

Uma explicação para quem não estiver familiarizado com monossílabos pré-adolescentes aparentemente sem sentido: "Dum!" é completamente diferente de "Dã!" Pelo que entendi, o segundo é uma admissão de burrice por parte do orador, enquanto o primeiro implica fortemente que uma outra pessoa é burra. O primeiro, por falar nisso, é acompanhado por uma careta bastante feia – olhos revirados e dentes arreganhados – com a intenção de ilustrar a dita burrice.

Mas Molly ignora o irmão, e diz:

– E as mãos dele não pareciam nem um pouco cremosas.

Algo esquisito está acontecendo aqui, porque David não quer mudar de assunto; fica claro que a conversa continuará até Molly negar a evidência de seus próprios sentidos.

– Isso é completamente absurdo, Molly. Leia os meus lábios: Ele... Estava... Usando... Creme.

– Isso tem importância? – pergunto suavemente.

– Claro que tem!

– Por quê?

– Ela está mentindo. E ninguém gosta de mentira, não é, Molly?

– É – provoca Tom com antipatia. – Mentirosa! Loroteira!

Molly começa a chorar e grita:

– Isso não é justo! Eu odeio vocês!

Depois sobe correndo para o quarto, e assim a primeira BoaNova que temos em semanas é habilmente transformada em mais uma fonte de perturbação e problemas.

– Parabéns, David. Mais uma vez.

– Ela não devia mentir, não é, papai?

– Ele usou um creme – diz David com ar vago. – Eu vi.

David pede desculpas a Molly (não porque queira, preciso salientar, e sim porque sugiro que isso seria uma atitude madura e paternal); Tom pede desculpas a Molly, Molly pede desculpas a todos, e tudo se ajeita novamente. Atualmente, a paz na nossa família não passa disso: duas horas entre a briga sobre o charlatão dos cremes e a discussão sobre o meu caso com outro homem e o possível término do nosso casamento.

– Vamos conversar agora? – digo a David depois que as crianças vão para a cama.

– Sobre o quê?

– Sobre o que eu contei para você na hora do almoço.

– O que você quer dizer sobre isso?

– Achei que você ia querer dizer alguma coisa.

– Não.

– Prefere deixar por isso mesmo?

– Não prefiro deixar por nada. Mas presumo que você vá se mudar daqui nos próximos dois dias.

Há algo de diferente em David, mas não sei direito o que é. Eu tinha certeza de que ele ia fazer algo típico, com uma enorme arenga, um pouco de fúria, vários milhões de comentários cáusticos e uma grande quantidade de desprezo dirigido a Stephen. Mas nada disso acontece; é quase como se ele não ligasse mais.

– O tal caso terminou. Neste segundo.

– Isso eu não sei. Mas sei que ninguém pede a Elvis Presley para tocar de graça.

Sinto náuseas e entro em pânico, pois não compreendo as palavras e o tom dele.

– O que isso quer dizer?

– Foi o que o coronel Parker disse à Casa Branca.

– Fale comigo direito, por favor.

– O pessoal do Nixon ligou para o coronel Tom Parker e pediu que o Elvis tocasse para o presidente na Casa Branca. O Parker disse: "Tudo bem, mas quanto a gente vai ganhar?" O assessor do Nixon disse: "Coronel, ninguém pede dinheiro quando faz uma apresentação particular para o presidente", e o Parker respondeu: "Isso eu não sei, mas ninguém pede a Elvis Presley para tocar de graça".

– Não estou entendendo! Pare com isso, por favor! É importante!

– Eu sei. Só que... eu me lembrei dessa história, sabe, e pensei em contar isso a você. É o meu jeito de dizer que aquilo que você quer ou faz não tem muita importância. Você é a presidente, eu sou o rei. Eu é que mando, e você se manda. Passar bem. Muito obrigado, e adeus.

– Você não está falando sério.

Digo isso apesar de ter quase certeza que ele está. David é desse tipo de homem. No frigir dos ovos, talvez esse seja o único aspecto em que os homens aqui do nosso bairro ainda não se reformularam. Eles já trocam fraldas, falam de sentimentos, deixam as mulheres trabalhar e tudo o mais, mas David ainda prefere encerrar o assunto agora a admitir qualquer possibilidade de dúvida, confusão ou mágoa, por mais que isso lhe seja difícil, e por mais que ele esteja arrasado pelo que eu fiz. Ele me disse uma vez, e tenho certeza de que isso virá à tona agora...

– Por que você acha que eu não estou falando sério? Não se lembra? A gente não conversou sobre isso?

– Eu me lembro.

– Então!

Nós estávamos na cama, e tínhamos acabado de fazer amor; já tínhamos Tom, mas não Molly, e eu não estava grávida, de modo que deve ter sido em 1992. Eu perguntei a David se ele ficava deprimido com a perspectiva de só transar comigo e mais ninguém pelo resto da vida. Numa atitude rara, ele refletiu bastante, e respondeu que às vezes ficava meio para baixo com isso, mas que as alternativas eram horríveis demais, e que como ele sabia que não seria capaz de tolerar nada além de monogamia da minha parte, não podia esperar nenhuma indulgência para si mesmo. É claro que acabamos entrando naquele jogo em que todos os amantes entram a certa altura, e eu perguntei se havia alguma circunstância em que ele perdoaria uma infidelidade minha – uma trepada rapidinha numa noite de bebedeira, digamos, seguida de remorso sofrido e imediato pela manhã. Ele observou que eu nunca me embebedava e que jamais dera uma rapidinha na vida, de modo que era difícil imaginar essa circunstância específica. Disse que achava que eu só seria infiel por outros motivos, e que esses motivos indicariam problemas – problemas nos quais ele nem quereria pensar. Raramente atribuo perspicácia a David, mas tiro meu chapéu para ele agora: eu não estava bêbada, e não dera uma trepada rapidinha. Venho dormindo com Stephen por vários outros motivos, e todos esses motivos indicam problemas.

– Você já sabe para onde vai? – pergunta ele, aparentemente ainda imperturbável diante de tudo isto.

– Não, é claro que não. Você está me dizendo que sou eu que tenho de sair?

David simplesmente olha para mim, com um olhar tão cheio de desprezo que tenho vontade de fugir disso tudo – marido, casa e filhos – e nunca mais voltar.

Eu sou uma pessoa legal. Sob a maioria dos aspectos. Mas estou começando a pensar que ser uma pessoa legal sob a maioria dos aspectos não conta muito, caso a pessoa seja ruim sob um aspecto. Porque geralmente as pessoas são legais, não são? Geralmente as pessoas querem ajudar as outras, e quando a profissão não permite que façam isso, elas ajudam do jeito que podem – trabalhando como telefonistas em hospitais uma vez por mês, ou fazendo outras tarefas voluntárias. Não adianta eu dizer que sou médica, porque só trabalho como médica nos dias úteis. Venho dormindo com um homem que não é meu marido fora do expediente, pois não sou ruim a ponto de fazer isso durante o expediente. E no momento, ser médica não compensa isso, por mais furúnculos no reto que eu examine.

4

David me diz que vai passar duas noites fora. Não diz para onde vai, nem deixa um número de telefone para contato, mas leva meu celular para o caso de haver uma emergência na família. Eu presumo que ele tenha ido para a casa de seu amigo Mike, que é divorciado e mora aqui no bairro, tem um bom emprego e um apartamento simpático com quarto de hóspedes. Antes de ir, David diz que tenho quarenta e oito horas para conversar com as crianças; a premissa muda é que farei as malas e partirei assim que revelar a elas toda a minha perfídia.

Na primeira noite não consigo pregar o olho, e sinto que não conseguirei descansar antes de responder a todas as perguntas que se debatem na minha cabeça feito peixes numa rede. A maioria dessas perguntas (David deixará que eu venha ver o programa dos dinossauros nas noites de segunda-feira?) sufocam e morrem; mas as maiores e mais tenazes simplesmente se recusam a sumir. Uma delas é: que direitos eu tenho?

Porque eu não quero me divorciar, entendem? Tudo bem, sei que eu queria antes, quando não sabia o que isso significava, não sabia o que estava sentindo, e não sabia que essa perspectiva me pareceria tão horrível; mas agora não quero mais, e tenho (quase) certeza que faria (quase) qualquer coisa para colocar meu casamento nos trilhos novamente. Sendo assim, por que cabe a mim a tarefa de contar tudo às crianças? David não quer nem pensar numa alternativa pacífica; cabe a mim fazer o trabalho sujo? E se eu simplesmente não for embora? O que ele faria nesse caso?

Também fico dando voltas numa outra linha: nunca vamos sair desta confusão, as coisas já foram longe demais, tudo está perdido, é melhor pular fora agora... Mas o tempo todo eu sei, lá no fundo, que jamais serei capaz de sentar e dizer aos meus filhos que vou deixá-los.

– Onde está o papai? – pergunta Molly na manhã seguinte. É sempre Molly que faz essa pergunta, principalmente depois da sentença salomônica que David proferiu outro dia; Tom parece não estar mais interessado.

– Ele viajou a trabalho – digo, como se isso fosse possível. É uma resposta nascida da falta de sono, pois jamais se aplicaria à vida e ao trabalho de David. As crianças passaram os últimos anos ouvindo-o reclamar sempre que precisava ir à fotocopiadora; como ele pode ter virado subitamente um homem que se hospeda nos hotéis das principais capitais européias e participa de reuniões profissionais durante o café da manhã?

– Ele não trabalha – diz Tom com objetividade.

– Trabalha, sim – diz Molly, cheia de doçura e lealdade.

– Trabalha em quê?

Tom pode até preferir a mãe ao pai atualmente, mas eu diria que sua incapacidade de resistir à tentação de ser cruel não vem de mim.

– Por que você é sempre tão malvado com o papai?

– Por que é malvadeza perguntar em que ele trabalha?

– Porque você sabe que ele não trabalha, e quer enfiar o dedo na ferida.

Tom olha para mim e abana a cabeça.

– Você é péssima para discutir, Molly.

– Por quê?

– Porque acabou de dizer que ele não trabalha. Foi exatamente isso que eu disse, e você disse que eu estava sendo malvado.

Molly pára, pensa por um instante, diz que odeia Tom, e vai se aprontar para ir à escola. Coitado do David! Nem sua defensora mais fiel consegue se convencer de que ele trabalha como um pai normal. Se eu fosse uma mãe decente, interromperia e explicaria que cada pai faz um tipo de trabalho, mas no momento estou com tanto ódio de David que não consigo.

– Onde ele está, de verdade? – pergunta Tom.

– Foi para a casa de um amigo.

– Só porque vocês vão se divorciar?

– Nós não vamos nos divorciar.

– Então por que ele foi para a casa de um amigo?

– Você também já ficou na casa de amigos. Isso não quer dizer que você vá se divorciar.

– Eu não sou casado. E quando vou para a casa de um amigo, aviso que vou e me despeço de vocês.

– É esse o problema? Que ele não tenha avisado antes?

– Para mim tanto faz se ele se despede ou não. Mas sei que alguma coisa está errada.

– Seu pai e eu tivemos uma discussão.

– Está vendo? Vocês vão se divorciar.

Seria fácil dizer algo agora. Eu não ficaria muito à vontade, mas seria algo lógico, natural, apropriado e certo; assim, não haveria uma mudança brusca de marcha depois. Tom sabe que algo anda acontecendo.

Talvez eu precise mesmo acabar dizendo alguma coisa, e David pode contar tudo a eles assim que chegar em casa...

– Tom! Vai ficar repetindo isso, em vez de se aprontar para ir à escola?

Ele me dá um olhar demorado; depois gira violentamente sobre os calcanhares, transmitindo raiva, mas sem desobediência. Eu só quero ir para a clínica e trabalhar, trabalhar, trabalhar. Quero que o dia de hoje seja mais desagradável e exigente do que qualquer outro, para que ao final do expediente eu possa ter me recomposto um pouco. Tenho a esperança de que, examinando retos bloqueados, verrugas purulentas e outras coisas que fariam o resto do mundo vomitar, eu me sentirei novamente uma pessoa legal. Uma mãe negligente, talvez, e uma esposa horrorosa, sem dúvida, mas uma pessoa legal.

A caminho do trabalho sinto um pavor súbito de que Stephen ligue para o celular, de modo que ligo para ele assim que chego à clínica. Ele quer saber o que está acontecendo, mas como não quero falar no assunto, pede para me ver. Acabo combinando um encontro com ele, e marco uma babá para ficar com as crianças.

– Aonde você vai? – pergunta Tom quando me preparo para sair.

– Vou tomar um drinque com um amigo.

– Que amigo?

– Ninguém que você conheça.

– Seu namorado?

Molly acha que essa é uma das tiradas mais engraçadas que já ouviu na vida, mas Tom não está brincando. Quer que eu responda à pergunta.

– Do que você está falando, Tom?

Tom está começando a me deixar grilada. Sinto que a qualquer instante ele será capaz de me dizer o nome de Stephen e descrever a aparência dele.

– Qual é o nome desse amigo?

– Stephen.

– Qual é o nome da mulher dele?

– Ele não tem... – digo, parando ao ver que fui enganada por um garoto de dez anos. – Ele não tem mulher. O nome da namorada dele é Victoria.

O nome da namorada dele é Victoria, porque em cima da mesa da cozinha há uma fotografia de Victoria Adams e David Beckham na capa de um exemplar da revista *Posh*. Se Tom houvesse me perguntado isso hoje de manhã, quando eu não estava me sentindo muito alerta, eu teria dito que o nome da namorada de Stephen era Posh.

– Ela também vai?

– Tomara que sim. Ela é legal.

– Você acha que ele vai casar com ela?

– Não tenho idéia, Tom. Posso perguntar a ele hoje, se você quiser.

– Quero, por favor.

– Está bem.

Quase não adianta falar sobre o resto dessa noite, pela sua total previsibilidade. Stephen me lisonjeia, e eu me sinto estimulada e desejada. Percebo, como que pela primeira vez, o quanto a relação com David me deixa infeliz, e vou para casa querendo acabar tudo.

Mas quando chego em casa David está lá esperando, e tudo muda novamente.

Fico assustada quando o vejo sentado ali. De início, o medo até me consola, pois certamente significa que meu casamento é brutal e degradante, e que, portanto, o arcebispo de Canterbury aprovará meu divórcio. Mas refletindo melhor, percebo que esse medo tem explicações mais prováveis do que a brutalidade: a existência de Stephen, digamos, ou minha incapacidade de conversar com as crianças sobre o que anda acontecendo. Sinto a aprovação do arcebispo desaparecer tão rapidamente quanto apareceu.

– Teve uma noite boa? – pergunta David em voz baixa, e já tomo isso como uma ameaça.

– Tive, obrigada. Eu fui... Eu saí...

Por algum motivo, fico tentando lembrar do nome da namorada de Stephen, até lembrar que ela não passava de outra mentira, dita para outra pessoa por outras razões.

– Não interessa – diz ele. – Escute. Eu não venho dando amor suficiente a você.

Fico olhando para ele, boquiaberta.

– Não venho dando amor suficiente a você, e me arrependo muito disso. Eu amo você de verdade, e não venho expressando isso direito, de forma positiva.

– Não mesmo. Bom, obrigada.

– E estou arrependido de ter dito que queria me divorciar. Não sei onde eu estava com a cabeça.

– Sei.

– Quer ir ao teatro comigo amanhã à noite? Reservei entradas para a peça do Tom Stoppard. Sei que você queria ir.

É provável que o teatro já tenha fornecido mais material para as arengas de David do que qualquer outra coisa na carreira de arengas dele, com a possível exceção dos alemães. Ele odeia teatro. Odeia os dramaturgos, odeia as peças, odeia os atores, odeia os críticos, odeia a platéia, odeia os programas e odeia até os copinhos de sorvete vendidos no intervalo. Chegou a tentar escrever uma coluna explicando por que odiava as cortinas de incêndio, mas não conseguiu encontrar as oitocentas palavras exigidas.

– Ah. Obrigada.

– Eu gostaria que a gente fosse para a cama e dormisse em quartos separados, levantasse de manhã e tentasse recomeçar do zero. Tentasse reconstruir nossa vida.

– Beleza.

Provavelmente ele acha que estou sendo sarcástica, mas não estou. Uma expressão tola e alegre feito "Beleza" parece, neste exato momento, ser a única resposta adequada à sugestão jovial e afável de David, que ignora completamente toda a complicação e amargura dos últimos anos de nossa vida em comum.

– Que bom. Vou para a cama, então. Boa noite.

Ele se aproxima, beija o meu rosto e me abraça; depois começa a subir a escada.

– Em que quarto você vai dormir? – pergunto.

– Ah, desculpe. Para mim tanto faz. Qual você prefere?

– Posso dormir no quarto de hóspedes.

Tanto faz para mim, também, mas parece falta de educação pedir que esse homem cortês e amável, seja ele quem for, saia de sua própria cama.

– É isso que você quer? – pergunta ele. Mas o tom é solícito, pois ele só quer ter certeza, e não chamar atenção para sua mágoa diante da minha deserção.

Dou de ombros.

– É.

– Tudo bem, já que você tem certeza. Durma bem.

Acordo na expectativa de ser recebida com um rosnado e um insulto, possivelmente seguidos pela exigência de que eu me mude antes do anoitecer; mas David prepara chá com torradas, serve as tigelas de cereal às crianças, e me deseja um bom dia. Depois do trabalho, volto direto para casa; nós jantamos cedo e saímos para ir ao teatro. Ele pergunta como anda a clínica, e até ri quando conto a história de um sujeito com infecção pulmonar que não fazia idéia de que o fumo fosse realmente prejudicial à saúde. (Nunca consigo fazer David rir. Ninguém consegue fazer David rir, com exceção das pessoas que ele reconhece serem mais engraçadas do que ele, ou seja, Woody Allen, Jerry Seinfeld, Tony Hancock e Peter Cook, versão anos sessenta. Fazer as pessoas rirem é o trabalho dele.) Pegamos o metrô até o teatro, e ele continua na mesma linha simpática: mostra-se curioso, escuta, faz perguntas, e até compra para mim um daqueles altamente desprezados copinhos de sorvete. (É verdade que ele compra o sorvete com o meu dinheiro, pois simplesmente esqueceu a carteira, mas o importante não é a generosidade dele, e sim a vista grossa que ele está fazendo para um dos inúmeros crimes do teatro londrino.) Estou começando a ficar tonta, e a não saber mais com quem estou. É Stephen que é assim, e foi por isso que a idéia de Stephen me seduziu, para começar. Fico com medo de que o contraste entre meu amante e meu marido se torne indistinto. Talvez o objetivo dele seja exatamente este. Talvez esta seja a coisa mais venenosa e manipuladora que David já fez: fingir ser uma pessoa legal para que... para o quê? Para que eu também seja legal com ele? Para que eu queira continuar casada com ele? Será que tentar fazer nosso casamento dar certo é uma coisa tão venenosa e manipuladora assim? Na maioria dos casos eu diria que não, mas minha desconfiança de David é muito profunda.

Adoro cada segundo da peça. Sorvo aquilo como uma pessoa desidratada sorveria um copo de água. Adoro ser obrigada a pensar sobre algo além do meu trabalho e do meu casamento, e adoro o humor e a seriedade do texto. Pela milionésima vez, juro me nutrir assim com mais regularidade, mesmo sabendo que acordarei de manhã com o tal romance ainda por ler em cima do corpo. Mas passo quase tanto tempo dando olhadelas para o perfil de David quanto vendo o espetáculo. Decididamente, alguma coisa esquisita aconteceu, porque o esforço para gostar da peça está escrito na cara de David; há uma guerra acontecendo ali, em torno dos olhos, dos lábios e da testa dele. O David antigo quer franzir as sobrancelhas, torcer a boca e fazer cara feia para demonstrar seu desdém por tudo aquilo, enquanto o David novo está claramente tentando aproveitar sua presença neste local de diversão, assistindo a uma nova obra genial de um dos principais dramaturgos do mundo. Às vezes esta tentativa de auto-educação assume a forma de simples imitação – sempre que lembra, ele se permite rir com o resto da platéia, embora jamais acerte o momento exato; isso me faz lembrar de Tom e Molly, tentando acompanhar canções quando eram pequenos – e às vezes ele tenta se auto-estimular, como se um meneio de cabeça aqui e um sorriso delicado ali pudessem levar sua raquítica capacidade de prazer benigno a superar a malícia habitual. Mas às vezes ele se esquece de tudo isso, e uma ou outra fala provoca uma fugaz expressão de mau humor ou indignação. (Tenho tamanha intimidade com o mau humor de David que sei antecipadamente qual tipo de fala provocará isso nele: é o tipo de fala que bajula as pretensões intelectuais dos espectadores, fazendo com que sintam que precisam rir para não revelarem a própria ignorância. Também não gosto muito disso, mas nem por isso pego uma arma e saio matando gente.) Mesmo nessas horas, é como se um par de mãos invisíveis agarrassem-lhe o rosto, rearranjassem-lhe as feições, alisassem-lhe o semblante e fizessem David voltar a parecer uma pessoa que pagou uma quantia razoável para se divertir e simplesmente resolveu fazê-lo. Isso é tão contrário à índole dele que fico até grilada.

Saímos andando pela friagem como se fôssemos simplesmente mais um casal de espectadores satisfeitos, e não resisto à curiosidade.

– Você gostou?

– Gostei muito.

– Sério? Muito mesmo?

– É.

– Mas você odeia teatro.

– Acho que... acho que eu achava que odiava teatro. Era um... era um preconceito que eu ainda não examinara direito.

– É bom tomar cuidado.

– Por quê?

– Se você começar a examinar os seus preconceitos direito, em breve não sobrará nada dentro de você.

Ele sorri amavelmente, e nós vamos em frente. Como sempre fazemos quando vamos ao teatro, estamos procurando um táxi – metrô na vinda, mordomia na volta. Subitamente sinto necessidade urgente de avistar a luz acesa de um táxi, pois estou cansada e desorientada, e a idéia de lutar nas escadas rolantes do metrô com os bêbados das noites de sexta-feira me enche de pavor.

Nesse momento acontece uma coisa estranha, e fica claro que algo estranho aconteceu com David: essa mudança dele não é fruto apenas de introspecção e força de vontade. O que acontece é o seguinte: nós passamos por um menino desabrigado aninhado num saco de dormir na soleira de uma porta, e David enfia a mão no bolso, presumivelmente procurando um trocado. (Preciso lhe fazer justiça: ele sempre faz isso. Milagrosamente, ele não tem opiniões sobre os desabrigados.) Como não encontra nada, ele pede a minha bolsa, desculpando-se profusamente e explicando mais uma vez por que achou que estava com a carteira quando não estava. Sem pensar no que estou fazendo – e por que deveria pensar? – dou a bolsa a ele, que imediatamente dá ao menino tudo que há lá dentro: cerca de oitenta libras em cédulas, pois passei no caixa automático hoje, e três ou quatro libras em moedas. Pelo que eu vejo, ficamos sem nada.

– O que você está fazendo?

Arranco as cédulas da mão do menino. Um casal de transeuntes, portando um programa da peça do Stoppard, pára ao me ver tomando dinheiro de um desabrigado; sinto vontade de dizer a eles que sou médica. David toma o dinheiro de mim, entrega tudo ao menino novamente, e tenta me arrastar pela rua. Eu resisto.

– David, o que você está fazendo? A gente não tem dinheiro nem para a passagem do metrô.

– Guardei uma nota de cinco.

– Eu queria pegar um táxi.

O casal ainda está me olhando, e não gosto do tom de queixume que ouço na minha voz.

– Aposto que esse guri adoraria pegar um táxi – diz David com uma doçura enlouquecedora na voz. – Mas não pode.

– Bom, aonde ele iria na porcaria de um táxi? – grito. – Ele não tem para onde ir. É por isso que está dormindo aqui.

Não entendo por que estou assim, mas também não entendo por que David está assado.

– Ah, que bonito – diz a metade masculina do casal teatral.

– Meu marido acaba de dar tudo que nós possuímos – digo a ele.

– Isso simplesmente não é verdade – diz David. – E a nossa casa? E o dinheiro na nossa conta conjunta? Amanhã não vamos nem notar este desfalque.

Duas ou três pessoas se juntaram para assistir à cena; eu percebo que se trata de uma discussão que não posso ganhar, ao menos aqui e agora, de modo que partimos para a estação do metrô.

– Você não pode sair por aí dando oitenta paus para os desabrigados! – sibilo.

– Sei muito bem que não posso sair por aí dando oitenta paus para cada desabrigado. Só quis fazer isto desta vez. Para ver qual era a sensação.

– E qual foi a sensação?

– Legal.

Não estou entendendo absolutamente nada.

– Quando foi que você passou a ter vontade de ser legal?

– Eu não estava falando de ser legal. Estava falando de ter uma sensação legal.

– Bom... Tome um porre. Fique doidão. Transe com alguém. Mas não saia dando toda a porcaria do nosso dinheiro.

– Já cansei de tudo isso. Eu estava me sentindo num beco sem saída. Preciso fazer coisas diferentes.

– O que houve com você? O que aconteceu enquanto você esteve fora de casa? Aonde você foi?

– Não aconteceu nada comigo, porra. Só porque eu quis ver uma peça e dei umas libras para um menino de rua? Jesus Cristo – diz ele, e vejo que o David antigo voltou com estrondo. Mas aí ele respira fundo, e diz: – Desculpe. Sei que deve estar sendo difícil entender o meu comportamento.

– Você quer me dizer o que anda acontecendo?

– Não sei se consigo.

Chegamos à estação do metrô em Leicester Square e tentamos enfiar o dinheiro na máquina de bilhetes, mas a nota está amarrotada demais e é recusada. Entramos na fila atrás de duzentos turistas escandinavos e trezentos bêbados ingleses. E eu continuo com vontade de pegar um táxi.

No caminho de volta – só conseguimos sentar no metrô depois de King's Cross – David fica absorto no programa da peça, quase que certamente numa tentativa de evitar mais perguntas. Depois de pagarmos a babá, saqueando a caixinha de emergência que fica na jarra da cozinha, David diz que está cansado e que quer ir direto para a cama.

– Você vai conversar comigo amanhã?

– Se conseguir pensar em algo para dizer. Pelo menos algo que faça sentido para você.

– Como a gente vai dormir hoje?

– Eu gostaria que você dormisse comigo. Mas sem pressão.

Não sei bem se quero dormir com David, por causa de Stephen, por causa da minha confusão e por causa de todas as outras coisas, mas não é só com ele que não quero dormir. Agora existe um outro homem, um homem que gosta de teatro, que dá dinheiro a desconhecidos e que tenta ser legal com as pessoas, e também não sei se quero dormir com ele, porque na verdade não o conheço, e ele está começando a me deixar grilada. Antipatizar com um marido pode ser considerado um infortúnio, mas antipatizar com dois maridos já parece desleixo.

Mas quem mandou eu não ter cuidado com os meus desejos? Eu desejara que David não fosse mais David. Desejara que as coisas continuassem as mesmas estruturalmente – só não desejava mais aquela voz, aquele tom e aquela cara feia permanente. Desejara que ele gostasse de mim, e agora ele gosta. Acabo subindo para o nosso quarto.

Talvez vocês não queiram saber como o ato amoroso iniciava-se nos velhos tempos – nos velhos tempos pré-Stephen e pós-crianças, e não nos velhos-velhos tempos, quando o ato amoroso tinha um significado diferente –, mas vou contar assim mesmo. Nós dois ficávamos lendo na cama, e se eu estivesse a fim de transar, minha mão se aproximava lentamente da virilha dele; se ele estivesse a fim de transar, sua mão se aproximava lentamente de um dos meus mamilos (invariavelmente o mamilo direito, porque David dorme à minha esquerda e obviamente para ele era mais fácil estender o braço sobre o meu corpo do que tentar pegar o mamilo mais próximo, coisa que exigiria uma curvatura desconfortável do braço). E se o outro também estivesse a fim, a coisa partia daí: livros, revistas ou jornais acabavam sendo colocados nas mesinhas-de-cabeceira apropriadas. Tudo bem, ninguém gostaria de ver esta rotina reencenada por personagens de um vídeo pornográfico, a não ser que realmente detestasse vídeos pornográficos, mas conosco funcionava.

Hoje, porém, a coisa é diferente. Quando vou pegar meu livro, David começa a beijar minha nuca delicadamente; depois me puxa para trás e tenta me dar um beijo vertiginoso na boca, feito um Clark Gable horizontal e (encaremos a realidade) levemente obeso. Até parece que ele andou lendo aqueles artigos das revistas femininas na década de 1950, que diziam como reintroduzir o romantismo no casamento. Mas não sei direito se quero o romantismo reintroduzido no meu casamento. Eu me satisfazia com a velha rotina dos botões apertados, que ao menos tinha a virtude da eficiência; agora David está olhando para mim como se nunca tivéssemos ido para a cama antes, e estivéssemos prestes a embarcar na mais memorável jornada interior de nossas vidas.

Eu o afasto um pouco para poder olhar para ele.

– O que você está fazendo?

– Quero fazer amor com você.

– Ótimo, então ande logo. Essa frescura toda não é necessária – digo, percebendo a semelhança da minha voz com a de Joyce Grenfell em *Nove semanas e meia de amor* e ficando com ódio de mim mesma, porque não faço a linha intelectual assexuada que se recosta e pensa na Inglaterra. Na verdade, porém, já teríamos até terminado se o David antigo estivesse aqui. Eu teria gozado, ele teria gozado, e as luzes estariam apagadas.

– Mas eu quero fazer amor com você, e não só fazer sexo.

– E o que isso exige?

– Comunicação, intensidade, sei lá.

Fico apavorada. Para mim, as vantagens de chegar aos quarenta anos incluem não precisar trocar fraldas, não precisar ir a lugares onde as pessoas dançam e não precisar ser intensa com a pessoa que mora comigo.

– Por favor, tente do meu jeito – diz David em tom abjeto.

E é o que eu faço. Olho no fundo dos olhos dele e beijo-o onde ele quer ser beijado; levamos um tempo enorme para fazer tudo, e no final acabo não gozando. Depois deito no peito dele, enquanto ele alisa o meu cabelo. Consigo levar a coisa até o fim, mas não vejo para que tudo isso.

Na manhã seguinte David passa a maior parte do café da manhã cantarolando, sorrindo e tentando se relacionar com os filhos, que parecem tão perplexos quanto eu, principalmente Tom.

– O que você tem hoje, Tom?

– Aula.

– Sim, mas aula de quê?

Tom me lança um olhar ansioso, como se eu pudesse intervir de alguma forma e impedir seu pai de fazer perguntas perfeitamente inofensivas durante uma conversa. Olho de volta para ele, tentando transmitir mensagens impossivelmente complicadas com os olhos: "Não é culpa minha; não sei o que está acontecendo; simplesmente diga o seu horário a ele e coma o seu cereal; ele passou por uma total mudança de personalidade." Ou seja: um tipo de olhar que exigiria vários olhos, além de sobrancelhas com a agilidade de uma acrobata adolescente da Europa Oriental.

– Não sei. Matemática, provavelmente. Inglês. Hummmmm... – diz Tom dando uma olhadela para David, a fim de ver se já forneceu detalhes suficientes. Mas David continua olhando para ele com um sorriso de expectativa. – Jogos, talvez.

– Você precisa de ajuda em alguma coisa? Quer dizer, o seu velho não é o Gênio da Grã-Bretanha, mas até que se safa em inglês. Sabe escrever e tudo o mais – oferece David, dando uma risadinha. Não entendemos por quê.

Tom já não parece ansioso; a ansiedade foi substituída por algo parecido com o terror. Quase me pego com pena de David. Afinal, é triste que sua tentativa – aparentemente autêntica – de transmitir afeto e solidariedade seja recebida com tamanha desconfiança. Infelizmente, porém, dez anos de mau humor não são facilmente esquecidos, e David vive resmungando desde o nascimento de Tom.

– Eu me dou bem escrevendo, obrigado – diz Tom, sem se deixar convencer. – Você pode me ajudar nos jogos, se quiser.

Trata-se de uma piada secreta dele, e até que não é má – eu rio, pelo menos –, mas estamos vivendo uma nova era.

– Claro – diz David. – Quer bater uma bola depois da aula?

– É, legal – responde Tom.

– Ótimo – volta David.

David sabe o que “é, legal” significa; ouviu essa expressão várias vezes por dia nos últimos dois anos, e jamais respondeu com a palavra “ótimo”. Respondia com as palavras “veadinho sarcástico”, “sacaninha ingrato”, ou simplesmente “cale a boca”, mas não com “ótimo”. Por que então foi em frente, preferindo ignorar o tom e o sentido que sabe que Tom quis transmitir? Começo a desconfiar de que há uma explicação médica sinistra para esse comportamento.

– Vou sair para comprar um par de tênis novo hoje – acrescenta ele, ainda por cima. Tom e eu nos entreolhamos, e depois tentamos encarar o dia que temos pela frente como se fosse um dia qualquer.

Stephen deixa um recado para mim na clínica. Eu não respondo.

Quando volto para casa depois do trabalho, encontro duas crianças e um adulto jogando Detetive na mesa da cozinha, e uma dúzia de mensagens piscando na secretária. O telefone toca novamente enquanto estou tirando o casaco, mas David não faz menção de atender, e todos nós escutamos a voz de Nigel, o editor do jornal, tentando atrair a atenção do Homem Mais Irritado de Holloway.

– Eu sei que você está aí, David. Pegue a porra do telefone.

As crianças dão risadinhas abafadas. David sacode os dados.

– Por que você não atende? – pergunto.

– O papai largou o trabalho – diz Molly orgulhosamente.

– Eu não larguei o trabalho. Só larguei esse trabalho aí.

Ao fundo, Nigel continua vociferando.

– Atenda *aí*... atenda *aí*, seu veado.

– Você largou a coluna? Por quê?

– Porque não estou mais irritado.

– Não está mais irritado?

– Não.

– Com nada?

– Não. A irritação passou.

– E foi para onde?

– Não sei. Mas passou. Dá para ver, não dá?

– Dá, dá para ver.

– É por isso que não posso mais escrever uma coluna sobre coisas irritantes.

Eu suspiro pesadamente.

– Achei que você fosse gostar – diz ele.

Eu também achava que fosse gostar. Até pouco tempo, se alguém me oferecesse a realização de um único desejo, provavelmente eu teria desejado exatamente isso, porque não conseguiria pensar em nada, nem dinheiro, que pudesse melhorar a qualidade da minha vida – das nossas vidas – de forma tão dramática.

É claro que eu murmuraria algo sobre a cura do câncer ou a paz mundial, mas intimamente ficaria na esperança de que o gênio não me deixasse bancar a pessoa legal. Intimamente, eu desejaria que o gênio me dissesse: – Não, você é médica, já faz muita coisa pelo mundo. Escolha algo só para você.

E após refletir bastante, eu diria: – Eu gostaria que o David não se irritasse mais. Gostaria que ele reconhecesse que leva uma vida boa, que tem filhos maravilhosos, que é casado com uma mulher fiel, amorosa e... dane-se... atraente e inteligente, e que tem dinheiro para contratar uma babá, jantar fora e pagar a hipoteca da casa... Gostaria que todo o mau humor dele desaparecesse, até o último centímetro, grama ou mililitro.

(Sempre imagino o mau humor de David naquele estado raro entre o líquido e o sólido, feito concreto semi-endurecido.)

O gênio esfregaria a barriga e pronto! David viraria uma pessoa feliz.

E pronto! Agora David virou uma pessoa feliz, ou pelo menos uma pessoa calma, aqui, no mundo real, e eu só consigo suspirar. Na verdade, o que me incomoda é esse e pronto! Eu sou uma racionalista, e não acredito em gênios ou mudanças súbitas de personalidade. Queria que a irritação de David desaparecesse, mas só depois de anos e anos de terapia.

– Eu gostei – digo em tom pouco convincente. – Só preferia que você tivesse coragem de contar isso ao Nigel.

– O Nigel é um homem irritado – lembra David com tristeza. – Ele não compreenderia.

Este último comentário, pelo menos, é irrefutável, pois Nigel acaba de concluir sua tentativa de atrair a atenção de David com uma torrente de xingamentos. Usa palavrões dos mais cabeludos, mas todos nós fingimos que não ouvimos.

– Por que você não joga Detetive com a gente, mamãe?

Eu jogo, até a hora do chá. Depois do chá, nós jogamos Palavras Cruzadas Júnior. Somos a família nuclear ideal. Comemos juntos, jogamos jogos de tabuleiro estimulantes em vez de ver televisão e sorrimos muito. Fico com medo de assassinar alguém a qualquer momento.

5

Na hora do almoço do dia seguinte, Becca e eu saímos para comer um sanduíche. Conto para ela tudo sobre BoasNovas, o teatro, o pivete desabrigado e até o ato amoroso.

– Eca! Com o seu próprio marido? Que nojo! – comenta ela. Depois agarra o meu braço e acrescenta: – Katie! Meu Deus!

– O que foi?

– Merda!

– O quê? Você está me assustando!

– O David está doente.

– Como você sabe?

– Mudança de personalidade. Você não falou de uma dor de cabeça?

Sinto um frio na barriga. Trata-se de um caso clássico, a tal explicação sinistra para o comportamento dele. É quase certo que David esteja com um tumor cerebral. Como pude não perceber isso? Corro de volta para a clínica e ligo para ele.

– David, não quero que você entre em pânico, mas por favor ouça com cuidado e faça exatamente o que eu estou dizendo. É provável que você esteja com um tumor cerebral. Precisa ir a um hospital e fazer uma tomografia computadorizada com urgência. Podemos fazer o pedido aqui, mas...

– Katie...

– Por favor, escute. Podemos fazer o pedido aqui, mas...

– Katie, eu não estou doente.

– Bom, vamos torcer para isso. Mas esses sintomas são clássicos.

– Você está dizendo isso só porque eu comecei a ser legal com você?

– Bom, é. E também por causa do teatro.

– Você acha que eu estou com um tumor cerebral só porque gostei de uma peça?

– E o dinheiro. E aquela transa no outro dia.

Uma longa pausa.

– Katie, eu lamento muito.

– E isso também. Você vive pedindo desculpas. David, talvez você esteja muito doente.

– Que tristeza.

– Talvez não seja. Mas acho...

– Não, não é isso. Tristeza é você só conseguir explicar tudo isso dizendo que eu estou à beira da morte. Não estou, prometo. A gente precisa conversar.

E ele desliga.

David só aceita discutir seu tumor depois de estarmos sozinhos, mas eu continuo sem entender nada, pois ele prefere começar dizendo:

– Ele não usou creme.

– Como assim?

– O D. J. BoasNovas. Ele não usou creme.

– Sei. Então... – digo, tentando localizar a importância desta declaração obviamente importante. Mas desisto e acrescento: – Então... a Molly tinha razão? É isso?

– Ah, sim, claro. Razão total, o tempo todo. Mas você não percebe? Ele só usou as próprias mãos.

– Sei, sem creme.

– Pois é.

– Legal. Obrigado por me contar isso. Agora tenho uma visão mais clara da coisa toda.

– A questão foi essa. Pelo menos, foi assim que tudo começou.

– Tudo o quê?

David faz um gesto impaciente em direção a tudo que há no mundo.

– Tudo. Eu. Isso. O dinheiro naquela noite. O problema da coluna. Tudo isso. A mudança de... sei lá, a mudança de clima. Você deve ter notado a mudança de clima, não? Não foi por isso que pensou que eu estava doente? Bom, foi daí que tudo veio.

– Tudo isso porque o seu amigo BoasNovas não usou creme?

– É, mais ou menos. Quer dizer, a falta de creme foi... Aquilo foi... Ah, não dá para explicar. Eu achei que conseguiria explicar, mas não consigo – diz ele, e eu penso que nunca vi David assim, confuso, agitado e altamente envergonhado. – Desculpe.

– Vá com calma.

– Foi lá que eu passei aqueles dois dias. Na casa do BoasNovas.

– Ah, entendi – digo, pois fomos treinados a reagir assim. É preciso escutar atentamente o paciente, não interromper, e deixá-lo terminar, mesmo que o paciente seja o seu marido e tenha ficado completamente louco.

– Você não acha que eu fiquei completamente louco?

– Não, claro que não. Quer dizer, se você achava que queria fazer isso, e a coisa ajudou...

– Ele mudou a minha vida.

– Pois é, que bom para você! E que bom para ele!

– Você está me paternalizando.

– Desculpe. Estou tendo dificuldade para... absorver tudo isso.

– Eu entendo. É tudo... meio esquisito.

– Posso perguntar uma coisa?

– Claro que sim.

– Quer explicar o negócio do creme?

– Ele não usou creme algum.

– Sei, sei. Isso eu já entendi. Ele não usou creme algum. Só estou tentando encontrar o elo entre... a ausência de creme e os oitenta paus que você deu para aquele menino desabrigado. Não é tão óbvio assim.

– Está bem. Vamos lá – propõe ele, respirando fundo. – Eu só fui me consultar com o BoasNovas, para começar, porque achei que isso irritaria você.

– Foi o que eu calculei.

– Pois é... bom, desculpe. Ele mora num apartamentozinho em cima de uma central de táxis atrás da estação de Finsbury Park. O lugar é uma espelunca, e eu já ia dar meia-volta. Mas fiquei com certa pena dele, de modo que... falei para ele das minhas costas, do ponto onde doía mais, e perguntei o que ele achava que podia fazer por mim. Porque se ele dissesse que ia me massagear ou fazer qualquer coisa que pudesse piorar a dor, eu não deixaria que ele encostasse em mim. Mas ele disse que ia só tocar nas minhas costas, mais nada, só ia colocar as mãos lá e a dor sumiria. Disse que levaria dois segundos, e que eu não precisaria pagar nada se não melhorasse. Eu pensei que não custava tentar. Além disso, ele é um magricela baixinho, e... Bom, tirei a camisa e deitei de bruços no divã dele, pois não existe nem mesa de exame lá. Ele tocou em mim, e suas mãos ficaram incrivelmente quentes.

– Como você sabe que elas não estavam quentes antes?

– Estavam frias logo que ele tocou nas minhas costas, e só começaram a esquentar depois. E foi por isso que achei que ele estava usando o creme Calor Profundo, ou algo assim. Mas ele não me massageou, nem esfregou nada em mim. Só me tocou, com muita delicadeza, e... a dor sumiu imediatamente, como que por mágica.

– Então o cara é um sensitivo, uma espécie de curandeiro.

– É – assente David, que fica pensando um instante, como que tentando descobrir algo que facilite a compreensão do ocorrido, pois somos ambos de classe média e formação universitária. Na verdade, porém, acho que ele gostaria de descobrir algo que dificulte a coisa, tornando-a menos simples e direta, mais complicada e inteligente. Afinal, não é muito difícil perceber que um sujeito é um curandeiro: ele toca na gente, a gente melhora e vai para casa. O que há de incompreensível nisso? O único problema é que isso põe em xeque todas as nossas crenças a respeito da vida. Dando de ombros, David desiste de tentar complicar a questão, e diz: – É, é... espantoso. Ele tem um dom qualquer.

– Ótimo. Maravilha. Viva o BoasNovas. Ele fez as suas costas melhorarem, e deu sumiço nos eczemas da Molly. Foi sorte nossa você ter descoberto esse curandeiro – digo, tentando dar um ponto final na conversa, mas sabendo que a história não vai parar por aqui.

– Eu preferia que ele não fosse um curandeiro.

– Preferia que ele fosse o quê?

– Sei lá, um troço alternativo qualquer. Foi por isso que acabei brigando com a Molly sobre o creme. Fiquei meio pirado, e preferia que existisse um creme mágico do Tibete ou outro lugar que a medicina convencional ignorasse totalmente. Não queria que ele tivesse usado só as mãos, entende?

– Mais ou menos. Você fica mais aliviado diante de um creme mágico do que diante de mãos mágicas. É isso?

– Um creme não é uma coisa mágica, é? É só... um remédio.

Isto é típico de racionalistas ignorantes. Na visão deles, a aspirina poderia ser o exemplo mais dramático de magia branca conhecido pela humanidade, mas como é vendida nas farmácias, não conta.

– Se curasse dor nas costas e eczemas, seria mágico.

– Em todo caso, fiquei meio pirado com aquilo. E teve o negócio da dor de cabeça...

– Eu tinha esquecido da dor de cabeça.

– Bom, foi aí que as coisas começaram a ficar esquisitas. Porque... nem sei por que contei a ele que eu estava com dor de cabeça, mas contei. Ele olhou para mim, disse que podia resolver um monte de coisas que estavam me perturbando e tocou aqui...

– Nas têmporas.

– Pois é, tocou nas minhas têmporas, e a dor de cabeça sumiu, mas eu comecei a me sentir... diferente.

– Diferente como?

– Sei lá... mais calmo.

– Foi quando você disse que ia viajar, e que eu precisava contar às crianças que a gente ia se divorciar.

– E eu estava calmo. Não me enfureci, nem delirei. Não fiquei sarcástico.

Recordo a impressão de que havia algo diferente nele, naquele momento. E ao recordar isso, descubro um novo motivo para a tristeza, o arrependimento e a autopiedade: meu marido visita um curandeiro, fica magicamente calmo depois disso, e para mim a única vantagem é a ausência de violência com que ele expressa sua vontade de se separar. Mas é claro que as coisas já avançaram, e que para mim surgiram incontáveis vantagens, nenhuma das quais me alegra. Ouço o "Tadinha" do meu irmão reverberando nos meus ouvidos.

– E depois você foi para a casa dele?

– Eu não sabia que ia ficar lá. Só queria ver se ele podia

r o negócio da cabeça novamente, e tentar descobrir o que acontecia quando ele fazia aquilo. Estava pensando em escrever sobre ele, sobre os eczemas e tudo o mais... Mas acabei ficando, e passei dois dias conversando com ele.

– Normal, não?

– Katie, por favor... eu não sei como contar isso. Não dificulte as coisas.

Tenho vontade de perguntar: por que não? Por que eu não deveria dificultar as coisas? Quantas vezes você facilita as coisas para mim?

– Desculpe. Continue – digo.

– Ele não fala muito. Só olha para a gente com um olhar penetrante, e fica escutando. Nem sei se ele é muito inteligente. Por isso, eu fiquei falando o tempo todo. Ele meio que sugava as coisas de dentro de mim.

– Parece ter sugado tudo de dentro de você.

– Sugou mesmo, todas as coisas ruins. Quase dava para ver aquilo saindo de dentro de mim feito uma névoa preta. Eu não sabia que estava tão cheio daqueles troços.

– E por que ele é tão especial? Como ele consegue fazer isso, e ninguém mais consegue?

– Não sei. Ele simplesmente... tem uma aura em torno do corpo. Isto vai parecer idiota, mas... enquanto eu falava, ele tocou nas minhas têmporas novamente, e eu senti um calor incrível passando pelo corpo. Ele disse que aquilo era amor em estado puro. E era isso mesmo que parecia. Você consegue entender o pânico que eu senti?

Eu entendo, e não só porque David é um candidato improvável a tomar um banho de amor. Tomar banho de amor não é... a nossa cara. Tomar banho de amor é coisa de gente tola, crédula, simplória, gente cujo cérebro já foi cariado por drogas leves, gente que lê Tolkien e Erich von Daniken quando já tem idade para dirigir... encaremos a realidade, gente que não tem diploma em artes ou ciências. Escutar a história de David já é assustador; passar pela experiência em si deve ter sido aterrorizante.

– Mas e agora?

– Depois, a primeira coisa em que pensei foi que eu precisava mudar tudo na minha vida. Tudo. O que eu vinha fazendo não bastava. Não bastava para você, nem para mim. Nem para as crianças, nem para o mundo, nem... nem...

Ele acaba parando novamente, presumivelmente porque – embora as leis da retórica e do ritmo exijam um terceiro substantivo – a referência ao mundo o deixou sem ter para onde ir, a não ser que ele comece a delirar sobre o universo.

– Ainda não entendi sobre o que você falou durante dois dias.

– Eu também não. Não senti o tempo passar. Fiquei espantado quando ele me disse que já era terça-feira de tarde. Falei muito sobre... você, sobre como eu não era legal com você. Falei sobre o meu trabalho, sobre os meus textos, e me peguei dizendo que tinha vergonha daquilo, que detestava a mesquinhez e a falta de generosidade do que eu escrevia. De vez em quando ele me fazia... meu Deus, tenho até vergonha disso.

Um pensamento súbito – que pode ou não ser um temor, terei de pensar nisso em outra hora – me vem à cabeça.

– Não está acontecendo nada esquisito, está?

– Como assim?

– Você não anda transando com ele, anda?

– Não – responde ele com ar vago, sem nenhum tom de humor, ultraje ou defesa. – Não, não estou. Não é por aí.

– Desculpe. O que ele fazia com você?

– Ele me fazia ajoelhar e segurar na mão dele.

– E aí?

– Pedia que eu meditasse com ele.

– Sei.

Embora ocasionalmente expresse perplexidade diante de

certos aspectos e práticas da cultura gay, principalmente aquele negócio da Cher, David não é homófobo; ele é totalmente heterossexual, do tipo que usa suportes atléticos folgados e prefere sabonete de alcatrão Wright. Não há ambigüidade alguma nele, se é que dá para entender o que eu quero dizer. Ainda assim, para mim é mais fácil imaginá-lo fazendo sexo oral com BoasNovas do que ajoelhando-se no chão e meditando.

– E não houve problema quando ele pediu que você meditasse? Você não bateu nele, ou coisa assim?

– Não. O David antigo teria batido, eu sei. E isso teria sido errado – responde ele, com tamanha seriedade que fico temporariamente tentada a rever minha opinião sobre a violência doméstica. – Admito que fiquei meio constrangido no início, mas há tantas coisas sobre o que pensar, não há?

Concordo que sim; há um mundo de coisas para pensar.

– Quer dizer, se você pensar só nas suas circunstâncias pessoais, já fica ocupado por horas, e até dias, a fio – continua ele.

Suas circunstâncias pessoais? Quem é esse homem que diz para a própria mulher, na própria cama, frases tiradas do "Livro de Pensamentos do Dia"?

– E depois tem todo o resto...

– O quê, o mundo e tudo o mais? O sofrimento e coisa e tal? – digo, começando a achar impossível não ser irreverente com alguém que parece ter eliminado qualquer vestígio de irreverência e auto-ironia.

– É claro. Eu não fazia idéia do sofrimento das pessoas antes de ter tempo e espaço para pensar no assunto.

– Mas e agora?

Não quero passar por este processo. Quero pegar um atalho e ir direto para a parte em que descubro o que tudo isto significa para mim, mim, mim.

– Não sei. Só sei que eu quero levar uma vida melhor. Quero que a gente leve uma vida melhor.

– E como a gente faz isso?

– Não sei.

Não consigo evitar a sensação de que tudo isso parece muito sinistro.

Stephen deixa uma mensagem na caixa postal do meu celular. Eu não retorno a ligação.

Volto para casa na noite seguinte, para o som de confusão. Quando enfio a chave na fechadura já ouço Tom gritando e Molly chorando.

– O que está havendo? – pergunto.

David e as crianças estão sentados em torno da mesa da cozinha: David na cabeceira, Molly à esquerda e Tom à direita. Os detritos costumeiros – correspondência, jornais velhos e pequenos brinquedos de plástico achados em caixas de cereais – foram retirados da mesa, aparentemente na tentativa de criar um clima de reunião.

– Ele doou o meu computador – reclama Tom, que raramente chora, mas agora está com os olhos reluzentes. Se de raiva ou de lágrimas, é difícil dizer.

– E agora eu tenho de dividir o meu com ele – diz Molly, cuja capacidade de chorar jamais esteve em dúvida, e que parece estar pranteando a morte de toda a sua família num acidente automobilístico.

– Nós não precisávamos de dois computadores – diz David. – Ter dois computadores não chega a ser uma... obscenidade, mas indica avareza. Eles nunca usavam os dois ao mesmo tempo.

– E portanto você simplesmente doou um deles. Sem consultar ninguém.

– Achei que qualquer consulta seria inútil.

– Você quer dizer que eles não teriam concordado?

– Talvez não entendessem por que eu queria fazer isso.

Foi David, é claro, que exigiu que cada criança ganhasse um computador no Natal passado. Eu queria que elas dividissem um só, não porque sou mesquinha, mas porque estava com medo de mimá-las demais, e a visão daquelas duas caixas enormes ao lado da árvore (não cabiam embaixo) não contribuiu para aplacar a minha preocupação. Lembro que pensei que não queria ser uma mãe assim, ao ver Tom e Molly atacarem os quilômetros de papel de embrulho com uma violência repulsiva; David viu a expressão do meu rosto e sussurrou que eu era uma típica liberal tristonha, do tipo que nega tudo aos filhos e nada a si mesma. Seis meses depois, porém, aqui estou eu, escandalizada por meu filho e minha filha não poderem manter o que é deles, e ainda assim, sabe-se lá como, do lado errado: uma agente das forças das trevas.

– Para onde você levou o computador?

– Para aquele abrigo de mulheres em Kentish Town. Li uma reportagem sobre elas no jornal de bairro. Não havia nada para as crianças lá.

Fico sem saber o que dizer. Os filhos infelizes e assustados de mulheres infelizes e assustadas não têm nada; nós temos tudo em dobro. Doamos um pouco, uma fração diminuta daquilo que temos em excesso. Como posso ficar irritada com isso?

– E por que a gente tem de dar alguma coisa para elas? Por que o governo não faz isso? – pergunta Tom.

– O governo não pode pagar tudo – responde David. – Nós mesmos temos que pagar algumas coisas.

– Já pagamos – diz Tom. – Nós mesmos pagamos aquele computador.

– O que eu estou dizendo – continua David – é que se nós nos preocupamos com os pobres, não podemos esperar que o governo aja. Temos que fazer o que achamos certo.

– Bom, eu não acho isso certo – retruca Tom.

– Por que não?

– Porque o computador era meu.

David simplesmente lança-lhe um sorriso beatífico.

– Por que não é só azar delas? – pergunta Molly, e eu rio. "Azar o seu" era, até relativamente pouco tempo, a explicação que David dava para nossos filhos não possuírem um Dreamcast, uma nova camisa do time do Arsenal, ou qualquer outra coisa que todo mundo na escola possuísse.

– Aquelas crianças já têm bastante azar – explica David com a paciência lenta e exageradamente confiante de um anjo recém-criado. – Os pais delas viviam batendo nas mães. Elas tiveram de fugir de casa e se esconder, e perderam os brinquedos que tinham... Vocês dois têm muita sorte. Não querem ajudar os outros?

– Um pouco – responde Tom a contragosto. – Mas não a ponto de doar um computador inteiro.

– Vamos lá visitar as crianças – diz David. – Você pode dizer tudo isso a elas. Pode dizer que quer ajudar só um pouco, e pedir o computador de volta.

– David, isso é absurdo.

– Por quê?

– Você não pode chantagear seus próprios filhos assim.

Estou começando a me sentir melhor. Fiquei meio confusa há pouco, abalada pela força moral dos argumentos de David, mas agora percebo que ele enlouqueceu e quer humilhar a todos nós. Como pude esquecer que isso sempre acontece com os fanáticos? Eles vão longe demais, perdem todo o senso de proporção e lógica e, em última análise, só estão interessados em si mesmos e na sua própria virtude.

David tamborila os dedos na mesa e reflete furiosamente.

– Desculpe, você tem razão. É absurdo. Eu passei dos limites. Por favor me perdoe.

Merda.

O jantar familiar é belicoso. David deu um jeito de recrutar Molly para a causa, possivelmente porque ela percebeu uma oportunidade de provocar Tom, possivelmente porque sempre viu o pai como um homem perfeito e perfeitamente razoável, e possivelmente porque David doou o computador que estava no quarto de Tom e não no dela, embora o outro tenha sido colocado no território neutro do quarto de hóspedes. Tom, no entanto, agarra-se obstinadamente às suas profundas crenças materialistas ocidentais.

– É puro egoísmo seu, Tom. Não é, papai?

David se recusa a entrar na briga.

– Aquelas crianças lá não têm nada – continua ela. – E você tem muita coisa.

– Agora não tenho nada. Ele doou tudo.

– E todas aquelas coisas no seu quarto? – pergunta David delicadamente.

– Você tem meio computador.

– Posso levantar? – pergunta Tom, que não comeu quase nada, mas obviamente está farto das grandes tigelas fumegantes de hipocrisia que lhe estão sendo empurradas de todas as direções. Não posso dizer que o culpo.

– Termine de jantar – diz David.

Ele ainda abre a boca para acrescentar algo – provavelmente sobre a sorte que Tom tem por estar diante de um prato morno de espaguete à bolonhesa, dado o sofrimento de blablablá –, mas percebe o meu olhar e pensa melhor.

– Não quer mesmo mais nada? – pergunto a Tom.

– Quero pegar o computador antes dela.

– Então vá.

Tom sai correndo.

– Você não devia ter deixado isso, mamãe. Agora ele vai pensar que nunca mais precisa terminar de jantar.

– Molly, cale a boca.

– Ela tem razão.
– Ah, cale a boca você também.

Preciso pensar. Preciso de orientação. Eu sou uma pessoa legal, sou médica; e aqui estou, defendendo a avareza em detrimento do altruísmo, e incentivando os privilegiados contra os despossuídos. Mas, na verdade, não estou defendendo causa alguma, estou? Afinal, não estou peitando meu marido e minha filha de oito anos, que agora anda insuportavelmente convencida, e dizendo: – Olhem aqui, nós demos um duro danado para pagar aquele computador, e não é culpa nossa que existam mulheres loucas a ponto de se amigarem com homens que batem nelas, é?

Isso seria defender a causa. Eu só estou tendo alguns pensamentos indignos que ninguém consegue ouvir, e reclamando de pratos de espaguete à bolonhesa abandonados. Se tivesse alguma convicção real acerca do assunto, estaria tentando provar com ditados caseiros ofensivos que o Bom Samaritano só teve condições de ser o Bom Samaritano porque guardou seus computadores velhos e... e... os doou para um bazar de caridade quando eles ficaram ultrapassados. Ou algo assim, pelo menos.

Em que eu acredito, então? Em pouca coisa, aparentemente. Acredito que não deveriam existir desabrigados, e com certeza estaria preparada para discutir com quem dissesse o contrário. O mesmo vale para mulheres surradas. O mesmo para, sei lá, racismo, pobreza e sexismo. Acredito que o Serviço Nacional de Saúde não recebe verbas suficientes, e que foi legal criar o Dia do Nariz Vermelho para arrecadar doações, embora eu fique levemente irritada quando rapazes vestidos como a Patsy e a Edina de *Absolutely Fabulous* se aproximam e agitam baldes na nossa cara em Waitrose. Por fim, estou razoavelmente convicta de que os presentes de Natal do Tom são dele, e não devem ser doados a ninguém. Pronto. Esse é o meu manifesto. Votem em mim.

Três dias depois, as crianças parecem já ter esquecido que precisavam de dois computadores – Molly perdeu o pouco interesse que tinha, para começar, e Tom anda passando a maior parte do tempo no Pokémon –, e nós recebemos uma carta do tal abrigo de mulheres, dizendo que fizemos uma enorme diferença na vida de algumas crianças muito infelizes. Mas eu ainda acredito nas outras coisas, ou seja, a pobreza e a falta de verbas para o Serviço de Saúde. Ninguém vai abalar minha fé nisso – a não ser que tenha provas convincentes do contrário.

Junto com a coluna, David também abandonou o tal romance, dizendo: – Não cabia mais.

O mesmo ocorre com quase tudo que ele sempre pensou, fez ou queria fazer. Pelo que eu vejo, ele passa o dia lendo no escritório; no final da tarde cozinha, brinca, ajuda a fazer o dever de casa, mostra-se disposto a conversar sobre o dia que todos tiveram... em suma, virou um marido e pai exemplar. Descrevi-o assim para Becca outro dia, e o retrato de um marido e pai exemplar me veio involuntariamente à cabeça. No entanto, este exemplar específico parece feito de plástico, e suas feições exibem permanentemente uma expressão preocupada e atenciosa. David virou uma versão cristã, careta e boba-alegre do Ken da Barbie, mas sem a beleza rústica e o corpo torneado do Ken.

E não acho que David tenha realmente virado cristão, embora seja difícil perceber exatamente o que ele virou. Perguntar diretamente não esclarece as coisas. Uma noite depois que recebemos a carta do abrigo de mulheres, Tom pergunta – em tom soturno, mas com bastante perspicácia, na minha opinião – se agora nós vamos precisar ir à igreja.

– Igreja? – pergunta David com delicadeza, e não com a explosão de raiva e desdém que até pouco tempo teria acompanhado esta palavra em qualquer contexto. – Claro que não. Por quê? Você quer ir à igreja?

– Não.

– Então por que perguntou isso?

– Sei lá – responde Tom. – Só achei que a gente ia precisar fazer isso agora.

– Por que agora?

– Porque nós doamos coisas. Não é isso que eles fazem na igreja?

– Não que eu saiba.

E a história acaba aí; os temores de Tom são dissipados. Mais tarde, porém, quando David e eu estamos sozinhos, faço uma investigação por conta própria.

– Foi engraçado o Tom pensar que a gente ia precisar ir à igreja agora, não foi?

– Não entendi de onde ele tirou aquilo. Só porque nós doamos um computador?

– Acho que não foi só por isso.

– O que mais pode ter sido?

– Os dois sabem que você deu aquele dinheiro para o menino. E em todo caso... você me perguntou se eu tinha notado uma mudança no clima. Bom, acho que eles também notaram. E talvez associem isso à igreja, de alguma forma.

– Por quê?

– Não sei. Acho que... você passa um ar de quem sofreu uma conversão religiosa.

– Bom, não sofri.

– Você não virou cristão?

– Não.

– O que você é, então?

– O que eu sou?

– É, o que você é? Budista, ou... ou... – digo, tentando pensar em outras religiões mundiais que se encaixem no figurino em questão, mas fracassando. O islamismo não parece adequado, nem o hinduísmo. Quem sabe uma seita do Hare Krishna, ou algo que envolva abnegação pessoal e um guru rechonchudo ao volante de um Alfa-Romeo?

– Não sou nada. Só vi a luz da razão.

– Mas o que isso significa?

– Todos nós estamos no mau caminho, e quero corrigir isso.

– Eu não acho que estou no mau caminho.

– Eu discordo.

– Ah, é mesmo?

– Você fica no bom caminho nos dias úteis, acho eu. Mas no resto do tempo...

– O quê?

– Veja a sua conduta sexual, para começar.

A minha conduta sexual... Por um instante esqueço que passei os últimos vinte anos mantendo com meu marido um relacionamento monogâmico, só recentemente marcado por um caso breve e bastante infeliz (e o que aconteceu com ele, por falar nisso? Dois recados ignorados parecem haver amortecido consideravelmente o seu ardor). A frase de David faz com que eu me veja como uma pessoa que talvez precise se internar numa daquelas clínicas para viciados em sexo que os astros hollywoodianos freqüentam; uma pessoa que, apesar de todas as suas boas intenções, vive dando por aí. É uma imagem até empolgante, mas dá para ver que sua principal função é me convencer de que David está dizendo um absurdo; a verdade é que eu sou uma mulher casada que andava dormindo com outra pessoa até duas semanas atrás. A linguagem de David pode ser pomposa, mas acho que há contas a serem prestadas.

– Você nunca quis conversar sobre isso – disse.

– Nao há muito sobre o que conversar, há?

Pondero se isso é verdade, e concluo que é. Posso me defender apelando para o contexto e coisa e tal, mas ele já sabe de tudo isso; e o resto constitui apenas uma historinha curta e banal, sem grande ressonância.

– O que mais eu faço de errado?

– Não é o que você faz de errado. É o que todos nós fazemos de errado.

– O quê, por exemplo?

– Nós somos insensíveis demais. Pensamos só em nós mesmos, e ignoramos os fracos e os pobres. Desprezamos os políticos por não fazerem nada, e achamos que isso já mostra que nos importamos com os outros. Enquanto isso, continuamos morando em casas com aquecimento central que são grandes demais para nós...

– Ei, espere aí...

Nosso sonho – antes da entrada do D. J. BoasNovas na nossa vida – era sair desta acanhada casa de vila e mudar para um lugar onde houvesse espaço para uma pessoa se virar sem ao mesmo tempo derrubar uma criança. Subitamente, já estamos chacoalhando dentro do equivalente de uma mansão em Holloway. Mas não consigo dizer nada disso, pois David mordeu o freio entre os dentes.

– Nós temos um quarto de hóspedes e um escritório. Enquanto isso, há gente dormindo nas calçadas. Jogamos comida perfeitamente comestível na nossa usina de adubo, enquanto no final da rua há gente esmolando por uma xícara de chá e um saco de batatas fritas. Temos dois televisores. Tínhamos três computadores antes que eu doasse um deles, e até isso foi um crime, aparentemente, por reduzir em um terço o número de computadores disponíveis para uma família de quatro pessoas.

Não achamos nada de mais gastar dez libras por cada prato de curry entregue em casa...

Admito minha culpa neste ponto. Achei que David ia dizer "gastar quarenta libras por cabeça para jantar num restaurante chique", coisa que fazemos em certas ocasiões, ocasiões essas que dão origem a todo tipo de dúvidas e remorsos. Mas dez libras por uma refeição entregue em casa? Sim, sou culpada, admito! Já paguei dez libras por refeições entregues em casa várias vezes, sem achar nada de mais, e nunca me ocorreu que isso fosse falta de consideração, negligência ou algo culpável. No mínimo, é preciso respeitar a meticulosidade de David.

– Gastamos treze libras em CDs que já possuímos num formato diferente...

– Você gasta, eu não.

– Compramos fitas de filmes que nossos filhos já viram no cinema, e que nunca vêem novamente... – diz ele, partindo depois para uma longa lista de crimes semelhantes. Todos parecem pequenos, e em qualquer outra casa seriam considerados atividades perfeitamente legais, mas na versão de David passam a ser atitudes egoístas e desprezíveis. Eu me distraio um pouco.

– Sou o terror dos liberais – diz David ao final da litania, com um sorriso que poderia ser descrito como malicioso, se visto com paranóia ou pouca generosidade.

– O que isso significa?

– Eu penso tudo o que vocês pensam. Mas comigo a coisa é ao pé da letra.

No domingo, meus pais vêm almoçar conosco. Eles não aparecem com muita freqüência – geralmente nós temos de ir à casa deles –, e eu criei o hábito de transformar cada visita deles numa Ocasião, impondo assim a meus filhos o sofrimento que me era imposto em Ocasiões semelhantes durante a minha infância: eles têm que pentear os cabelos, usar as melhores roupas que possuem, ajudar a arrumar a casa e permanecer à mesa até o final da refeição, embora minha mãe fale tanto que o último bocado de sobremesa só desaparece na sua boca séculos depois que todos nós já terminamos, aparentemente. Além disso, sempre faço um assado como prato principal do almoço, coisa que meu irmão e eu detestávamos (possivelmente porque o cardápio era sempre detestável: cordeiro ressecado e cheio de cartilagem, repolho cozido além do ponto e batatas assadas gordurosas e molengas; ou seja, a costumeira bóia de combate na década de 1960), mas que Tom e Molly adoram. Ao contrário dos meus pais, David e eu sabemos cozinhar; também ao contrário deles, raramente desperdiçamos este talento com nossos filhos.

Finalmente, quando a discussão sobre roupas termina, a casa é arrumada, e meus pais chegam; vamos todos para a sala, beber xerez seco e comer amendoins. David desaparece cozinha adentro para fatiar a carne e fazer o molho. Instantes depois – cedo demais para ter realizado a tarefa que foi fazer – ele volta.

– Rosbife com batatas assadas ou lasanha congelada?

– Rosbife com batatas assadas – berram as crianças alegremente, enquanto meus pais dão risadinhas.

– Também acho – diz David, desaparecendo novamente.

– Seu pai é um gozador, não é? – diz minha mãe para Tom e Molly. Seria uma reação apropriada ao que ela acabou de ver e ouvir em qualquer situação doméstica, exceto a nossa. David não é um gozador. Não era um gozador antes (ele odiava as visitas dos meus pais, e jamais teria conseguido reunir a boa vontade necessária para brincar com todo mundo), e certamente não virou um gozador depois que seu senso de humor desapareceu nas pontas dos dedos de D. J. BoasNovas juntamente com a dor nas costas. Eu peço licença e entro na cozinha, onde vejo David transferindo tudo que passamos as duas últimas horas cozinhando para o maior e melhor recipiente que possuímos.

– O que você está fazendo? – pergunto calmamente.

– Não posso compactuar com isso – diz ele.

– O quê?

– Não posso ficar sentado aqui comendo isto, enquanto há gente lá fora sem nada. Nós temos pratos de papel?

– Não, David.

– Temos. Sobrou um monte deles no Natal.

– Não estou falando dos pratos. Você não pode fazer isso.

– Eu preciso.

– Eu... até entendo que você não consiga comer – digo, apesar de não entender nada, é claro. Só estou tentando convencê-lo a recuar da beira do abismo. – Mas você pode se recusar a comer, e... nos contar por quê.

Não adianta me preocupar agora com o almoço doloroso que nos espera, nem com o constrangimento e a perplexidade dos meus pais (ambos conservadores, coitados, mas nem um pouco malévolos no sentido não-davidiano da palavra) ao receberem um sermão por seus hábitos perversos. Na realidade, juro a mim mesma que se conseguirmos chegar a almoçar – ou seja, se esta comida chegar a ser servida em pratos de verdade, e se as pessoas (e com isso me refiro a pessoas conhecidas, que Deus me perdoe) chegarem a sentar para comê-la – não me preocuparei com mais nada, e escutarei as opiniões do meu marido com interesse e boa vontade. Fico vendo David enfiar as batatas assadas no recipiente. As crocantes conchas douradas, tão trabalhosamente obtidas, esfarelam-se quando ele tenta forçá-las pelas laterais da carne.

– Preciso dar isso para alguém – diz David. – Abri o congelador para pegar o caldo de carne, vi todos estes troços e...

percebi que simplesmente não posso mais sustentar esta posição. Os desabrigados....

– DANE-SE A SUA POSIÇÃO! DANEM-SE OS DESABRIGADOS!

Danem-se os desabrigados? Foi nisto que eu me transformei? Em toda a história do universo liberal urbano, será que alguma eleitora dos trabalhistas e leitora do *Guardian* já gritou convictamente estas palavras?

– Katie! O que está havendo?

Meus pais e meus filhos se juntaram à porta para ver a cena; meu pai, sempre um mestre-escola apesar de aposentado há uma década, está vermelho de raiva.

– O David enlouqueceu. Quer doar todo o nosso almoço.

– Para quem?

– Mendigos. Bebuns. Viciados em drogas. Gente que nunca trabalhou um dia na vida.

Trata-se de um apelo gritante e desesperado para conquistar o apoio do meu pai, e não sinto orgulho disso, mas quero almoçar aquele assado. QUERO ALMOÇAR AQUELE ASSADO.

– Posso ir junto, papai? – pergunta Molly, que estou aprendendo a desprezar.

– Claro – diz David.

– Por favor, David – digo novamente. – Deixe a gente ter um almoço agradável.

– A gente pode ter um almoço agradável. Mas não este almoço.

– Por que a gente não dá a lasanha para eles?

– Quero dar um prato quente para eles.

– É só a gente esquentar a lasanha no microondas, e levar para eles à tarde, num passeio de toda a família.

David se detém. Sinto que chegamos àquele ponto do filme em que o criminoso assustado – apontando a arma para a policial desarmada – começa a duvidar do acerto dos seus atos; a cena sempre termina com o criminoso jogando a arma no chão e prorrompendo em lágrimas. Na nossa versão, David tirará a lasanha da bandeja do congelador e prorromperá em lágrimas. Quem disse que não se podem fazer filmes de suspense autenticamente britânicos? Algo poderia ter mais suspense do que isso?

David reflete e diz:

– Lasanha é mais conveniente para eles, não é?

– Com certeza.

– Porque não precisa ser fatiada.

– Não. Você pode levar só um colherão.

– É. Ou até a espátula de metal, sabia?

– Se preferir.

Ele fica olhando para o assado e as batatas massacradas por mais um instante.

– Está bem, então.

Meus pais e eu soltamos o famoso suspiro da policial desarmada, e todos sentam para almoçar em silêncio.

6

À noite ninguém sente vontade de comer, mas, em todo caso, não há mesmo muito o que comer. Eu planejara fazer a lasanha congelada no microondas, mas não sobrou nada. A lasanha foi levada de carro a Finsbury Park, onde foi servida em pratos de papelão aos bêbados que ficam espalhados pelos bancos perto do portão da Seven Sisters Road. (David serviu as porções sozinho, enquanto o resto da família esperava no carro. Molly queria ir com ele, mas eu não deixei. Para ser sincera, não foi porque achei que houvesse algum perigo, e sim porque ela já anda nojenta o suficiente no momento. Fiquei com medo de criar um ódio que me impedisse de cuidar direito dela, se a visse – aos oito anos de idade – alimentando os pobres feito uma daquelas damas de caridade de Charles Dickens.)

Quando chegamos em casa, eu peço licença e vou deitar no quarto com os jornais dominicais, mas não consigo lê-los. As matérias já não se referem a mim, mim, mim, mas a David e a coisas que o fariam entrar em ação. Logo descubro que não estou mais vendo as reportagens em termos de informação, e sim como problemas em potencial para minha família, minha conta bancária e meu congelador. Chego a recortar e jogar fora um artigo sobre um grupo de refugiados afegãos abrigados numa igreja em Bethnal Green, pois ali há sofrimentos e provações suficientes para matar todos nós de fome.

Olho para o buraco enorme na folha do jornal, e subitamente sinto-me muito cansada. Não podemos viver assim. Isso não é verdade, é claro, porque podemos, até confortavelmente;

menos do que antes, talvez, mas mesmo assim, confortavelmente. Por mais lasanhas que sejam doadas, não morreremos de fome. Tudo bem, então. Podemos, mas eu não quero. Não foi essa a vida que eu escolhi para mim. Só que isso também não é verdade, porque acho que escolhi isso quando disse que casaria com David na riqueza e na pobreza, na saúde e na doença, até que a morte nos separasse. Obviamente, isto agora tornou-se mais relevante do que nunca, porque ele pode muito bem estar doente, e a pobreza pode muito bem estar se avizinhando rapidamente.

O que eu achava que estava escolhendo quando casei com David? O que todos nós achamos que estamos escolhendo? Se tento recapturar agora as fantasias vagas que tinha na época, eu diria que elas se mostraram erradas pelo lado da prosperidade e da saúde. Eu achava que no começo nós seríamos pobres, mas felizes: moraríamos num apartamento bonitinho, decorado com a mobília usada dos nossos pais, e passaríamos muito tempo vendo televisão ou dividindo cervejas em pubs. Em outras palavras, as dificuldades que eu estava preparada para enfrentar nos primeiros anos do meu casamento eram de natureza essencialmente romântica e inspiradas pelos jovens casais estereotipados das comédias televisivas, ou talvez por comerciais de empresas imobiliárias, já que a maioria das comédias televisivas é mais sofisticada e complexa do que as minhas fantasias. Também achava que mais tarde esse conjunto de dificuldades – ver televisão num apartamento pequeno e comer pão com feijão – seria substituído pelas dificuldades que surgem quando a gente tem dois filhos adoráveis, inteligentes e saudáveis. Provavelmente eu teria de lidar com chuteiras enlameadas, filhas adolescentes penduradas no telefone e maridos que teriam de ser arrancados da frente da televisão para ajudar a lavar a louça... Puxa vida, seriam inúmeros problemas, e eu não tinha ilusões: as chuteiras enlameadas seriam de dar dó! Mas eu estava preparada. Eu não era verde. Não nascera ontem. E de jeito nenhum compraria tapetes brancos...

O que nós não percebemos no dia do casamento – afinal como poderíamos? – é que haverá dias em que odiaremos nossos cônjuges, que olharemos para eles e nos arrependeremos de já ter trocado palavras com eles, que dirá alianças e fluidos corporais. E também não é possível prever o desespero, a depressão, a sensação de que nossa vida acabou, e o impulso ocasional de bater numa criança chorosa, embora tivéssemos certeza de que jamais bateríamos nos nossos filhos. E é claro que não imaginamos que teremos casos, e, quando chegamos a esse estágio da vida (pois todo mundo chega lá, mais cedo ou mais tarde), não pensamos na sensação de enjôo na barriga que vai nos acometer na hora, nem na infelicidade inerente ao adultério. E ninguém imagina que o marido vai acordar certo dia transformado em outra pessoa. Se pensássemos em alguma dessas coisas, ninguém se casaria, é claro; na realidade, o impulso de casar seria da mesma ordem que o impulso de beber um frasco de alvejante, e tentamos ignorar esses impulsos e não celebrá-los. É por isso que não pensamos nessas coisas; pois casar – ou encontrar alguém com quem queiramos ter filhos e passar o resto da vida – faz parte da nossa agenda. É algo que sabemos que faremos um dia; se isso nos for tirado, só sobrarão as promoções profissionais e possíveis prêmios lotéricos, que não bastam. Assim, mentimos para nós mesmos, dizendo que é possível estabelecer esses relacionamentos e encarar apenas o problema das chuteiras enlameadas; depois ficamos infelizes, tomamos Prozac, pedimos o divórcio e morremos solitários.

Talvez eu esteja perdendo a perspectiva das coisas. Talvez toda esta contemplação de frascos de alvejantes, comprimidos de Prozac e mortes solitárias seja uma reação inadequada ao crime que é doar lasanha a bêbados esfaimados. No dia do nosso casamento, o sacerdote pediu – naquela breve conversa íntima com os noivos – que cada um respeitasse os pensamentos, idéias e sugestões do outro. Na hora, isto me pareceu um pedido fácil de atender e que não admitiria exceções: por exemplo, David sugeriria irmos a um restaurante e eu diria que sim, claro. Ou então ele pensaria num presente de aniversário para mim, esse tipo de coisa. Hoje percebo que um marido pode fazer à mulher sugestões de diversos tipos, nem todas respeitáveis. David pode sugerir que comamos algo horroroso, como miolos de carneiro, ou que formemos um partido neonazista. E o mesmo, seguramente, deve se aplicar a pensamentos e idéias? Quando estou explicando isto ao sacerdote, com vinte anos de atraso, a campainha toca. Ignoro a interrupção, mas dois minutos depois David grita lá de baixo que eu tenho visita.

É Stephen. Quando o vejo ao lado do meu marido, com meus filhos passando correndo pelos dois, minhas pernas bambeiam; a coisa parece uma cena de um filme que nos hipnotiza simplesmente por estar totalmente fora do alcance da nossa imaginação.

Começo a apresentar meu amante a meu marido, mas David me detém.

– Sei quem é – diz ele calmamente. – Stephen já se apresentou.

– Ah, entendi – digo, com vontade de perguntar se Stephen deu tanto seu nome quanto sua posição, digamos assim; mas o clima reinante já me dá todas as respostas que busco.

– Quero conversar – diz Stephen. Eu lanço um olhar ansioso para David. – Com vocês dois – acrescenta Stephen, mas se isto é uma tentativa de me tranqüilizar de algum modo fracassa. Eu não quero conversar. Quero que David e Stephen se tranquem num quarto, e depois saiam e me digam o que fazer. Eu obedeceria; faria qualquer coisa que eles inventassem, desde que não tivesse de sentar à mesa da cozinha com os dois. Mas David dá passagem a Stephen, e nós nos sentamos à mesa da cozinha.

David oferece algo para beber a Stephen, e eu rezo para que ele não aceite. Tenho uma visão pavorosa do que seria a vida se nós três ficássemos à espera de que a chaleira fervesse ou se David achasse a fôrma de gelo no meio das gavetas do congelador e passasse dez minutos soltando os cubos.

– Um copo de água da bica já basta.

– Vou pegar.

Levanto-me de um salto, pego um copo no lava-louças, enxáguo-o, encho-o com água da bica sem esperar que a água esfrie e coloco-o diante dele. Sem gelo, sem limão e certamente sem elegância; mas quando David se levanta, a esperança de que isto acelere as coisas se esvai completamente.

– E você, Katie? Uma xícara de chá? Ou eu faço um bule de café?

– Não! – uivo.

– E se eu colocar a chaleira para ferver, só para...

– Quer sentar, por favor?

– Está bem.

Ele se senta, e ficamos olhando um para o outro.

– Quem quer começar, então? – pergunta David em tom relativamente jovial. Eu olho para ele. Não sei direito se ele está percebendo a gravidade do momento. (Será que isto é melodrama, talvez até auto-exaltação, da minha parte? Talvez o momento não tenha gravidade alguma. Talvez todo mundo faça isso o tempo todo, e a jovialidade de David venha daí. Será que estou encarando tudo isto demasiadamente a sério, como de costume?)

– Talvez seja melhor eu começar – diz Stephen. – Já que fui eu que convoquei a reunião, por assim dizer.

Os dois sorriem, e concluo que minha intuição estava certa: estou encarando tudo isto demasiadamente a sério, pois é óbvio que este tipo de coisa acontece o tempo todo, e meu desconforto indica uma desastrosa e constrangedora caretice do século vinte. Talvez Stephen faça visitas quase semanais aos maridos das mulheres com quem já transou. Talvez... talvez David também faça, e por isso pareça saber o que fazer, o que dizer, e como se portar.

– Eu só queria ver em que pé nós estamos – diz Stephen afavelmente. – Lamento não ter ligado antes ou coisa assim, mas deixei dois recados para Katie. Como ela não me deu retorno, pensei em pegar logo o touro pelos chifres, entendem?

– Chifres é uma palavra perfeita para o caso – comenta David. – Pois é o que estou usando no momento.

– Como assim?

– Chifres de corno. Desculpe. Péssima piada.

Stephen ri por polidez.

– Ah, entendi. Até que é boa.

– Obrigado.

Talvez eu seja a causa do problema. Talvez isto não se deva a algum costume sexual da zona norte de Londres desconhecido por mim, nem a BoasNovas e seu efeito sobre David; talvez eu simplesmente não seja sensual a ponto de alguém se inflamar por minha causa. Tudo bem, sou atraente a ponto de Stephen querer dormir comigo, mas simplesmente não tenho o material necessário para despertar ciúmes enfurecidos, um comportamento insanamente possessivo e sofrimentos amorosos. Sou Katie Carr, e não Helena de Tróia, Patti Boyd ou Elizabeth Taylor. Os homens não brigam por mim. Eles aparecem nas noites de domingo e fazem piadas fracas.

– Posso interromper por um instante? – pergunto em tom irritado. – Eu gostaria de acelerar um pouco as coisas. Stephen, que diabo você está fazendo aqui?

– Ah – diz Stephen. – A pergunta de 64 mil dólares. Tá legal. Vou respirar fundo. David, lamento se isto é um choque, porque você parece ser um cara legal. Mas, bom... eu cheguei à conclusão de que Katie não quer continuar com você. Ela quer ficar comigo. Lamento, mas essa é a realidade. Eu quero conversar sobre o que... você sabe, sobre o que nós vamos fazer a respeito disso. De homem para homem.

Quando ouço a "realidade", tal como apresentada por Stephen, misteriosamente paro de visualizar o casamento como um frasco de alvejante a ser bebido; começo a visualizar Stephen como um frasco de alvejante a ser bebido, e entro em pânico.

– Isso é absurdo – digo a quem quiser me escutar. – Stephen, é bom você parar e ir embora agora, antes de bancar o idiota total.

– Eu sabia que ela diria isso – comenta Stephen com um suspiro e um sorriso triste, que diz "eu-conheço-você-tão-bem". – David, talvez seja melhor você e eu conversarmos em particular.

A incrível cara-de-pau dele me enfurece.

– Claro, pois não, eu saio, e depois de esclarecerem tudo vocês me dizem com quem eu devo ficar – digo, mas a verdade é que fico tentada a sair. É claro que fico. Não quero passar pelos próximos momentos desta conversa tenebrosa. Lembro de ter tido a mesma sensação quando estava parindo Tom: a certa altura, totalmente dopada de gás, de ar e depois de anestesia peridural, eu acabei me convencendo de que era a sala da maternidade, e não o bebê, que causava a dor que eu estava sentindo, e que se eu saísse dali conseguiria me livrar daquilo. Não era verdade, como não é verdade agora, pois a agonia me seguirá aonde quer que eu vá.

Meu sarcasmo só parece ter encorajado e relaxado Stephen.

– David – diz ele –, talvez isto magoe você, mas... por ter conversado com Katie nos dois últimos meses... bom, sei que vocês têm muitos problemas.

David interrompe delicadamente, antes que Stephen possa enumerar todos os problemas que ele acha que temos.

– Katie e eu já conversamos sobre isso. Estamos tentando resolver as coisas.

Só posso adorar David neste momento. Ele permanece calmo, quando tem todo o direito de se enfurecer com tudo e com todos; como resultado disso, pela primeira vez em muito tempo sinto que somos uma unidade, um casal, e que todo mundo deve mesmo querer casar. Neste exato momento, fico feliz por ser casada, por sermos dois contra um, por unir-me ao meu companheiro contra este estranho destrutivo e perigoso com quem por acaso fiz sexo. A alternativa é uma anarquia a três, e estou cansada e assustada demais para isso.

– Algumas coisas não podem ser resolvidas – diz Stephen, que não faz contato visual com nenhum de nós dois, e fica olhando para o copo de água.

– Como o quê?

– Ela não ama você.

David olha para mim, solicitando algum tipo de reação. Eu me limito a abanar a cabeça e revirar os olhos, no que espero ser uma resposta convenientemente ambígua a uma questão muito complicada (dois segundos atrás eu o adorava, vinte minutos atrás eu o odiava, mais cedo um pouco não ligava a mínima, e assim por diante, provavelmente até o tal baile universitário). Mas nem a cabeça abanada nem os olhos revirados parecem ser suficientes, porque agora ambos estão olhando para mim.

– Eu nunca disse isso – acrescento esperançosamente.

– Nem precisava – diz Stephen, e não posso negar que quem me escutasse falando de David jamais afirmaria que era louca por ele. – E há o lado sexual...

– Sobre isso é que eu nunca disse nada mesmo...

– Na realidade, você disse, Katie. Disse algo sobre a diferença entre arte e ciência, e que preferia a arte.

Pronto. Não há como dizer que isso foi chute dele. Eu não sabia que já externara minha teoria sobre arte versus ciência, mas provavelmente fiz isso.

– Eu nunca disse que preferia a arte.

– Você disse que era cientista por profissão, e que não precisava da ciência na cama.

Agora que ele toca no assunto, realmente lembro que disse algo assim, mas na intenção de fazer com que Stephen se sentisse melhor, já que nada acontecia do meu lado. É irônico, portanto, que isso venha a ser usado como uma arma contra David, que fazia tudo acontecer do meu lado. (Caso alguém esteja interessado, há mais um aspecto irônico nisso, pois David tem uma mentalidade totalmente anticientífica; vive falando da superioridade da arte sobre a ciência, e dizendo que todos os cientistas são idiotas e coisa e tal. Nesta situação específica, portanto, em primeiro lugar ele, sem saber, virou a casaca e tornou-se um cientista, seu pior inimigo; em segundo, depois de ter virado a casaca e na realidade tido um desempenho melhor do que o artista – embora essa talvez seja apenas uma avaliação minha como cientista –, ele é atacado justamente por isso.)

– Desculpem – diz David com suavidade. – Não estou entendendo nada.

Nem Stephen nem eu temos ânimo para explicar, de modo que simplesmente deixamos a perplexidade queixosa (e na realidade perfeitamente compreensível) dele pairando no ar. Mas detesto a sensação de que Stephen e eu viramos subitamente a tal unidade, e que a incompreensão de David o isola. Não quero formar nenhuma espécie de aliança com este babaca. Agora não quero mais.

– Stephen, eu estava tentando ser simpática com você

quando disse isso. Estava explicando por que eu não conseguia gozar – digo, dando uma olhadela para David na esperança de que esta informação brutalmente franca faça com que ele se alegre, e que alguma parte de seu rosto registre essa alegria. Mas ele continua sem expressão, em silêncio. Quero que ele se sinta melhor do que deve estar se sentindo, mas percebo que não vou conseguir isso fazendo referências ao meu relacionamento sexual com Stephen, apesar do relativo fracasso desse relacionamento.

– Isso é o que você diz agora – diz Stephen, com um tom de queixume que nunca ouvi antes, e que me desagrada. – Não foi o que você disse quando estava deitada em cima de mim lá em Leeds.

David desvia o olhar nesse instante, reagindo instintivamente quando a agulha finalmente penetra na pele.

– Não, não foi isso o que eu disse lá – retruco com voz inflamada. Ele já está começando a me irritar. – Nós sabemos o que eu disse lá. Foi lá que eu disse aquele negócio sobre arte e ciência. É disso que nós estamos falando. Estamos interpretando as palavras que sabemos que eu usei. Por favor, tente acompanhar a conversa, Stephen.

– Ah, lamento muito não ser tão inteligente quanto você – provoca ele. Trocamos um olhar irritado, e é isso que finalmente faz David pôr-se de pé.

– Não quero me intrometer – diz ele –, mas vocês dois não me parecem ser um casal com muita chance de ter um relacionamento feliz e bem-sucedido. Vocês não parecem se dar muito bem. E deveriam se dar bem, neste estágio de empolgação inicial e coisa e tal.

É um comentário tão óbvio e bem-vindo que me faz sorrir, mesmo com o "vocês dois" e o "casal" entalados na garganta.

– Para ser sincero, Stephen... a Katie não parece gostar

muito de você. Vou deixar que ela fale por si, mas acho que ela não está com muita pressa de fugir com você. E sabe... é preciso haver um certo grau de... unanimidade nisso. Senão a coisa não vai acontecer, não é?

– Mas não vai mesmo – digo eu.

– Katie – diz Stephen, estendendo a mão para mim. Eu afasto bruscamente a mão, sem acreditar que ele queira discutir a questão.

– Não tenho dezesseis anos, Stephen. Você não está convencendo alguém a ir ao cinema. Eu tenho um marido e dois filhos. Você acha que vou perceber subitamente que você tem razão e largar tudo? "Ah, é, você tem razão. Quero mesmo ficar com você. Que besteira a minha." Eu cometi um erro. Tenho de conviver com isso, e o David também. Por favor, vá embora.

Ele vai, e jamais o vejo novamente. (Ah, mas penso nele, é claro que penso. Stephen não faz mais parte desta história, na verdade, mas nos meses e anos futuros vou me pegar imaginando se ele arranjou uma companheira, se lembra de mim, e se deixei alguma cicatriz pequena, porém deformadora... O pequeno número de homens com quem dormi não me permite esquecer qualquer um deles, principalmente o mais recente. Por isso, embora não se ouça mais falar muito de Stephen aqui, não é bom cometer o erro de pensar que é como se ele jamais tivesse existido.)

– Obrigada – digo a David quando ouvimos a porta bater com força. – Obrigada, obrigada.

– Por quê?

– Isso deve ter sido horrível para você.

– Foi... foi mesmo. Fiquei com muito ciúme. E tive muito ódio dele. Onde você estava com a cabeça?

– Não sei – digo, e não sei mesmo. Stephen já não me parece uma pessoa, e sim uma alucinação produzida por alguma espécie de doença. – Você foi genial. E peço desculpas por ter posto você numa situação tão ridícula.

Ele abana a cabeça e fica em silêncio por alguns instantes.

– Eu também contribuí para isso, não foi? Nada teria acontecido se eu estivesse fazendo você feliz. Portanto, eu também peço desculpas.

E eu me sinto em dívida com ele. Não pelo que prometi há muito tempo, mas pelo que ele fez há cinco minutos. E é assim que deve ser, não é? À noite, vou para a cama sentindo que faria qualquer coisa por ele.

– Realmente há um favor que quero pedir a você – fala ele, quando já estamos prestes a apagar a luz. Fico contente. Estou com vontade de prestar favores.

– Claro.

– Falei com BoasNovas ontem e... Bom, ele não tem onde morar. O senhorio deu aviso de despejo a ele. Fiquei imaginando se ele não poderia passar duas noites aqui.

Não quero BoasNovas aqui, é claro que não quero: essa perspectiva me enche de apreensão. Mas meu marido passou parte da noite escutando polidamente seus defeitos serem expostos pelo meu ex-amante, e acaba de perguntar se um amigo pode se hospedar temporariamente aqui. Ninguém precisa ter sofrido uma conversão espiritual para chegar à decisão certa.

BoasNovas é um sujeitinho engraçado. Tem trinta e poucos anos, é baixinho e espantosamente magricela; estaria sendo burro se puxasse briga com Tom. Seus enormes olhos azuis são brilhantes e parecem assustados. Sua cabeleira encaracolada tem um tom louro-sujo, embora eu desconfie que ele não priorizasse a higiene pessoal no momento. Talvez seja melhor só julgar a cor do seu cabelo depois de convencê-lo a tomar uma ducha. Ele andou fazendo uma tentativa pouco sábia e espetacularmente malsucedida de cultivar um cavanhaque, e por isso vê-se uma penugem fofa logo abaixo do centro do seu lábio inferior, penugem essa que qualquer mãe gostaria de limpar com um pouco de cuspe. O que se nota logo de cara, entretanto, é que ele perfurou ambas as sobrancelhas, e aparentemente está usando broches acima dos dois olhos. As crianças ficam particularmente – e talvez perdoavelmente – fascinadas por isto.

– São tartarugas? – pergunta Tom, antes mesmo de dizer oi. Eu estava tentando não ficar olhando para as tais jóias nas sobrancelhas dele, mas vejo que Tom tem razão; o sujeito está usando representações de animais domésticos no rosto.

– Neca – diz BoasNovas peremptoriamente, como se o engano de Tom demonstrasse ignorância extrema. Quando vai se estender sobre o assunto, Molly interrompe.

– São cágados – diz ela. Fico momentaneamente impressionada com o tom de autoridade em sua voz, até lembrar que ela já conhece BoasNovas.

– Qual é a diferença? – pergunta Tom.

– As tartarugas sabem nadar, não sabem? – pergunta David com jovialidade excessiva, como que tentando criar o espírito de uma ocasião completamente diversa da que temos aqui. É como se estivéssemos sentados comendo pizza e vendo um documentário sobre a natureza, e não recebendo em nossa casa um curandeiro espiritual com bichos pendurados nas sobrancelhas. Percebo que a jovialidade de David vem de seu constrangimento, pois ele já passou um tempo enorme ajoelhado no chão com este sujeito, e portanto tem bastante motivo para estar constrangido.

– Por que você preferiu cágados, e não tartarugas? – indaga Tom. Não é a primeira pergunta que me veio à cabeça, mas o D. J. BoasNovas é uma criatura tão curiosa que qualquer informação que ele queira nos dar será incrivelmente fascinante.

– Vocês não vão rir se eu contar?

Eu mesma rio antes que ele conte. Não consigo resistir. A própria idéia de poder rir da explicação dos cágados, mas não dos cágados em si, já é engraçada.

BoasNovas parece ficar magoado.

– Desculpe – digo.

– Que grosseria – comenta BoasNovas. – Estou surpreso com você.

– Você me conhece?

– Eu sinto que sim. O David falou muito de você. Ele tem muito amor por você, mas você anda com problemas, né?

Por um instante, acho que ele está pedindo confirmação – "É, ando mesmo!" – mas depois percebo que o "né" não passa de um daqueles tiques verbais irritantes que empesteiam essa geração feito piolhos. Nunca conheci alguém como BoasNovas. Ele fala feito um velho sacerdote matreiro, cheio de autoconfiança, consoantes mudas e solicitude suspeita.

– Mas enfim: os cágados – diz ele. – Foi muito esquisito, né? Porque eu sonhei com uns cágados azuis, e aí o Sting, sabem, o cantor... bom, eu não gosto muito dele. Gostava do Police quando era garoto, mas acho que o barato solo dele é uma babaquice, com perdão da má palavra... Ele lançou um disco chamado *O sonho dos cágados azuis*. E aí...

Ele dá de ombros. O resto – as sobrancelhas furadas e os broches – deve obviamente ser auto-explicativo, mas não consigo me livrar da sensação de que ele pulou algumas etapas do processo de tomada de decisão.

– E eu sempre tive essa coisa com cágados. Sempre achei que eles enxergam troços que nós não enxergamos, sabe?

As crianças ficam olhando para o pai, claramente perplexas.

– O que eles enxergam? – pergunta Molly.

– Boa pergunta, Molly – responde BoasNovas, apontando

para ela. – Você é boa. É esperta. Vou ter que ficar de olho em você.

Molly parece satisfeita, mas BoasNovas não faz tentativa alguma de responder à pergunta.

– Ele não sabe – provoca Tom com um muxoxo.

– Ah, sei muito bem. Mas talvez ainda não esteja na hora.

– E quando vai ser a hora?

– Vocês querem mostrar o quarto do BoasNovas a ele? – propõe David para as crianças, com a clara intenção de sair do campo dos poderes psíquicos dos cágados. Como já não queria mesmo explicar suas teorias, BoasNovas pega as malas e sobe a escada.

David vira-se para mim.

– Eu sei o que você está pensando.

– O que você queria que eu pensasse?

– Eu sei que às vezes ele fala besteira. Tente não se prender aos troços superficiais.

– Tem algo além disso?

– Você não captou as vibrações?

– Não.

– Ah. Ah, bom.

Em outras palavras: algumas pessoas – as intuitivas, sensíveis e espiritualizadas dentre nós – conseguem captar as vibrações – e outras – as rasas, chatas e racionais feito eu – não conseguem. Isso me irrita.

– Que vibrações eu deveria estar captando, de acordo com você?

– Não é de acordo comigo. A coisa está lá. Achei interessante ver que Molly e eu conseguimos captar, e que você e Tom não conseguem.

– Como você sabe que o Tom não consegue? E como sabe que a Molly consegue?

– Você notou como o Tom foi grosseiro com ele? Quem capta a vibração não é grosseiro com ele. A Molly não foi. Ela captou logo que viu o BoasNovas pela primeira vez.

– E eu? Fui grosseira?

– Não foi grosseira. Mas foi cética.

– E isso é errado?

– Quase dá para ver o que ele tem. Se você souber procurar.

– E você acha que eu não sei? – pergunto. Não sei por que isto me incomoda tanto, mas incomoda. Quero saber procurar; no mínimo quero que David me veja como uma pessoa que talvez saiba procurar.

– Calma. Isso não faz de você uma pessoa ruim.

– De acordo com você, isso não é verdade, é? É exatamente por isso que eu sou uma pessoa ruim. Porque eu só vi as sobrancelhas, e não a... a... aura.

– Nem todo mundo consegue fazer tudo – declara ele. Depois dá aquele sorriso, e vai juntar-se aos outros.

– O BoasNovas tem problemas com algumas coisas – avisa David depois que todos já desceram novamente.

– Lamento ouvir isso – digo.

– Eu não concordo com camas – anuncia BoasNovas.

– Ah. Mas você se incomoda que a gente durma nelas? – digo, num tom que tenta parecer seco e leve como o de um bom vinho branco, mas consegue apenas ser bastante avinagrado.

– O que os outros fazem é problema deles – diz BoasNovas. – Eu só acho que isso nos enfraquece. Isso nos impede de ver como as coisas realmente são.

– E como são realmente as coisas?

David me lança um olhar. Não é um daqueles olhares que eu teria recebido outrora, no estilo eu-odeio-você-e-queria-que-você-morresse. É um olhar novo, no estilo ahhhhh-que-decepção. Por um instante, sinto saudade da época em que o ódio era a nossa moeda corrente. Era uma moeda que funcionava, assim como porcos e fardos de feno já funcionaram em outros tempos. Até dá para entender por que os porcos foram abandonados, mas eles tinham ao menos a virtude da simplicidade.

– É uma grande pergunta, Katie – diz BoasNovas. – E não sei se você está pronta para a grande resposta.

– Você está, não está, mamãe? – pergunta Tom com lealdade.

– Em todo caso – diz David –, o BoasNovas gostaria que a cama fosse tirada do quarto de hóspedes. Porque não há espaço para dormir no chão com a cama lá dentro.

– Sei. E onde a gente vai colocar a cama?

– Vou colocar no escritório – propõe David.

– Posso tirar minha cama do quarto? – pergunta Molly. – Não gosto dela.

– Qual é o problema da sua cama? – digo, dirigindo a pergunta a David e não a Molly, para que ele perceba a confusão que seu amigo está criando no nosso mundo.

– Eu não concordo com a cama – diz Molly.

– Com o quê, exatamente, você não concorda?

– Não concordo, só isso. É errado ter cama.

– Quando você tiver o seu apartamento, pode dormir em cima de pregos, se quiser. Enquanto estiver aqui, vai dormir numa cama.

– Desculpem – diz BoasNovas. – Estou criando problemas, não estou? Por favor, esqueçam isso. Na boa.

– Tem certeza? – pergunta David.

– É sério. Posso ficar com a cama – responde ele, fazendo uma pausa e olhando para David, que parece haver se tornado o representante de BoasNovas na Terra.

– O BoasNovas também estava... bom, nós dois estávamos... querendo saber onde ele vai curar as pessoas.

– Ele tinha a intenção de curar pessoas aqui?

– É. Onde mais?

– Achei que ele só ia passar umas duas noites aqui.

– É provável que sim. Mas ele precisa trabalhar. E tem compromissos com as pessoas. Portanto, sabe como é... se a coisa se estender por mais de dois dias...

– O quarto de hóspedes não serve?

David olha para BoasNovas, que dá de ombros.

– Não é o ideal – diz ele. – Por causa da cama. Mas se não houver outro lugar...

– Que engraçado. Nós temos uma sala de cura vazia que nunca usamos.

– Infelizmente o sarcasmo é um dos prazeres da Katie – diz David.

– Mas também tenho um monte de outros. Milhões deles.

Subitamente lembro que um dos meus prazeres mais recentes visitou nossa casa há pouco tempo, e que David foi incrivelmente legal na ocasião. Me sinto culpada, e digo:

– Desculpe. Talvez o seu quarto seja mesmo o melhor lugar para isso, por enquanto.

– Tudo bem. Dá para fazer um bom trabalho lá. Aquele quarto tem uma atmosfera ótima, saca?

– E a última coisa: BoasNovas é vegetariano.

– Tudo bem.

– Vegetariano radical, na realidade.

– Ótimo. É uma atitude sensata. Muito melhor para a saúde. É só isso?

– Acho que sim. Por enquanto.

– Aproveite a sua estadia – digo a BoasNovas, que tem certeza de que será muito feliz aqui. De minha parte, tenho certeza de que ele jamais irá embora.

David cozinha pedaços de frango para nós e legumes para

todos, enquanto conversa na cozinha com BoasNovas. Depois todos fazemos nossa primeira refeição juntos. O tema principal da conversa é BoasNovas: BoasNovas e os cágados (descobrimos que não dá para explicar com palavras o que eles enxergam), BoasNovas e como as coisas realmente são (– Mal, cara, Mas há esperança, saca? Para quem sabe procurar.), BoasNovas e o poder de cura de suas mãos. Molly quer que ele aqueça as mãos aqui mesmo, agora, mas David diz que aquilo não é um truque de salão.

– Você sempre foi capaz de fazer isso? Já era capaz de fazer quando tinha minha idade?

– Não. Só consegui depois de completar vinte e cinco anos, saca?

– Quantos anos você tem agora?

– Trinta e dois.

– Mas como você descobriu que podia fazer isso? – pergunta Tom, que permanece indiferente ao charme de BoasNovas.

– A minha namorada na época estava com torcicolo, e pediu que eu fizesse uma massagem nela, e aí... tudo ficou esquisito.

– Esquisito como?

– Esquisito-esquisito. As lâmpadas ficaram mais brilhantes, a sala esquentou. Foi uma verdadeira cena.

– E de onde você acha que veio esse dom? – pergunto, notando satisfeita que já há menos vinagre na minha voz. Estou aprendendo. Ainda não sou um vinho branco muito bom, mas sou bebível; já daria para me utilizar num ponche, pelo menos.

– Eu sei, mas não posso contar na frente das crianças. Não é conveniente.

Não faço idéia do que isto significa, mas se BoasNovas

acha que a história de sua transformação em curandeiro é imprópria para menores, não estou preparada para discutir com ele, ainda que os menores estejam.

– Ah, conte – pede Tom.

– Não – diz BoasNovas. – É sério. Pergunte outra coisa.

– Qual era o nome da sua namorada? – pergunta Molly.

– Que pergunta boba – diz Tom com um muxoxo. – Quem quer saber isso, sua idiota?

– Ei, Tom. Quem somos nós para julgar se essa informação é importante para alguém, cara? – diz BoasNovas. – Pode haver muitas razões para a Molly querer saber o nome da minha namorada. Pelo que eu conheço da Molly, razões bastante boas, até. Por isso, não vamos chamar ninguém de idiota, né? Ela se chamava Andrea, Molly.

Molly balança a cabeça com ar superior. O rosto de Tom se torna um quadro de ódio fumegante – o tipo da imagem que um jornal usaria para ilustrar uma reportagem sobre as divisões étnicas na antiga Iugoslávia – e eu percebo que BoasNovas criou um inimigo.

Durante o resto do jantar, conseguimos evitar assuntos explosivos; BoasNovas faz perguntas corteses sobre nossos empregos, nossas escolas e nossos professores de matemática, e todos respondem cortesmente (ainda que de forma lacônica, em alguns casos). O tempo vai passando assim, até que o último bocado é engolido e chega a hora de tirar a mesa.

– Eu lavo a louça – diz BoasNovas.

– Nós temos uma lava-louças – aviso, e ele lança um olhar ansioso para David. Não é difícil prever o que está por vir, e eu me antecipo.

– Você desaprova as lava-louças – acrescento com uma fadiga exagerada, para transmitir a idéia de que as diversas antipatias de BoasNovas podem vir a se tornar irritantes.

– Não – responde ele.

– Você desaprova muitas coisas que muitas pessoas não acham reprováveis – comento.

– É – concorda ele. – Mas só porque muitas pessoas não reprovam alguma coisa não quer dizer que elas tenham razão, quer? Ora, muita gente achava que... sei lá... a escravidão era legal, mas você sabe como é. Elas estavam erradas, não estavam? Estavam tão erradas que era irreal. Porque aquilo não era legal, era? Era ruim às pampas, cara. Escravos. De jeito nenhum.

– Você acha que a escravidão é igual a um lava-louças, BoasNovas? Ou um pouco diferente, na realidade?

– Talvez para mim seja tudo a mesma coisa.

– Talvez para você tudo que é tipo de coisa seja o mesmo. Talvez a pedofilia seja a mesma coisa que... que... sabão. Talvez o fascismo seja igual a uma privada. Mas isso não significa que eu vou mandar meus filhos fazerem xixi no jardim, só porque o seu estranho código moral pede isso.

Talvez o fascismo seja igual a uma privada... Eu realmente acabei de dizer isso. Este é o mundo que passei a habitar: um mundo em que isso pode servir de linha de argumentação coerente.

– Você está sendo boba. E sarcástica – diz David.

O sarcasmo, aquele meu prazer terrível.

– Ah, então a boba aqui sou eu, é? E não um sujeito que não dorme na cama, porque isso é irreal, saca?

Sinto-me mal. Eu deveria ser capaz de discutir sobre a escravidão e os lava-louças sem recorrer a insultos infantis.

– Eu tento sobreviver sem coisas que nem todo mundo tem – diz BoasNovas. – Só vou entrar no esquema quando todos tiverem tudo. Quando o último lavrador da floresta tropical brasileira tiver uma lava-louças, ou uma cafeteira que faz *cappucino*, ou então um daqueles televisores do tamanho de uma casa, aí vocês podem contar comigo, né? Mas até isso acontecer, mantenho minha posição.

– É muita nobreza sua – digo. *Pirado*, penso, com uma enorme sensação de alívio. Afinal, nada há a aprender com este sujeito. Ele não pode fazer com que eu me sinta apequenada, errada, ignóbil ou auto-indulgente; é apenas um maluco, e posso ignorá-lo impunemente.

– Todo mundo tem lava-louças – diz Molly, claramente perplexa. Todas as vezes que já senti que fracassei como mãe desaparecem ao lado deste momento humilhante e único.

– Não é verdade, Molly – digo em tom brusco. – E você sabe disso.

– Então quem não tem? – diz ela, que não está fazendo má-criação. Simplesmente não consegue pensar em ninguém.

– Deixe de ser boba – retruco, mas estou apenas ganhando tempo enquanto vasculho o universo dela em busca de alguém que lave os pratos manualmente. – E o Danny e a Charlotte?

Danny e Charlotte são colegas de escola de Molly. Moram num conjunto residencial da prefeitura no fim da nossa rua, e assim que falo me sinto culpada por enquadrá-los nesse estereótipo altamente ridículo.

– Eles têm tudo – diz Molly.

– Têm até DVD e Internet digital – diz Tom.

– Está bem, está bem. E as crianças para quem o papai deu o computador do Tom?

– Elas não contam – diz Molly. – Não têm nada. Não têm nem casa. E eu não conheço nenhuma delas. Nem quero conhecer, obrigada, porque parecem meio brutas demais para o meu gosto. Mas tenho pena delas, e fico feliz por elas receberem o computador do Tom.

Esta é minha filha?

A educação moral dos meus filhos sempre foi importante

para mim. Já conversei com eles sobre o Serviço de Saúde e sobre a importância do Nelson Mandela; nós já discutimos o problema dos desabrigados, é claro, além do racismo, do sexismo, da pobreza, do dinheiro e da justiça. David e eu já explicamos, da melhor maneira possível, por que os eleitores do Partido Conservador jamais serão inteiramente bem-vindos na nossa casa, ainda que Vovó e Vovô sejam exceções especiais. E embora eu tenha ficado nauseada com o comportamento melífluo de Molly durante os episódios do computador e da lasanha, um lado meu pensava que sim, ela está crescendo e entendendo, todas essas conversas e perguntas não foram em vão. Agora vejo que ela não passa de uma aristocrata sebosa, que daqui a vinte anos estará organizando um baile beneficente revoltante em Warwickshire, falando dos refugiados e doando seus xales *pashminas* usados para a faxineira.

– Está vendo? – proclama BoasNovas. – É por isso que eu não quero entrar nesse esquema. O esquema da posse. Porque acho que as pessoas se tornam preguiçosas, mimadas e insensíveis.

Olho para minha filha mimada e insensível, e acabo dizendo a BoasNovas que meus filhos adorariam ajudá-lo com a louça.

7

Tenho cerca de mil e duzentos pacientes. Vejo alguns com bastante freqüência, e outros quase não vejo. Há alguns que posso ajudar, e outros que não posso; os casos que mais me angustiam são os de pacientes que vejo muito e não posso ajudar. Chamamos esses casos de pacientes-desânimos, por razões óbvias, e uma vez alguém disse que a maioria dos sócios de uma clínica tem cerca de cinqüenta desânimos nas suas fichas. Eles chegam, sentam e olham para mim; tanto eu quanto eles sabemos que não há esperança. Eu me sinto culpada e entristecida: uma impostora. Mas, para dizer a verdade, também me sinto um pouco perseguida. Dentre as pessoas que não podem ajudá-los, esses pacientes só têm um relacionamento freqüente assim comigo. O técnico de televisão que não consegue consertar a imagem, o bombeiro que não consegue tampar o vazamento, o eletricista que não consegue religar as luzes... nosso relacionamento com essas pessoas sempre termina depois de algum tempo, porque elas não conseguem fazer nada por nós. Mas meu relacionamento com os "desânimos" jamais terminará. Eles ficarão eternamente sentados ali, lançando-me olhares acusadores.

Eu sei, e espero que a dona Cortenza também saiba, que não posso fazer nada por ela. Suas costas e juntas doem, ela não consegue dormir por causa da dor, e os analgésicos já não parecem fazer efeito algum; mas ela continua vindo ao consultório, nós continuamos conversando, e eu continuo pensando, sem descobrir algo que funcione (e nesse processo continuo tendo despesas com medicamentos, radiografias e operações exploratórias). Atualmente, só quero que ela vá consultar outro médico e me deixe em paz. Quero que ela me deixe tratar de gente que eu possa ajudar: gente esperançosa, gente *mais jovem*, porque dona Cortenza é velha. Aparenta ter mais anos até do que os setenta e três que tem, e foram a idade e as faxinas que passou a vida inteira fazendo nas casas dos outros que estragaram sua saúde. (Encaremos a realidade: essas casas pertencem a pessoas como eu, de modo que há uma circularidade peculiar nisso tudo. Se todos nós parássemos de tentar ser legais e salvar o mundo, e ficássemos em casa fazendo faxina, talvez gente como a dona Cortenza nem precisasse de médico. Talvez assim dona Cortenza, libertada da dor e da monotonia doméstica, pudesse ter realizado algo socialmente útil. Talvez tivesse passado a vida alfabetizando adultos, ou trabalhando com adolescentes que fogem de casa, se eu não estivesse tão obcecada por curá-la, e assim tivesse tempo para esfregar meu próprio assoalho.)

Na manhã seguinte à chegada de BoasNovas, dona Cortenza chega ao consultório arrastando os pés, com a pele acinzentada pela idade e pelo esforço. Desaba numa cadeira e abana a cabeça. Como sempre, eu desanimo. Ficamos em silêncio por alguns instantes, enquanto ela recupera o fôlego. Durante essa pausa, ela aponta para um retrato de Molly e Tom que prendi no quadro de avisos. Depois aponta para mim. Eu sorrio e balanço a cabeça. Ela sorri, ergue o polegar para mim, e faz um gesto com a mão, indicando o quanto eles cresceram. Tenho certeza de que nós duas pensamos na mesma coisa nesse momento: eles não eram tão grandes assim quando ela começou a vir ao consultório. Na época, é provável que a fotografia no quadro de avisos mostrasse um par de bebês. Assim, meus filhos servem apenas para enfatizar minha inutilidade.

– Como vai, dona Cortenza? – pergunto, quando os arquejos dela diminuem a ponto de fazer uma conversa parecer possível. Ela abana a cabeça; não vai bem.

Examino minhas anotações.

– Os comprimidos que eu lhe dei na última vez adiantaram?

Ela abana a cabeça novamente: não adiantaram.

– A senhora anda dormindo bem?

Não, ela não anda dormindo bem. Seu sono não está bom. Nada está bom. Olho para ela pelo maior tempo possível sem causar constrangimento, e depois olho atentamente para as minhas anotações, como se houvesse ali algo que pudesse resolver os problemas não só da dona Cortenza, mas do mundo todo.

Subitamente, percebo que tenho em casa algo que já funcionou com alguém; se sou uma médica de verdade, minha obrigação é tentar. Ligo para David, e peço que ele traga BoasNovas à clínica.

– Você vai ter de pagar os serviços dele – diz David.

– Com o quê? Meu orçamento para curas místicas?

– Pouco me importa. Mas você não vai explorar o Boas-Novas.

– Que tal o seguinte: ele trata da dona Cortenza, e nós não cobramos a alimentação e a hospedagem? Nem a eletricidade. Nem a inconveniência geral.

– Você não pode querer que ele vá aí todo dia.

– Não vou precisar dele aqui todo dia. Sou uma médica perfeitamente competente, sabia? De vez em quando até receito antibióticos bastante eficazes – digo, mas ao mesmo tempo já estou fazendo uma lista dos outros reincidentes que atendo. Imaginem: uma vida profissional sem o seu Arthurs! Sem a dona McBride! Ou com o Brian Biruta Beech, como o apelidamos, sem moléstia alguma!

BoasNovas chega em quinze minutos: é um quarto de hora que parece longo demais – ainda que não mais longo do que minhas consultas costumeiras com dona Cortenza, mas que fico feliz por interromper. Recebo algumas olhadelas engraçadas na recepção, mas ninguém chega a fazer qualquer objeção em voz alta.

Dona Cortenza olha para os broches de BoasNovas com patente hostilidade.

– Oi, amor – diz BoasNovas. – Você é uma gata e tanto, não é? Qual é o seu nome?

Ela continua olhando para ele.

– Esta é a dona Cortenza.

– Esse nome não. O nome verdadeiro dela. O nome de batismo.

Não faço idéia, é claro. Como eu poderia saber? *Só* estou tratando dela há cinco anos. Vasculho minhas anotações.

– Maria.

– Maria – diz BoasNovas. Depois repete o nome, desta vez com um sotaque europeu exagerado e de origem deliberadamente vaga. – Marrrrriaaaaa. O que nós vamos fazer com Maria, hein? Você conhece essa canção? De *Amor, sublime amor*?

– Essa é da *Noviça rebelde*. A de *Amor, sublime amor* é diferente – digo a ele, pensando que esta talvez seja minha única demonstração de competência durante toda a consulta.

– Então há duas canções compostas a seu respeito? – diz BoasNovas. – Isso não me surpreende. Uma moça linda como você.

Dona Cortenza sorri timidamente. Tenho vontade de esganá-la por ser tão crédula.

– O que precisamos fazer aqui? Como podemos colocar Maria dançando novamente?

– Ela tem uma inflamação crônica em torno da maioria das juntas. Quadris, joelhos. E muita dor nas costas.

– Ela anda triste?

– Acho que sim, com tanto sofrimento.

– Não, estou falando mentalmente.

– Se ela é mentalmente triste? Quer dizer, triste na mente em vez de triste nos joelhos?

– Está bem, não sou tão bom de palavreado quanto você, doutora Espertinha. Mas vamos ver qual de nós consegue fazer alguma coisa por ela.

– Por quê? Ela tem que estar infeliz para você poder tratar dela?

– Se eu conseguir sintonizar esse tipo de coisa, ajuda.

– A senhora está triste, dona Cortenza? – pergunto.

Ela olha para mim.

– Triste? Tristeza?

Nem sua audição nem seu inglês são perfeitos, e, portanto, é difícil saber qual destas dificuldades é responsável pela confusão.

– É. Tristeza.

– Ah, sim – diz ela, com o prazer que só os velhos extraem desse tipo de assunto. – Muito, muito triste.

– Por quê? – pergunta BoasNovas.

– Coisas demais – diz ela, indicando suas roupas com um gesto. Ela sempre usou preto, desde a primeira consulta, e agora seus olhos se enchem de lágrimas. – Meu marido. Minha irmã. Minha mãe. Meu pai. Coisas demais.

Não quero parecer insensível, e certamente não há receita contra a tristeza, mas acho que a esta altura dona Cortenza já deveria ter se conformado com o fato de ser órfã.

– Meu filho – continua ela.

– Seu filho morreu?

– Não, não morreu. Malvado. Mudou para Archway. Nunca liga para mim.

– Essa tristeza já basta? – pergunto a BoasNovas.

Eu não sabia que era preciso sintonizar a tristeza e, subitamente, a idéia de BoasNovas tratar de Brian Biruta me parece um pouco menos atraente. Imagino que haja muitas tristezas ocultas dentro de Brian Biruta, e não seria fácil escutá-las todas.

– Tudo isso faz sentido – diz BoasNovas. – Consigo sentir quase tudo isso. Explique a ela que vou precisar tocar nos ombros, no pescoço e na cabeça dela.

– Eu entendi – diz dona Cortenza, um tanto ofendida.

– E tudo bem? – pergunto a ela.

– Tudo bem. Sim.

BoasNovas senta-se diante dela e fecha os olhos por alguns instantes; depois levanta, posta-se atrás dela e começa a massagear-lhe o couro cabeludo. Sussurra enquanto trabalha, mas não consigo distinguir o que ele diz.

– Muito quente! – diz subitamente dona Cortenza.

– Isso é bom – avisa BoasNovas. – Quanto mais quente, melhor. Coisas estão acontecendo.

Ele tem razão. Coisas estão acontecendo. Talvez seja apenas a intensidade momentânea da experiência, talvez a concentração coletiva, mas me parece que o aposento ficou mais quente, muito mais quente. E, por um instante, pareceu também ficar com uma atmosfera mais brilhante. Não quero sentir esse calor, e não quero notar que o brilho da única lâmpada no teto parece ter aumentado, de fracos quarenta watts para fulgurantes cem. Pois sentir e ver estas coisas me parecem levar a sentir e ver um monte de outras coisas mais complicadas, e eu realmente preferia não fazer isso, se ninguém se importa. Portanto, vamos esquecer o assunto, até onde for possível.

O que se revelará mais difícil de esquecer é o seguinte: após alguns minutos de massagem delicada e inevitáveis perturbações ambientes, dona Cortenza levanta, espreguiça-se hesitantemente e diz para BoasNovas:

– Obrigada. Está muito melhor agora. Muito, muito melhor.

Depois meneia a cabeça para mim. Posso ser paranóica, mas esse meneio me parece bastante frio: um jeito de dizer que seus problemas eram de pouca monta, e que se eu tivesse um mínimo de competência seria fácil resolvê-los. E então dona Cortenza vai embora, andando cinco vezes mais depressa do que entrou.

– Pois é – digo. – Você cura a velhice. Muito bem. Viva você. Deve dar para descolar alguns trocados com isso.

– Qual é, ela não está curada – diz BoasNovas. – É claro que não está. O corpo dela está ferrado. Mas agora a vida dela vai ser muito melhor.

Percebo que ele está feliz, autenticamente feliz: não por si mesmo, mas pela dona Cortenza. E me sinto pequena, mesquinha e sem esperanças.

– Agora você já pode me contar – digo, antes que ele vá embora. – As crianças não estão aqui. Qual é o segredo?

– Não sei qual é o segredo. Não era isso que eu não podia contar.

– Então conte o que você não podia contar.

– Drogas.

– Como assim, drogas? Drogas o quê?

– Foi assim que começou. Com Ecstasy. É o que eu acho, pelo menos. Eu andava tomando muito Ecstasy. Ia para as boates toda sexta à noite, vivia dizendo "eu amo você, você é meu amigo", esse tipo de coisa, e... Eu sou como aqueles caras dos gibis americanos. O Homem-Aranha e os outros. A coisa mudou minha estrutura molecular, e eu ganhei superpoderes.

– O Ecstasy deu superpoderes a você?

– Acho que sim – diz ele, dando de ombros. – Esquisito, né? Quer dizer, você vai à faculdade e descobre que o osso da coxa está ligado ao osso do joelho, esse tipo de coisa que é feito lá. Eu fico nas boates tomando umas e outras. E nós dois acabamos chegando ao mesmo ponto. Mas não me entenda mal. Acho que o que você faz ainda tem certa utilidade.

– Obrigada. É muita generosidade sua.

– Ah, sem problema. A gente se vê no rancho mais tarde.

Mais tarde, fico olhando para Molly na banheira, procurando inutilmente vestígios dos eczemas dela.

– Molly, você lembra da consulta que fez com o Boas-Novas?

– É claro.

– Lembra do que ele disse para você?

– Tipo o quê?

– Não sei. Ele perguntou como você estava se sentindo?

– Hummmmm. Ah, sim. Perguntou se eu andava triste.

– E o que você disse?

– Disse que às vezes ficava um pouco triste.

– E qual a razão?

– Fiquei triste por causa da vovó Papagaio.

Era a mãe de David, que morreu no ano passado. Tinha esse apelido porque havia um papagaio de pedra no pilar do seu portão.

– É. Aquilo foi triste.

– E por causa da Poppy.

Era a gata da família, morta pouco depois da vovó Papagaio. A proximidade de Molly com estas mortes foi muito maior do que desejaríamos num mundo ideal. Vovó Papagaio teve uma queda quando estava nos visitando, e embora só morresse à noite, no hospital, ficou claro que já não estava bem quando foi removida. E quando Poppy desapareceu, organizamos uma busca por ela. Hoje vejo que isso foi uma besteira: Molly encontrou o corpo da gata atropelado no fim da rua. Eu preferiria que ela não tivesse vivido essas perdas.

– Aquilo também foi triste.

– E por causa do seu bebê.

– Meu bebê?

– O bebê que morreu.

– Ah. Aquele bebê.

Tive um aborto involuntário, cerca de dezoito meses antes de Tom nascer. Um aborto involuntário comum, com dez semanas de gestação, típico de primeira gravidez; angustiante na época, mas quase completamente esquecido hoje. Não tenho lembrança alguma de ter contado isso a Molly, mas é claro que devo ter contado; ela lembrou e sofreu, à sua maneira.

– Isso deixou você triste?

– Claro. Era o meu irmão ou irmã.

– Bom, mais ou menos.

Tenho vontade de dizer a ela que na verdade não há problema, mas sem entrar numa lengalenga sobre almas, fetos e várias outras questões de que crianças de oito anos devem ser poupadas enquanto for possível. Resolvo mudar de assunto.

– Mais alguma coisa?

– Achei que também fiquei triste por causa de você e do papai.

– Triste por causa da gente?

– Porque vocês talvez se divorciassem. E porque com certeza vão morrer.

– Ah, Molly.

Sei que existem milhões de respostas para essas inquietações, mas no momento todas parecem fundamentalmente falsas, e não consigo entrar no jogo de consolação materna exigido. Talvez nos divorciemos; e com certeza morreremos. No atual estado mental – cansado e melancólico – em que me encontro, isto parece um resumo bastante preciso da situação, e não sinto vontade de contradizer Molly. Em vez disso, estendo a mão e toco a testa dela, como BoasNovas faria, numa malfadada tentativa de extrair esses pensamentos da cabeça dela. Tenho a sensação de que este é o único contato físico que posso me permitir. Qualquer outra coisa resultaria numa torrente de tristeza e desespero.

– Mas não estou mais preocupada com nada disso – diz Molly alegremente, como se fosse função sua me consolar, e não o contrário.

– Sério?

– Sério. O BoasNovas fez tudo isso sumir.

Depois que as crianças vão dormir, não sinto vontade de me juntar a David e BoasNovas lá embaixo, de modo que fico sentada no quarto, pensando. Minha conversa com Molly me obriga a pensar, embora atualmente eu prefira viver sem pensar. E acho que penso no seguinte: nós vivemos o que muita gente consideraria ser uma vida normal. Algumas pessoas – roqueiros, romancistas, jovens colunistas de jornal, aqueles que preferem ver tudo que envolva crianças, empregos normais e pacotes de férias como uma morte espiritual prolongada e agoniante – não nos considerariam sequer merecedores de desprezo, tal o entusiasmo com que abraçamos o ideal de um estilo de vida conservador. Já outras – e todo mundo sabe quem são – nos considerariam extraordinariamente sortudos, abençoados e mimados por nossa criação, cor da pele, nível de instrução e faixa de renda. Não tenho divergência com este segundo grupo – como poderia ter? Sei o que temos, e sei o que não tivemos de viver. Mas quanto ao primeiro grupo... tenho dúvidas. Pois me parece que a vida normal, ou o tipo de vida "normal" que essa gente despreza, já contém bastante coisa que impede uma morte espiritual agonizante, e bastante coisa que é simplesmente agoniante. Quem é essa gente para julgar os outros?

O que aconteceu com Molly nos seus primeiros oito anos de vida? Quase nada. Nós a protegemos o máximo possível do mundo. Ela foi criada num lar amoroso, tem pai e mãe, nunca passou fome, e recebe uma educação que a deixará preparada para o resto da vida. Ainda assim, sente tristeza e, se pensarmos bem, essa tristeza não é descabida. Ela fica ansiosa com o relacionamento entre seus pais; perdeu um ser amado (além de uma gata); e percebeu que tais perdas serão uma parte inevitável de sua vida no futuro. Aparentemente, o simples fato de sermos humanos já é suficientemente dramático para todos nós; não é preciso ser viciado em heroína ou poeta performático para vivenciar emoções extremadas. Só é preciso amar alguém.

E a outra coisa em que penso é: falhei com minha filha. Molly só tem oito anos de idade, e anda triste... Eu não queria isso. Quando ela nasceu, eu tinha certeza de que poderia evitar isso, e não consegui. Percebo que a tarefa que assumi era irrealista e irrealizável, mas isso não faz diferença: acabei contribuindo para a criação de mais um ser humano confuso e assustado.

Já passei tempo suficiente sentada sozinha no escuro. É hora de retomar minha vida normal. Por isso, desço para jantar com meu marido e o guru doméstico de broches nas sobrancelhas. A conversa é sobre o seguinte: todo mundo na nossa rua deve convidar uma criança desabrigada para passar um ano morando na sua casa.

Eles estão falando sério; percebo isso logo de cara. Os planos já estão tão adiantados que eles fizeram uma lista das casas na rua, com todas as informações que David possui sobre os habitantes. Quando entro na cozinha, ninguém me dá a menor atenção, assim fico escutando atrás de David e leio a lista por cima do seu ombro:

1. Desconhecidos
3. Desconhecidos
5. Desconhecidos
7. Senhora idosa. (Senhor idoso também? Não faz diferença, caso compartilhem o leito)
9. Desconhecidos
11. Richard, Mary, Daniel, Chloe
13. Família asiática simpática. (4?)
15. Desconhecidos
17. Desconhecidos
19. Wendy e Ed
21. Martina
23. Hugh
25. Simon e Richard
27. Família asiática antipática (6? + pastor alemão)
29. Ros e Max
31. Annie e Pete + 2
33. Roger e Mel + 3
35. À venda

O mesmo foi feito em relação ao outro lado da rua. Minha atenção é atraída pela esquematização óbvia dos nossos relacionamentos: conhecemos as pessoas que moram do nosso lado e à nossa frente, mas não sabemos quase nada sobre as pessoas que moram a sessenta ou setenta metros de distância. Depois, porém, a pura maluquice da conversa me traz de volta ao aposento.

– Pelos meus cálculos, há pelo menos quarenta quartos desocupados nesta rua – diz David. – Não é incrível? Quarenta quartos desocupados, e milhares de pessoas lá fora sem cama! Nunca pensei nisso dessa forma. Quer dizer, fico puto quando vejo uma casa desocupada, mas na realidade a questão não é quantas casas estão desocupadas, é? Se há quarenta quartos desocupados nesta rua, só o nosso distrito postal já deve ser capaz de abrigar a maioria das crianças desabrigadas que há lá fora.

– Nosso objetivo deve ser ocupar, digamos, dez desses quartos – diz BoasNovas. – Eu já ficaria satisfeito com dez.

– Sério? – pergunta David. Parece desapontado, como se convencer apenas dez de seus vizinhos a abrigar desconhecidos fosse uma concessão que ele não estivesse preparado para fazer.

Eis o ponto a que chegamos na minha casa, portanto: o curandeiro espiritual que não tolera lava-louças tornou-se o realista de dentes cerrados, e meu marido virou o otimista de olhos arregalados.

– Será que conseguir apenas dez não significaria, sei lá, que nós perdemos a discussão? Porque é impossível alguém ser contra essa idéia, se nós vendermos a coisa direito.

– Tem gente que simplesmente não vai entender – lembra BoasNovas.

– Tem gente que talvez precise dos quartos para outras coisas – digo eu.

– Como o quê? – pergunta David, em tom levemente agressivo.

Antigamente ele usava esse tom para me desafiar, fosse por eu querer mostrar às crianças outros credos religiosos (ele não queria que elas conhecessem nenhum outro), fosse por eu querer ir a uma leitura de Maya Angelou ("O quê, você virou uma feminista *negra*?").

Eu já tinha esquecido como esse tom era cansativo.

– Você trabalhava num dos nossos quartos desocupados, por exemplo.

– Tudo bem, então cinco desses quarenta quartos são usados como escritórios.

– E as pessoas que hospedam os pais?

– Meu Deus, que mentalidade literal!

– É preciso ter uma mentalidade literal para dizer que as pessoas têm pais?

– Não é isso. É o espírito da coisa. Você não entende.

– Obrigada.

– Nada disso constitui um problema real. É puro negativismo seu.

– Você não faz a menor idéia da vida que nossos vizinhos levam. Não sabe nem o nome deles – digo, indicando o papel sobre a mesa. – Mas diz tranqüilamente o que constitui ou não um problema real para eles. O que dá esse direito a você?

– O que dá a eles o direito de possuir casas semivazias quando há tanta gente lá fora em caixas de papelão?

– O que dá a eles esse direito? As porcarias das hipotecas que eles pagam, ora essa! Essas casas são os lares dessas pessoas, David. E nem são casas tão grandes assim. Por que vocês não partem para cima do Bill Gates? Ou do Tom Cruise? Quantos quartos desocupados eles têm?

– Se eles morassem ali na esquina, eu partiria para cima deles. Mas não moram. E nós não precisamos deles, porque há bastante espaço para todo mundo aqui. Você só está com medo do constrangimento que isso pode provocar.

– Não é verdade – retruco.

Mas é, claro. É a verdade nua e crua. Estou apavorada com o constrangimento, que virá em ondas. Já ouço as ondas se avolumando, enquanto nossa conversa prossegue.

– Como vocês planejam fazer isto, para começar? – pergunto.

– Sei lá. Indo de porta em porta.

– Que tal uma festa? – propõe BoasNovas alegremente. – Podemos dar uma festa aqui. Aí você fala com todo mundo e... vai ser maravilhoso.

– Genial – diz David, com ar de quem sabe que está na presença de um gênio.

– Genial – repito, mas com ar de quem quer enfiar a cabeça no forno. Porém eles não têm o menor interesse nesse tipo de ar.

Tudo bem: é óbvio que eles estão errados. E também completamente loucos. Só que eu não consigo descobrir por quê, exatamente. Qual é a diferença entre oferecer quartos desocupados aos exilados de 1940 e oferecer quartos desocupados aos desabrigados de 2000? Se alguém dissesse que os exilados corriam perigo mortal, David e BoasNovas diriam que as crianças de rua têm uma expectativa de vida menor do que a nossa. Se alguém argumentasse que em 1940 a nação estava unida pelo desejo de cuidar dos seus filhos, eles observariam que é exatamente deste espírito que precisamos agora, por razões semelhantes. Se alguém risse e dissesse que eles são beatos hipócritas, palhaços religiosos, chantagistas morais e fanáticos, eles responderiam que não se importam com o que as pessoas pensam deles, e que há algo maior em jogo. Será que temos mesmo o direito de manter um quarto extra como depósito de bagulhos, sala de música ou quarto de hóspedes que jamais aparecem, quando é fevereiro, o tempo está gelado e úmido, e lá fora há gente pelas calçadas? Uma resolução permanente do Serviço de Abrigo não acabaria com isso? E se meu marido, BoasNovas, ou ambos, se revelassem Jesus Cristo, Gandhi ou Bob Geldof?

E se o país estivesse mesmo clamando por este tipo de energia, isso revolucionasse nossa visão da propriedade privada, e Londres, a Grã-Bretanha e o mundo ocidental se livrassem para sempre do problema dos desabrigados? O que eu faria com o meu constrangimento, então?

Já não tenho respostas para nenhuma dessas perguntas. Só sei que não quero dar esta festa, não quero que meus vizinhos passem por isto, e gostaria que David e BoasNovas preferissem abrir uma empresa na Internet, ganhassem milhões de libras, e gastassem tudo com meninas da Página 3, piscinas, cocaína e ternos de grife. Isso as pessoas compreenderiam. Isso não perturbaria a vizinhança.

Durante o café da manhã do dia seguinte, David e BoasNovas falam da festa para as crianças. Molly mostra-se curiosa; Tom fica sentado à mesa brincando com o Gameboy e comendo o cereal entre uma vida e outra, aparentemente desinteressado. Eu me sento entre os dois, enquanto os homens recostam-se lado a lado na superfície de trabalho, respondendo a perguntas. É impossível não notar que a dinâmica doméstica tinha mudado, e que o meu lugar passou a ser entre as crianças. E não estou falando no sentido maternal. Isso me lembra as grandes reuniões familiares a que eu ia com catorze ou quinze anos, em que sempre havia confusão para resolver se eu devia sentar à mesa entre meus primos mais novos ou entre meus tios e tias.

– Nós também vamos receber um desabrigado aqui? – pergunta Molly.

– É claro – responde David.

– Já não temos um? – digo, com olhares significativos para todos os envolvidos.

– Quem mais vai receber?

– Todo mundo que quiser – diz David. A resposta dele me

faz rir e bufar ao mesmo tempo. *Todo mundo que quiser...* E Natal, e este ano todo mundo quer um desabrigado, assim como há dois anos todo mundo queria um Tamagotchi. Mas na loja dos desabrigados o estoque nunca acaba.

– Você gostaria de nos dizer o que é tão engraçado, Katie?

É isso que ele diz, juro. Até a voz dele parece a de um professor: severa, vagamente distraída, seguindo um roteiro que foi escrito há cem anos.

– A fala não é essa – respondo. Subitamente, sinto que por ser a criança mais velha devo também ser a mais levada. – A fala é: "Você gostaria de compartilhar a piada com a turma toda?"

– Do que você está falando?

– Eu entendi – diz Tom. – Não entendeu, papai? Você é o professor, e a mamãe está sendo levada.

– Deixe de bobagem.

– É verdade – diz Tom. – É isso que você parece.

– Bom, sinto muito. Foi sem querer. Enfim: todo mundo concorda com isso?

– Eu tenho uma dúvida – questiono.

Sinto-me liberta por sentar à mesa com as crianças, e ser repreendida feito uma criança; minha cassação me encheu de energia.

– Sim, Katie.

– O que acontece se um desabrigado se mudar para a casa de um vizinho nosso e roubar tudo?

É preciso uma criança para dizer o indizível.

– Como assim?

– Quer dizer... bom, isso mesmo. E se nós estivermos ajudando um ladrão a entrar na casa de um vizinho? Alguém que esteja duro, desesperado, e seja viciado em drogas?

– Você tem uma visão estereotipada dos desabrigados, Katie. Acho que esse não é um bom caminho.

– Sei muito bem o que estou fazendo, David. Mas sabe... o estereótipo do torcedor de futebol é alguém que se embebeda e quebra garrafas nas cabeças das pessoas. Sei que isso é um estereótipo, e conheço muitos torcedores do Arsenal que não são assim. Mas... talvez haja alguns que realmente são. E acho que não quero dizer à Ros e ao Max que eles precisam morar com esse pessoal.

– Acho que esta conversa não está sendo muito útil.

– Você já pensou nisso alguma vez?

– É claro que não.

– Sei. Vai pensar?

– Não.

– Por que não?

– Porque eu quero mudar a mentalidade das pessoas. E não posso mudar a mentalidade das pessoas se pensar como todo mundo pensa, posso? Quero acreditar no lado melhor de todo mundo. Se não, o que adianta?

Há muitas, muitas respostas a essa última pergunta retórica, mas não consigo articular nenhuma. Abano a cabeça, levanto da mesa e vou trabalhar para poder voltar a ser adulta.

Mas é claro que meu trabalho também foi alterado pelas minhas circunstâncias domésticas, e quando chego à clínica vejo Dawn, a recepcionista, em pé atrás do balcão. Ela está boquiaberta, com a testa franzida, diante de várias senhoras européias bastante idosas que agitam as mãos e dizem:

– Quente! Muito quente!

Além disso, fingem uma vivacidade súbita (e por não serem nada vivazes, têm de fingir isso, principalmente com os olhos) e tentam parecer tristes.

Dawn me lança um olhar desesperado e pergunta:

– O que você andou fazendo?

– Nada – digo, com uma rapidez que faz Dawn deduzir o oposto. – Bom, trouxe um sujeito aqui ontem. Um massagista para as costas da dona Cortenza. É disso que elas estão falando?

– Ele é muito gostoso, alguma coisa desse tipo?

– Ah, não é isso. Acho que ele usa... um creme qualquer – respondo, com uma sensação de *déjà vu*. – E isso deve ter um certo efeito em senhoras idosas.

– Então o que eu digo a elas?

– Ah, só que... não sei. Diga para elas comprarem um pouco de ungüento. Vai fazer o mesmo efeito. Anote a receita num pedaço de papel e despache todas elas.

Sigo pelo corredor, na vã esperança de que me afastando da cena conseguirei encerrar este episódio infeliz, mas, dentro de uma hora, Becca vem falar comigo.

– Há um boato na sala de espera de que alguém curou uma das suas pacientes – diz ela em tom acusador. – Alguém que tem algo a ver com você.

– Desculpe. Não vai acontecer novamente.

– Espero que não. Várias velhinhas foram falar comigo sobre um sujeito de mãos quentes que é seu amigo. É o tal cara?

– Que cara?

– O cara do caso?

– Não. É... outra pessoa.

– Outra pessoa mesmo? Ou outra pessoa de mentirinha, mas na realidade, só entre nós duas... e eu prometo não contar a ninguém... o mesmo homem?

– Outra pessoa mesmo. O Cara do Caso já era. Este é o Cara Curandeiro Espiritual. O que concebeu o tumor cerebral do David. Ele se mudou lá para casa.

– E você não está transando com ele?

– Não, não estou transando com ele. Cristo. Achei que você estaria mais interessada na aparente capacidade que ele tem de curar os doentes com um simples toque do que em saber com quem ele transa.

– Na verdade, não. Só vim perguntar como é fazer sexo com alguém que tem mãos quentes. Mas você diz que não sabe.

– Não, não sei.

– Vai me contar, se descobrir?

– Becca, você parece estar sob a ilusão de que devido a... acontecimentos recentes, a partir de agora eu vou ter sempre um amante qualquer. A infidelidade não é uma carreira, sabia? Eu tenho vergonha do que aconteceu. Dá para parar de brincar com isso?

– Desculpe.

– O que eu faço a respeito desse cara?

– Que cara? Parece haver tantos...

– Cale a boca.

– Desculpe, desculpe.

– Uso os serviços dele novamente?

– Meu Deus, não.

– Por que não?

– Nós somos clínicas gerais, Katie. Estudamos sete anos. Tenho certeza de que o mundo está cheio de gente que pode fazer um serviço melhor do que o nosso, mas não podemos deixar que os pacientes saibam disso. Estaria tudo acabado.

Ela tem razão, é claro. Não quero BoasNovas aqui todo dia, mesmo que ele tenha o poder de curar meus pacientes. Principalmente se ele tiver o poder de curar os meus pacientes. Isso não é serviço dele, é meu.

E ele já invadiu demais a minha praia.

8

Tom não tem um Gameboy. Eu sabia disso, e David também; mesmo assim, ficamos assistindo enquanto ele jogava durante todo o café da manhã, sem registrar a impossibilidade do que estávamos vendo. Tampouco cheguei ao trabalho e me vi perturbada por uma imagem intrigante, ou algo levemente esquisito que eu não conseguisse identificar plenamente. Bem que gostaria de poder afirmar que minha intuição maternal fez com que eu pegasse o telefone para obter paz de espírito, mas não é o caso: só pego o aparelho porque o telefone está tocando, e só então tomo consciência de que Tom não possui um Gameboy. É David, ligando para me dizer que fomos convidados a comparecer à escola para conversar com a diretora sobre o recente surto de ladroagem de nosso filho.

– O que ele roubou? – pergunto.

– O Gameboy, para começar – responde ele.

Só então meu instinto maternal é acionado.

Chegamos à escola às quatro da tarde, e há diversos bens roubados dispostos na mesa da diretora, feito um daqueles jogos de memorização. Vejo o Gameboy, mas também duas fitas de vídeo, um CD do S Club 7, um Tamagotchi, um monte de troços do Pokémon, uma camisa do Manchester United, alguns sacos de balas meio vazios, e – como um toque bizarro – uma sacola de papel com as fotos das férias de um colega de Tom.

– Para que você queria essas fotos? – pergunto a Tom.

Como era previsível, ele não sabe, e simplesmente dá de ombros. Mas sabe que errou, e está encolhido na cadeira, abraçando as pernas. Por outro lado, vejo que ele está com raiva. Quando Tom está encrencado, ele fica olhando atentamente para você. Certo dia eu percebi que ele estava procurando alguma aceitação, algum indício de que apesar de reprovar a má conduta dele, você ainda o amava. Essa característica dele sempre me deixa de coração partido. Hoje, no entanto, ele não está interessado nisso, e não faz contato visual com nenhum dos presentes.

– Ele vem roubando praticamente tudo que não está pregado no chão – diz a diretora. – E como vocês podem imaginar, não está com a popularidade em alta entre os colegas no momento.

Jeanie Field é uma mulher simpática, inteligente e gentil; sempre elogiou muito os nossos filhos, em parte, desconfio eu, porque eles exigem muito pouco dela. Eles vão à escola. Gostam das aulas. Não batem em ninguém. Voltam para casa. Agora Tom tornou-se outro fardo a ser carregado por ela, e é isso, acima de tudo, que faz com que eu me sinta tão mal.

– As circunstâncias domésticas dele mudaram sob algum aspecto?

Por onde eu poderia começar? Pela conversão damascena do pai dele? Pela discussão sobre quem – pai ou mãe – moraria com ele em caso de divórcio? Pela aparição de BoasNovas? Olho para David, tentando fazê-lo perceber que lhe cabe a sofrida tarefa de explicar os acontecimentos dos últimos meses evitando constranger alguém ali. Ele se mexe desconfortavelmente na cadeira.

– É, nós tivemos alguns problemas.

Horrorizada, percebo que – desde que conheceu BoasNovas – David acha que tentar evitar constrangimentos é uma babaquice burguesa com a qual ele não compactua.

– Tom, quer esperar lá fora, por favor? – digo rapidamente.

Tom não se mexe, então pego a mão dele, coloco-o de pé e levo-o para fora. David começa a protestar, mas eu simplesmente abano a cabeça, e ele cala a boca.

Quando volto para a sala, David diz:

– Tenho certeza que a Katie não vai se importar que eu diga que ela teve um caso.

– Eu me importo, e muito – retruco, pois quero que ele saiba disso, só para constar.

– Ah – diz ele, perplexo. – Mas a culpa foi minha. Eu estava sendo um marido desatento e mal-humorado. Não dava amor nem valor suficientes a ela.

– Isso... bom, isso às vezes acontece – diz Jeanie, que, claramente, preferiria estar diante de dois traficantes de drogas armados de facas, pai e mãe de um tarado sexual analfabeto.

– Mas eu... bom, eu... percebi as minhas falhas quando conheci um curandeiro espiritual, e acho que mudei. Você não concorda, Katie?

– Ah, você mudou – digo em um tom fatigado.

– Esse curandeiro espiritual está hospedado lá em casa, e nós... estamos reexaminando muitos aspectos do nosso estilo de vida e... Pensando bem, talvez isto tenha deixado o Tom um pouco perturbado.

– Eu diria que é uma possibilidade, sim – diz Jeanie.

Olho para ela, mas não vejo no seu rosto nenhum vestígio da secura dessas palavras. Ela sabe fazer o tal negócio do vinho branco.

Ouve-se uma batida na porta, e Tom entra novamente.

– Vocês terminaram? – pergunta. – Quer dizer, terminaram a parte que eu não posso ouvir? Sobre o namorado da mamãe e tudo o mais?

Todos nós baixamos o olhar.

– Sente-se, Tom – diz Jeanie. Ele senta-se no canto da sala, numa cadeira virada de lado para nós, que temos de nos voltar para olhar para ele. – Estamos falando sobre o que pode ter levado você a fazer isto. Talvez haja alguma coisa na escola ou em casa com que você não esteja satisfeito, ou...

– Eu não tenho nada – diz Tom subitamente, em tom raivoso.

– Como assim? – pergunta Jeanie.

– Não tenho nada lá em casa. Ele fica dando tudo – responde Tom, meneando a cabeça em direção ao pai.

– Ah, Tom – diz David, magoado. – Que bobagem! Você tem tanta coisa. Foi por isso que resolvemos juntos nos desfazer de uma parte.

– Esperem um instante – digo, vendo que perdi algo. – Tom, você está dizendo que não foi só o computador?

– É. Foi um monte de outras coisas.

– Não foi um monte – retruca David, deixando-se trair pela impaciência de seu tom.

– Quando aconteceu isso?

– Semana passada. Ele fez a gente juntar os brinquedos e se livrar de metade.

– Por que você não me contou isso? – pergunto, dirigindo a pergunta a Tom e não a David, coisa que revela muito.

– Ele proibiu.

– Por que vocês dão ouvidos a ele? Você sabe que ele é um lunático.

Jeanie se levanta e diz delicadamente:

– Acho que esses assuntos podem ser discutidos de forma mais proveitosa em casa. Mas eu diria que vocês parecem ter muito trabalho pela frente.

Descubro que a maioria dos brinquedos doados – mais uma vez para o abrigo de mulheres – eram bagulhos, ou pelo menos coisas que eles não usavam mais. Segundo David, foi

Molly quem elevou o critério: ela achou que os presentes só teriam sentido se fossem brinquedos realmente bons, coisas com que os dois gostassem de brincar. Por isso, chegou-se a um acordo (acordo esse do qual Tom parece ter sido um signatário parcialmente relutante), pelo qual eles doariam algo da lista de brinquedos em uso. Meu filho deu seu carrinho de controle remoto, e arrependeu-se quase imediatamente. E nisso reside a complexa explicação psicológica de sua vida no crime: ele doou algumas coisas e quis substituí-las por outras.

Levamos um papo com Tom quando chegamos em casa e extraímos dele todas as garantias necessárias sobre sua conduta futura. Também concordamos quanto a uma punição justa e adequada (uma semana sem televisão alguma, e um mês sem ver os *Simpsons*). Mas não é com meu filho que eu preciso conversar.

– Estou ficando perdida – declaro a David quando nos vemos a sós. – Você precisa me explicar as coisas. Pois não vejo qual é o objetivo de tudo isso.

– Tudo o quê?

– Você está transformando nossos filhos em dois loucos.

Por favor não diga que todos os outros é que são loucos, por favor não diga isso, por favor, por favor. Isso não é verdade, é? Não pode ser verdade, a menos que a palavra "loucura" não signifique nada. (Mas também é loucura não querer ver *Quem quer ser um multimilionário?*, se todo mundo quer? É loucura achar um Big Mac uma coisa intragável, se milhões de pessoas só comem praticamente isso? Ah-ah: não, não é, pois eu posso traçar um círculo mais restrito – um círculo em torno do meu próprio bairro, por exemplo – e me colocar em maioria e não em minoria. Mas o círculo que engloba as pessoas que querem doar o almoço de domingo e os brinquedos dos filhos só pode ser traçado em torno da minha própria casa. Essa é a minha definição de loucura. E rapidamente está se tornando também minha definição de solidão.)

– É tanta loucura assim se preocupar com o que está acontecendo lá fora?

– Não me importo com a sua preocupação. Você pode se preocupar até morrer. São as suas tentativas de fazer algo a respeito que estão causando todos estes problemas.

– Diga que problemas você vê, então.

– Que problemas eu vejo? Por quê? Você não vê nenhum?

– Vejo coisas que podem parecer problemas para você. Mas não são para mim.

– Seu filho virar um larápio-mirim não é problema para você?

– Ele vai parar de pegar coisas. E há questões maiores em jogo.

– É aí que eu me perco. Não entendo que questões são essas.

– Não dá para explicar. Fico tentando e não consigo. Só quero... só quero viver uma vida diferente. Uma vida melhor. Nós estávamos no mau caminho.

– Nós? Nós? Era você que escrevia aquele romance de merda. Era você que escrevia aquela coluna no jornal sobre os defeitos de todo mundo. Eu estava tentando fazer meus doentes melhorarem.

Sei o que isso parece, mas ele me deixa furiosa. Eu sou uma pessoa legal, sou médica; sei que tive um caso, mas isso não me torna uma pessoa ruim. Isso não significa que preciso doar tudo que tenho, ou ver meus filhos doarem tudo que têm...

– Sei que estou pedindo muito. Talvez até demais. Talvez isso não seja justo, e talvez você resolva que não agüenta mais. Mas isso é problema seu. Não há nada que eu possa fazer a respeito. Simplesmente... a venda caiu dos meus olhos, Katie. Eu estava desperdiçando a minha vida.

– Mas aonde você vai chegar com isso?

– Não interessa.

– Então o que interessa? Por favor me diga, porque eu não entendo.

– O que interessa... o que interessa é como eu me sinto. Pouco me importa o que eu vou conseguir. Só não quero morrer com a sensação de nunca ter tentado. Não acredito no paraíso, em nada disso. Mas quero ser uma pessoa que possa ser admitida lá. Você entende?

É claro que eu entendo. Eu sou médica.

Mais tarde, semi-adormecida, começo a sonhar que todas as pessoas no mundo que estão no mau caminho – todos os traficantes de drogas, fabricantes de armas e políticos corruptos, todos os escrotos cínicos em toda parte – são tocadas por BoasNovas e mudam como David mudou. O sonho me assusta. Porque eu preciso dessas pessoas para me servirem de bússola. Ao sul há santos, enfermeiras e professoras de bairros violentos; ao norte há presidentes de empresas de tabaco e colunistas de jornais de bairro irritados. Por favor não tirem o meu norte, porque eu me perderei e ficarei vagando numa terra em que as coisas que fiz e as coisas que não fiz realmente contam.

O dia seguinte é quinta-feira, e tenho folga à tarde. Quando Tom volta da escola, vou dar uma caminhada com ele, que opõe profunda resistência e mostra-se totalmente confuso com a idéia:

– O que nós vamos fazer nessa caminhada? Vamos caminhar até onde?

Se tivesse qualquer condição de recusar, ele se negaria a ir. Mas está encrencado, e sabe disso. Tom é suficientemente inteligente para perceber que vale a pena fazer o esforço de dar uma caminhada em torno do parque mais próximo, se puder se beneficiar com isso.

Fico magoada e preocupada ao dizer isto, mas estou gostando menos de Tom e Molly. Percebi isso há algum tempo, e presumi que fosse uma coisa perfeitamente normal: como eu poderia ter por este garoto calado e ocasionalmente ressentido o mesmo sentimento que tinha por sua milagrosa versão sorridente de dois anos de idade? Mas agora já não sei. Ando me perguntando se ele não deveria ser mais amável do que é, e se essa falta de amabilidade se deve a algo pouco atraente nele, ou a algo pouco maternal em mim.

– Não é culpa minha, e não adianta dizer que é – diz ele, quando ainda estamos a dez metros de casa. Não há dúvida alguma: ele deveria ser mais simpático do que é.

– Por que não é culpa sua?

– Porque é culpa do papai. E do BoasNovas.

– Eles roubaram aqueles troços?

– Não. Mas me obrigaram a roubar.

– Obrigaram como?

– Você sabe.

– Fale.

– Eles vêm me destituindo.

– E o que significa "destituindo"?

– Feito aqueles garotos da escola. Você disse que eles eram destituídos.

Uma vez ele me perguntou por que certo grupo de garotos da escola vivia se metendo em encrenca, e eu – em retrospecto, talvez tolamente – apresentei-o ao conceito de destituição. Achei que estava cumprindo corretamente meu dever como mãe. Ao que parece, estava apenas fornecendo atenuantes para a criminalidade do meu próprio filho.

– Isso é diferente.

– Por quê?

– Porque...

– Você disse que eles não tinham quase nada em casa, e por isso se metiam em encrenca. Agora eu não tenho quase nada em casa. E é por isso que ando me metendo em encrenca.

– Você acha que não tem quase nada em casa.

– Agora não tenho mais.

Estou ficando farta do liberalismo. É uma coisa complicada, cansativa, sujeita a interpretações equivocadas e abuso por parte de... crianças mimadas e traiçoeiras. O liberalismo gera dúvidas, e também já estou farta de dúvidas. Quero certezas, como as de David ou Margaret Thatcher. Quem quer ser uma pessoa como eu? Pessoas como nós? Pois quase sempre temos certeza de que estamos errados; quase sempre temos certeza de que iremos para o inferno, embora uma quantidade extraordinária de nossos pensamentos, quando estamos acordados, vise atingir o objetivo oposto. Sabemos o que é certo, mas não fazemos o certo porque é algo difícil demais, exigente demais. Tentar curar a dona Cortenza ou o Brain Biruta não é garantia de coisa alguma e, por isso, misteriosamente, termino cada dia em débito, e não com crédito. Hoje descobri que não gosto muito dos meus filhos, e que acabei encorajando um deles a roubar os colegas. Enquanto isso, David anda planejando salvar os desabrigados. Ainda assim, agarro-me obscuramente à crença de que sou melhor do que ele.

– Tom, você está virando um menino reclamão horroroso – digo sem explicar, e sem reconhecer que ele foi criado por dois adultos reclamões horrorosos. Terminamos nossa caminhada em silêncio.

Desde que BoasNovas apareceu, nunca mais saímos para jantar com ninguém, mas na noite de sexta-feira vamos à casa de Andrew e Cam, um casal de amigos. BoasNovas se ofereceu para ficar de babá, e as crianças demonstraram não se opor.

Como na realidade não conseguimos encontrar uma alternativa, a oferta foi gratamente aceita. Andrew e Cam são Pessoas Como Nós, em grau alarmante. Andrew tem uma posição precária no degrau de baixo da escada da mídia, e sua situação só não é mais perigosa porque se ele perdesse essa posição não cairia muito, nem causaria grande prejuízo a si ou à sua família. Ele assina uma coluna mensal sobre livros numa revista masculina sobre forma física; portanto, deve ser o crítico literário menos lido do planeta. É claro que também está escrevendo outra coisa – um roteiro cinematográfico, felizmente, e não um romance, de modo que David pode solidarizar-se sem sentir-se ameaçado – e os dois vivem, ou viviam, sacaneando filmes horríveis que viram ou romances pavorosos que leram; milagrosamente, essa sacanagem sempre cria entre eles um companheirismo mutuamente encorajador, em vez de algo meramente desagradável. Cam trabalha no Serviço de Saúde como gerente, e é bastante simpática, mas não temos muita coisa em comum; ela é obcecada pelo Serviço de Saúde e nunca quis ter filhos, enquanto eu prefiro jamais conversar sobre trabalho se houver outro assunto disponível, inclusive filhos. Somos amáveis uma com a outra porque reconhecemos o valor que este relacionamento tem para nossos homens, ambos irritados e frustrados.

Subitamente, porém, meu homem já não está mais irritado nem frustrado. Só que Andrew ainda não sabe disso. Ele telefonou e fez o convite; eu aceitei e desliguei. Não houve oportunidade de mencionar o milagre de Finsbury Park. David parece despreocupado com isso. Dentro do carro, a caminho da casa deles (geralmente vamos de táxi, mas hoje David mostrou desejo de beber apenas uma taça de vinho, de modo que está dirigindo), eu pergunto delicadamente se ele vai falar de BoasNovas para Andrew.

– Por quê?

– Nenhuma razão especial.

– Você acha que eu deveria?

– Não. Quer dizer... só se tiver vontade.

– Vou ser totalmente sincero com você, Katie. Acho muito difícil conversar sobre isso sem parecer pirado.

– Pois é.

– Por que você acha que isso acontece?

– Não faço idéia.

– As pessoas têm antolhos, não acha?

– Deve ser isso. Talvez seja melhor nem levantar o assunto.

– Acho que você tem razão. Pelo menos até eu... até desenvolver uma linguagem para falar sobre isso direito.

Todos os meus músculos relaxam. Eu nem percebera que estava tensa, embora continue com a sensação de que a noite pode ser complicada.

– Sobre o que nós vamos conversar, então?

– Como assim?

– Sobre o que nós vamos conversar, então? Como a conversa vai correr?

– Como eu posso saber? Que pergunta esquisita, Katie. Você já foi jantar na casa de outras pessoas antes. Sabe como funciona. As coisas vão surgindo e nós vamos conversando sobre elas.

– Isso é verdade em teoria.

– Como assim?

– Bom, é assim que funciona na maioria dos casos, mas não nos nossos encontros com Andrew e Cam. Assim que nós entramos, Andrew diz que fulano é um babaca e que o livro dele é péssimo; você diz que o novo filme de beltrano é involuntariamente hilariante, embora em noventa por cento dos casos eu saiba que você nem viu o tal filme. Cam e eu ficamos lá sentadas, sorrindo. Às vezes até rimos, quando vocês conseguem ser engraçados, e não só maledicentes. Aí você fica bêbado e diz que Andrew é um gênio; ele fica bêbado e diz que você é um gênio. Depois nós vamos para casa.

David dá uma risadinha.

– Que absurdo.

– Você não concorda? Como quiser.

– É mesmo? Essa é a sua impressão das noites que nós passamos com Andrew e Cam?

– Não é uma impressão.

– Lamento que você ache isso.

– Não é o que eu acho. É o que acontece.

– Veremos.

Nós entramos, eles nos oferecem uma bebida, e todos se sentam.

– Como vocês estão? – pergunta Cam.

– Estamos bem, acho eu – retruco.

– Então estão melhor do que o débil mental do J... – diz Andrew alegremente. Só é necessária a frase "Estamos bem" para lhe dar a oportunidade de falar sobre alguém que não está bem: J... é um autor conhecido que anda numa fase reconhecidamente ruim. Seu último romance teve críticas unanimemente arrasadoras, e não conseguiu atingir as listas de mais vendidos; na mesma época, a esposa trocou-o por um rival mais jovem. O David antigo teria sorvido avidamente esta taça, mas o novo parece simplesmente embaraçado.

– Pois é – diz ele com suavidade. – Ele anda numa fase ruim, não é?

– É – diz Andrew. Depois, presumivelmente porque David reagiu à menção da fase ruim de J..., mas não à menção de J... ser um débil mental, ele acrescenta esperançosamente: – Porra de débil mental.

– Como vocês dois estão? – pergunta David.

Andrew parece perplexo; ofereceu duas vezes a mão da inimizade, e viu-a ser recusada duas vezes. Tenta mais uma vez.

– Também estamos melhor do que o débil mental do J... – diz ele, rindo da própria piada.

– Que bom – tenta finalizar David. – Fico feliz.

Andrew dá uma risadinha maliciosa, como se David houvesse acabado de engolir a isca.

– Você leu aquela crítica no *Sunday Times*? Cara, eu teria jogado meu computador pela janela e emigrado.

– Não li.

– Está aí, em algum canto. Pensei até em emoldurar aquilo. Quer que eu vá pegar para você?

– Não, não precisa.

A essa altura, geralmente Cam e eu deixamos os dois nisso, e o quarteto se divide em duas duplas ao longo das fronteiras sexuais; mas hoje não há "nisso" algum, e por isso continuamos sentadas, escutando em silêncio.

– Como você não viu a crítica?

– Eu... Bom, eu parei de ler críticas. Ando ocupado demais.

– Aaaah, saquei. Já entendi a indireta.

– Não, não, desculpe. Não quis insinuar que quem tem tempo de ler críticas é inferior sob qualquer aspecto, entende? Não quero julgar ninguém.

– Você não quer julgar ninguém? – diz Andrew, rindo gostosamente.

David, o homem que se senta à cabeceira da mesa nobre no Alto Tribunal de todos os julgamentos, está dizendo que não quer julgar ninguém! Dá para ver que Andrew acha que isto é elevar a ironia a níveis novos e incrivelmente sofisticados.

– Mas por que você de uma hora para outra ficou ocupado demais para ler críticas? O que você anda aprontando?

– No momento eu... Bom, estou tentando transar uma espécie de campanha de adoção de meninos de rua pela vizinhança.

Faz-se uma pausa, e tanto Andrew quanto Cam examinam o rosto de David; depois novas risadas são ouvidas, agora da parte de ambos. David fica claramente incomodado com isso; suas orelhas se avermelham, como se as risadas tivessem pequenos espinhos que o pinicassem cabeça adentro.

– Quando diz que está tentando transar isso – provoca Andrew –, você quer dizer que está tentando impedir a campanha?

– Não – responde David suavemente. – Estou tentando implantar a coisa.

Os primeiros vestígios de dúvida se tornam visíveis no rosto de Andrew.

– Como assim?

– Ah, é uma história comprida. Conto para vocês outra hora.

– Está bem.

Faz-se um silêncio muito prolongado.

– Quem quer comer? – diz Cam.

Eis uma lista das pessoas que, até hoje, Andrew e David consideravam desprovidas de talento, superestimadas ou simplesmente escrotas: o conjunto Oasis, Paul McCartney, John Lennon, Robbie Williams, Kingsley Amis, Martin Amis, Evelyn Waugh, Auberon Waugh, Salman Rushdie, Jeffrey Archer, Tony Blair, Gordon Brown, William Shakespeare (mas justiça seja feita: eles só desprezam as comédias e algumas das peças históricas), Charles Dickens, E. M. Forster, Daniel Day-Lewis, a equipe do Monty Python, Gore Vidal, John Updike, Thomas Harris, Gabriel García Márquez, Milan Kundera, Damien Hirst, Tracey Emin, Melvyn Bragg, Dennis Bergkamp, David Beckham, Ryan Giggs, Sam Mendes, Anthony Burgess, Virginia Woolf, Michael Nyman, Philip Glass, Steven Spielberg, Leonardo DiCaprio, Ted Hughes, Mark

Hughes, Sylvia Plath, Stevie Smith, Maggie Smith, o conjunto Smiths, Alan Ayckbourn, Harold Pinter, David Mamet, Tom Stoppard, é claro, todos os outros dramaturgos contemporâneos, Garrison Keillor, Sue Lawley, James Naughtie, Jeremy Paxman, Carole King, James Taylor, Kenneth Branagh, Van Morrison, Jim Morrison, Courtney Love, Courteney Cox e todo o elenco de *Friends*, Ben Elton, Stephen Fry, Andre Agassi, Pete Sampras e todos os tenistas contemporâneos, Monica Seles e todas as tenistas da história, Pelé, Maradona, Linford Christie, Maurice Greene (como um velocista que é mais veloz do que todo mundo pode ser superestimado?, perguntei certa vez em desespero, sem receber resposta satisfatória), T. S. Eliot e Ezra Pound, Gilbert e Sullivan, Gilbert e George, Ben e Jerry, Powell e Pressburger, Marks e Spencer, os irmãos Coen, Stevie Wonder, Nicole Farhi e qualquer tipo de estilista, Naomi Campbell, Kate Moss, Johnny Depp, Stephen Sondheim, Bart Simpson (mas não Homer Simpson), Homero, Virgílio, Coleridge, Keats e todos os poetas românticos, Jane Austen, toda a família Brontë, toda a família Kennedy, a equipe do filme *Trainspotting*, a equipe do filme *Jogos, trapaças e dois canos fumegantes*, Madonna, o Papa, todos os ex-colegas deles que estejam criando fama no campo do jornalismo, da telecomunicação ou da arte, e muitas, muitas outras, tantas que não dá para arrolar aqui. Na realidade, é mais fácil anotar as pessoas da história mundial de que ambos gostam: Bob Dylan (exceto na fase mais recente), Graham Greene, Quentin Tarantino e Tony Hancock. Não lembro de mais ninguém que tenha recebido o sinal de aprovação por parte destes dois guardiães de nossa cultura.

Enjoei de ouvir por que todas essas pessoas eram idiotas, execráveis, desprovidas de talento e péssimas, por que não mereciam nada de bom que lhes acontecera, e por que mereciam completamente qualquer coisa de ruim que lhes acontecesse; mas hoje sinto saudade do David antigo. Sinto sua falta como se pode sentir falta de uma velha cicatriz ou perna de pau, algo deformador mas característico. Com o David antigo, a gente sabia onde estava. E com ele, eu jamais senti qualquer constrangimento. Senti desespero fatigado, claro; um ocasional gosto ruim na boca, certamente; surtos de irritação quase constantes, mas jamais constrangimento. Eu já me acostumara ao cinismo dele, e em todo caso hoje somos todos cínicos, embora só agora eu reconheça isso direito. O cinismo é o nosso idioma comum, o esperanto que realmente deu certo, e embora eu não seja fluente nessa língua – pois gosto de coisas demais e não invejo um número suficiente de pessoas – dá para me virar. Além disso, hoje em dia é impossível evitar completamente o cinismo e o sorriso de deboche. Em qualquer conversa atual – sobre a eleição para prefeito de Londres, Demi Moore, ou a matéria da *Posh* sobre David Beckham, digamos –, temos a obrigação de demonstrar nosso azedume, simplesmente para provar que somos pessoas adultas, cosmopolitas e profundas.

Apesar de já não entender muito bem o homem com quem moro, dá para ver que esta noite está quase fadada a produzir um momento decisivo; nesse momento, a seriedade recém-descoberta de David e seu desejo de amar e entender até a mais marginal das criaturas de Deus depararão com a incompreensão total.

Tal criatura marginal acaba sendo o presidente dos Estados Unidos, e é Cam, e não Andrew, quem acaba recebendo toda a aterrorizante sinceridade de David. Estamos conversando – na medida do possível, devido a nossa posição de ignorância quase abissal – sobre as primárias americanas, e Cam diz que para ela tanto faz quem seja o próximo presidente, desde que ele mantenha o bilau dentro das calças e não banque o tarado com as jovens estagiárias. David fica se mexendo na cadeira e acaba perguntando em voz alta, com relutância paciente, quem somos nós para julgar. Cam ri dele.

– Estou falando sério – diz David. – Não quero mais condenar as pessoas sem saber nada sobre a vida delas.

– Mas... essa é a base de toda conversa! – provoca Andrew.

– Cansei disso – diz David. – A gente não sabe nada sobre ele.

– Sabemos até mais do que queremos.

– O que você sabe? – pergunta David.

– Sabemos que ele vive abanando o bilau por aí.

– Será? E mesmo que ele faça isso, sabemos por quê?

– Como assim? – diz Cam. – A culpa é da sociedade? Ou da Hillary? Eu não acredito, David.

– Não acredita em quê?

– Você está defendendo o Clinton!

– Não estou defendendo o cara. Só cansei de todo esse veneno. De piadas baratas, de julgamentos sobre pessoas que não conhecemos e de maldade infindável. Dá vontade até de tomar um banho.

– Fique à vontade – diz Andrew. – Tem uma toalha limpa lá em cima.

– Mas Bill Clinton! – diz Cam. – Ora, se a gente não puder falar mal dele, vai falar mal de quem?

– Eu não conheço os fatos. Você não conhece os fatos.

– Os fatos? O sujeito mais poderoso do mundo... o sujeito casado mais poderoso do mundo... recebe um boquete de uma garota de vinte e poucos anos e depois mente sobre o caso.

– Acho que ele devia estar passando por uma fase de muitos problemas e infelicidade – diz David.

– Eu não acredito – diz Andrew. – Você vivia me mandando piadas pesadíssimas sobre o Clinton e a Monica Lewinsky.

– Bem que me arrependo disso – diz David com uma veemência que provoca visível perplexidade em dois dos rostos em torno da mesa. Todos se concentram atentamente na massa tricolor.

Eu faço uma avaliação inteiramente positiva da cozinha recém-reformada de nossos anfitriões e, por um tempo, reina a paz entre nós; é claro, porém, que todos se dão conta simultaneamente de que existem muito poucos assuntos que oferecem esse tipo de harmonia, e de vez em quando alguém escorrega, como se estivéssemos sofrendo de labirintite cultural. Quando faço uma observação depreciativa sobre a capacidade literária de Jeffrey Archer (um comentário passageiro – que nem chega a ser uma opinião, estando mais para símile – enterrado no meio de uma conversa quase irrepreensível sobre um programa de tevê), David diz que eu não sei como é difícil escrever um livro. Quando Cam solta uma piada sobre um político que recentemente foi preso por ter dado um desfalque, e cujo nome virou sinônimo de corrupção, David pede que o perdoemos. Quando Andrew dá um sorrisinho de deboche diante do papel de Ginger Spice na ONU, David diz que é melhor fazer algo do que não fazer nada.

Em outras palavras, é impossível. A coisa não funciona, e a noite termina cedo, com todos confusos e constrangidos. No nosso bairro, há o consenso de que pessoas como Ginger Spice, Bill Clinton e Jeffrey Archer estão do outro lado da cerca; se alguém sai defendendo essa gente, o consenso desmorona e a anarquia se instala. Será possível querer se divorciar de um homem só porque ele se recusa a falar mal de Ginger Spice? Temo que sim.

9

Os convites para a festa já foram enviados, e agora David e BoasNovas passam a maioria das noites trancados no escritório, detalhando os planos de ataque. Outro dia tentei usar essa frase de forma humorística, mas os referidos generais simplesmente olharam para mim com ar vago – não só porque reagem à maioria das tentativas humorísticas dessa forma, mas também porque realmente encaram isso como uma campanha militar, uma cruzada no sentido original do século onze. Nossos vizinhos se tornaram bárbaros infiéis; BoasNovas e David vão arrombar as portas deles com as cabeças dos desabrigados.

– Não dá para você encarar isso como uma festa e simplesmente aproveitar? – pergunta David durante o café da manhã, quando reclamo pela enésima vez. – Você gosta de festas. Ignore o resto.

– Ignorar que você vai ficar na minha cozinha enchendo a paciência dos nossos amigos e vizinhos sobre os desabrigados?

– Primeiro, a cozinha é nossa. Segundo, não vou encher a paciência de ninguém... vou conversar com as pessoas, e fazer sugestões para criarmos uma sociedade melhor na nossa rua. Terceiro, vou fazer tudo na sala, trepado numa cadeira.

– Está bem, você me conquistou – digo. – O que eu posso fazer para ajudar?

– Nós vamos fazer palitos de queijo – diz Molly. – Você podia fazer os sanduíches.

– Eu não vou fazer palitos de queijo – diz Tom.

– Por que não? – pergunta Molly, autenticamente espantada por tal truculência diante de algo tão divertido.

– Idiota.

– O que você quer fazer, então?

– Não quero fazer nada. Não quero essa festa.

– Papai, o Tom está dizendo que não quer a festa – diz ela, acrescentando uma risadinha incrédula ao final do relatório.

– Nem todo mundo tem os mesmos sentimentos sobre as coisas, Molly – diz David.

– Você vai doar mais troços meus a alguém?

– A ocasião não é para isso – diz David, conseguindo insinuar que talvez haja uma ocasião posterior que seja.

BoasNovas entra quando todos já estão prestes a sair para o trabalho e a escola. Ele acorda às cinco e meia, mas nunca desce antes de oito e meia; não sei o que ele faz lá em cima por três horas, mas desconfio que seja algo que o mais espiritual de nós não faria por mais de alguns minutos. Molly e David o cumprimentam calorosamente, eu meneio a cabeça, e Tom lança-lhe um olhar raivoso.

– O que há? Como está a situação?

– Tudo bem – responde David.

– Eu vou fazer palitos de queijo – anuncia Molly.

– Maravilha – diz BoasNovas, para quem tudo é uma boa nova. – Andei pensando. Que tal darmos uma espécie de medalha para quem se oferecer como voluntário na mesma hora?

Não quero saber de medalha alguma. Não quero saber de festas ou palitos de queijo, e já me vejo passando a noite da festa com uma amiga num bar, tomando uma bebida vulgar e antidoméstica, esperançosamente a sete libras por cabeça. Depois me despeço dos meus filhos – mas não de David e BoasNovas – e vou trabalhar.

Vou andando pela calçada, e sou detida por uma mulher desconhecida, com quarenta e poucos anos, ar meio zangado e excesso de batom; as rugas em torno de sua boca sugerem que ela passou as últimas duas décadas comprimindo os lábios reprovadoramente.

– Você me convidou para uma festa?

– Eu, não. Meu marido.

– Eu recebi um convite.

– Pois é.

– Por quê? – diz ela, fazendo a pergunta que a maioria de nossos vizinhos gostaria de ver respondida, mas que só os antipáticos ou loucos chegariam a fazer.

– Como assim, por quê?

– Por que o seu marido me convidou para uma festa? Ele não me conhece.

– Não. Mas gostaria de conhecer.

– Por quê?

Olho para ela, e consigo enxergar uma leve aura de antipatia pairando sobre a sua cabeça; presumo que este "Por quê" específico seja retórico, e que ninguém jamais tenha desejado ou pudesse desejar conhecê-la.

– Porque ele tem o sonho insano de que todos nesta rua poderiam se amar e se ajudar mutuamente. Assim a rua Webster viraria um lugar adorável e feliz para se morar. Todos nós viveríamos entrando e saindo das casas, e talvez das camas, de todo mundo. E todos realmente cuidariam de todos. E ele quer muito que você... Qual é o seu nome?

– Nicola.

– Ele quer muito que você, Nicola, participe disso.

– Em que dia é? Quarta-feira?

– Quarta-feira.

– Já tenho compromisso na quarta-feira. Faço aula de autodefesa feminina.

Ergo as palmas das mãos e faço uma careta; ela segue em frente. Mas fico muito agradecida, pois Nicola me fez perceber que este negócio pode ser divertido. Quem diria que o desejo de melhorar o mundo poderia ser uma coisa tão agressiva? Talvez David não tenha mudado em nada. Talvez só queira mesmo irritar gente que precisa ser irritada.

– Quer ir a uma festa?

Chris James fica olhando para mim. Estamos discutindo há dez minutos minha recusa a fornecer-lhe um atestado que justifique sua ausência no trabalho na última quinzena, pois não acredito que ele esteve doente. (Na realidade, acredito que ele foi passar férias na Flórida ou em outro lugar, porque derrubou um punhado de moedas americanas no chão quando procurou uma esferográfica no bolso, e assumiu um tom bastante defensivo quando eu perguntei de onde aquilo viera.)

– Que tipo de festa?

– O tipo comum, com bebida, comida, conversa e dança – respondo.

É claro que ninguém vai dançar, pois a festa está mais para ficar-parado-escutando-o-sermão-de-um-sujeito-trepado-numa-cadeira do que para arrasta-pé, mas Chris não precisa saber disso. (Também não precisa saber que haverá pouquíssimas conversas, dada a natureza da noite, mas se eu disser a verdade o convite perderá grande parte do seu apelo.)

– Por que você está me convidando?

– Estou convidando todos os pacientes que atendo com regularidade.

É claro que isto também não é verdade, embora eu certamente pretenda convidar todos os pacientes de quem não gosto muito, e talvez estes acabem sendo os que atendo com regularidade, pois vim a antipatizar com muitos deles.

– Não quero ir a festa nenhuma. Quero o atestado de um médico.

– Vai ter que se contentar com o convite de uma médica.

– Dobre e enfie.

Ergo as palmas das mãos e faço uma cara triste; Chris sai do consultório. Que maravilha! Minha bondade não chega a ser arrasadora, mas seguramente estou deixando algumas marcas. Já me converti à causa.

Brian Biruta Beech, meu Paciente-Desânimo Número Um, veio perguntar se pode me ajudar nas cirurgias.

– Não quero fazer a parte dos cortes. Pelo menos no começo. Eu teria de dar uma olhada no que tirar fora, e tudo o mais.

– Eu sou clínica geral – digo. – Não faço cirurgias.

– E quem faz?

– Os cirurgiões. Nos hospitais.

– Conversa fiada – diz ele. – Você só está dizendo isso porque não quer minha ajuda.

É verdade que se eu fosse cirurgiã, Brian Biruta não seria minha primeira escolha como assistente, mas como não sou, não preciso entrar nesse terreno. Posso me ater ao meu de sempre, que já é bastante acidentado.

– Eu só preciso de uma chance – diz ele. – Uma só. Se eu fizer besteira, nunca mais peço outra.

– Quer ir a uma festa? – pergunto. Ele olha para mim, abandonando subitamente todas as suas ambições cirúrgicas, e eu vejo que realizei minha ambição imediata, que é desviar Brian de uma suposta carreira na medicina. No entanto, acabo de convidá-lo para uma festa na minha casa, e jamais pensara em fazer tal coisa. Só que a festa não é minha, é de David.

– Quantas pessoas tem numa festa? Mais de dezessete?

– Vai haver mais de dezessete nesta festa, provavelmente. Por quê?

– Não posso ir a qualquer lugar com mais de dezessete pessoas. É por isso que não consegui trabalhar no supermercado, entende? Lá tem um monte de gente, não tem?

Admito que o número de funcionários e fregueses do supermercado passa rotineiramente de dezessete.

– Então, pronto – diz ele. – Será que eu podia ir no dia seguinte, quando todos tiverem ido embora?

– Ma aí não vai ser uma festa.

– Não.

– Vamos tentar fazer uma festa só com dezesseis, em outra ocasião.

– É mesmo?

– Vou ver o que eu posso fazer.

Pela primeira vez na vida, Brian sai do consultório feliz. E isso me deixa feliz, até o momento em que percebo que essa felicidade toda vem da loucura de David. E que, longe de sabotar seus planos, estou na verdade colaborando com ele. Acabo de tratar bem o tipo de pessoa que David acha que devo tratar bem. Como conseqüência disso, a vida dessa pessoa teve uma melhora momentânea. Não gosto das implicações que isso tem.

É desnecessário dizer que o David antigo detestava festas. Para ser precisa, ele detestava *dar* festas. Para ser mais precisa ainda, tão precisa quanto aquele engenheiro dos comerciais televisivos da BMW, ele detestava a *idéia* de dar festas, pois jamais demos uma em vinte anos de casados. Para que ele ia querer um monte de gente de quem não gostava apagando cigarros no carpete? Para que ele ia querer ficar acordado até às três da madrugada, só porque Becca ou alguma outra babaca amiga minha estava bêbada e não ia para casa? Como talvez já se tenha percebido, eram perguntas retóricas. Nunca cheguei a tentar discutir todos os motivos pelos quais ele poderia querer queimaduras de cigarro no carpete. Sentia, pelo jeito com que as perguntas retóricas eram formuladas, que tinha pouquíssima chance de convencê-lo de que uma festa podia ser DIVERTIDA, ou de que ver todos os nossos amigos juntos era MARAVILHOSO! Não era assim que as coisas funcionavam.

Começo a pensar em todas as coisas que não funcionavam do jeito que funcionam agora, e não sei bem como me sinto a respeito disso. Uma delas é que David costumava gastar muito dinheiro com CDs e livros, e às vezes, quando ele não estava trabalhando direito, nós discutíamos por causa disso, embora – ou talvez porque – eu lamente ter me tornado um organismo imune à cultura. Sei que ele tentava esconder as novidades de mim, enfiando os CDs atrás das prateleiras, tocando os discos novos só quando eu saía, e amassando os livros de bolso para parecerem velhos. Mas agora ele perdeu completamente o interesse por isso tudo. Quase não sai de casa, e os cadernos culturais dos jornais são jogados fora sem serem abertos. Para ser sincera, eu sinto falta do que ele costumava trazer para casa. Posso ter involuntariamente me convertido a uma religião extremista que considera frívolas e auto-indulgentes todas as formas de entretenimento, mas interiormente eu gostava de morar com uma pessoa que sabia como Liam Gallagher ganha a vida, e agora isso se foi.

Outra coisa é que ele não solta mais piadas, pelo menos o que se pode chamar de piadas. Ainda tenta fazer as crianças rirem, no estilo dos programas televisivos da década de 1960: coloca na cabeça objetos que não são chapéus, num efeito sempre hilário, usa pedaços de frutas como bonecos de ventríloquo ("Oi, dona Banana, olá, seu Morango", esse tipo de coisa), finge ser uma das Spice Girls, e por aí afora. Molly dá umas risadas falsas, e Tom olha para ele como se aquilo fosse uma tentativa de defecar, e não de fazer graça. Mas quanto aos adultos (em outras palavras, eu, porque BoasNovas não dá a impressão de ser grande fã de comédias)... é melhor esquecer o assunto. Antes, a incansável busca do riso que David empreendia costumava me deixar louca. Ele ficava com certo olhar no rosto quando a gente falava com ele, e parecia que estava escutando o que a gente dizia; aí uma tirada elaborada e geralmente maldosa dardejava de sua boca feito a língua de Hannibal Lecter. Às vezes eu ria; com mais freqüência, porém, saía da sala, batendo a porta com força no caminho. Mas ocasionalmente – cinco por cento do tempo, digamos – algo realmente me tirava do sério, e por mais solene, irritada ou nervosa que eu estivesse, ele conseguia a reação que queria.

Portanto, hoje em dia eu raramente saio da sala e bato a porta com força no caminho; por outro lado, nunca rio. E tenho de dizer que, como conseqüência disso, saí perdendo. Uma das razões que me levaram a casar com David, em primeiro lugar, é que ele me fazia rir; agora ele não faz mais isso, e nem quer fazer. Um lado meu está dizendo que quer seu dinheiro de volta. Será que tenho direito a isso? E se o senso de humor for como o cabelo – algo que muitos homens perdem ao envelhecer?

Mas aqui estamos nós, no mundo real, o mundo de hoje; e no mundo de hoje David não solta piadas e nós estamos dando uma festa. É uma festa para todas as pessoas da nossa rua, e David já falou cobras e lagartos de muitas delas, pelos motivos mais fúteis (casacos, carros, rostos, visitas, sacolas de compras). Num piscar de olhos, a campainha toca, e nosso primeiro convidado está parado na soleira com um sorriso intrigado – mas não inteiramente hostil – no rosto, e uma garrafa de Chardonnay na mão.

O rosto intrigado pertence a Simon, a metade de um casal gay que acaba de se mudar para o número 25. Seu companheiro, Richard, um ator que Tom afirma ter visto em *The Bill*, vai chegar mais tarde.

– Sou o primeiro? – pergunta Simon.

– Alguém tem de ser – digo. Damos umas risadinhas, e depois ficamos olhando um para o outro. David vem se juntar a nós.

– Alguém tem que ser o primeiro – diz ele, e damos mais risadinhas. (A propósito, isto não pode ser classificado de piada. Sim, David disse algo no intuito de quebrar o clima, e sim, eu registrei reações divertidas audíveis, mas estamos em circunstâncias especialmente desesperadas.)

– Há quanto tempo vocês estão morando na rua? – pergunto a Simon.

– Ah, quanto tempo faz? Dois meses? O suficiente para já nos sentirmos em casa. Mas não o suficiente para termos desempacotado todos os nossos caixotes.

Alguém lembra do episódio de *Fawlty Towers* em que o carro de Basil quebrou, ele saltou e começou a bater no carro com um galho de árvore? Quem lembra sabe que riu até cair quando viu isso pela primeira vez. E esse é, mais ou menos, o efeito que a brincadeira dos caixotes de Simon tem sobre nós dois. Mas acho que só estando lá para ver.

Molly se aproxima com uma tigela de palitos de queijo. Oferece-os a todos e diz para Simon:

– O Tom disse que você apareceu em *The Bill*.

– Eu, não. Eu não sou ator. Foi o Richard.

– Quem é Richard?

– Meu namorado.

Quem achar que esta é a primeira resposta séria (com perdão pelos dois trocadilhos) que Simon dá desde que chegou estará enganado; pois algo que faz alguém rir é por definição engraçado, e ao referir-se a Richard como seu namorado, Simon faz Molly rir. Rir muito. Não de imediato: primeiro ela cora e arregala os olhos para os pais, espantada. Depois tem um acesso de riso incontrolável.

– Seu namorado! – repete ela, depois que toma fôlego suficiente para repetir qualquer coisa. – Seu namorado!

– Isso não tem graça – diz David. Como ele lança um olhar solidário para Simon ao dizer isso, porém, Molly entende esse gesto ao contrário e acha que ele está repreendendo Simon.

– Foi só bobagem dele, papai. Não fique zangado com ele.

– Molly, vá ver se mais alguém quer um palito de queijo – digo.

– Não tem mais ninguém.

– Vá ver assim mesmo.

– Desculpe – dizemos ao mesmo tempo David e eu, mas sem explicar por que nossa filha acha que um homem com um namorado é a melhor piada que já ouviu na vida.

– Tudo bem – diz Simon. Depois acrescenta, para quebrar o silêncio: – A idéia da festa foi ótima.

Estou tão convencida de que isso é sarcasmo dele que solto um bufo.

A campainha toca novamente, e desta vez é Nicola, a tal mulher antipática com os lábios comprimidos que não poderia vir por causa da aula de autodefesa. Ela veio sem garrafa.

– Cancelei minha aula de autodefesa.

– Que bom – digo, apresentando-a a Simon. Deixo os dois conversando sobre um esquema de estacionamento que os vereadores querem implantar na vizinhança.

A sala aos poucos vai se enchendo de gente. Chega Richard, o ator de *The Bill*, e proíbo Molly de falar com ele. Os membros da família asiática da segunda casa depois da nossa também chegam, e BoasNovas tenta envolvê-los num debate sobre o misticismo oriental. Levo uma cantada do empreiteiro mal-ajambrado do número 17, cuja esposa está acamada com gripe. Meu irmão Mark aparece, com ar perplexo. Só pode ter sido convidado por David, porque eu não o convidei. Não faço idéia se Mark veio para ser beneficiário ou doador da generosidade programada para esta noite: ele é um caso fronteiriço.

– O que está havendo? – pergunta ele.

– Não sei – respondo.

– Quem é essa gente?

– Não sei.

Ele se afasta.

O mais notável é que a festa já começa a parecer uma festa: as pessoas estão rindo, conversando e bebendo. A campainha não pára de tocar, e logo não há mais espaço na sala: o pessoal começa a invadir a cozinha. Depois de tomar duas taças de vinho, até eu começo a ficar meio sentimental. Aqui estamos todos nós, negros, brancos, gays, caretas, um microcosmo da Londres moderna, multicultural e multissexual, comendo palitos de queijo e conversando sobre esquemas de trânsito e hipotecas. Estamos nos dando bem; isso não é maravilhoso? Mas aí David sobe numa cadeira, bate numa caçarola com uma colher de pau, e eu acordo desse pequeno devaneio.

– Boa noite a todos – diz David.

– Boa noite – grita Mike, o tal empreiteiro mal-ajambrado, que por força do destino é Uma Figura.

– Quando nosso convite chegou, vocês provavelmente pensaram "Qual é a jogada? Por que esse cara que eu não conheço está nos convidando para uma festa?"

– Eu só vim por causa da cerveja – grita Mike.

– Pelo menos é Double Diamond – grita outro sujeito.

– Não, não é – grita Mike de volta. Os dois falastrões têm convulsões pelo que parece serem vários minutos.

– Adoraria dizer a vocês que não há jogada alguma, mas há. Há uma jogada grande. Porque hoje vou pedir que vocês mudem a vida de algumas pessoas, e talvez suas próprias vidas.

– Todo mundo de costas para a parede! – grita Mike. Não é preciso ser psicanalista para ficar preocupado com alguém que acha que mudar sua própria vida tem algo a ver com homossexualismo.

– Quantos aqui têm um quarto desocupado em casa? – pergunta David.

– Eu tenho, obrigado – grita Mike. – É onde durmo quando a patroa não me quer lá dentro com ela.

– Já é um – diz David. – Mais alguém?

A maioria das pessoas prefere examinar suas taças de vinho ou seus pés.

– Nada de timidez, pessoal – diz David. – Não vou pedir que vocês façam nada que não queiram. Só sei que esta rua está cheia de casas de três andares, e deve haver um bom número de quartos desocupados por aí, porque nem todo mundo tem dois vírgula quatro filhos.

– E quem mora em apartamento? – pergunta um rapaz de jaqueta de couro.

– É um quarto e sala?

– É.

– Bom, você não tem um quarto desocupado.

– Posso ir para casa, então?

– Você pode ir para casa na hora que quiser. Isto é uma festa, e não um centro de detenção.

– Sabe que eu não notei a diferença? – grita Mike. Seu parceiro de comédia, o sujeito que soltou a tirada sobre a Double Diamond, juntou-se a ele, e oferece-lhe a mão erguida em cumprimento.

– Que pena que você não está se divertindo.

Por um instante, consigo entrever o David antigo, visível feito tinta velha sob uma nova demão: há um sarcasmo ali que só eu seria capaz de ouvir. O antigo gosto por confrontos verbais já começa a pôr a cabeça para fora também, porque ele não diz mais nada, e fica esperando a próxima tirada de Mike. Só que Mike não solta piada alguma, pois não passa de um babaca do tipo que grita besteiras em qualquer reunião em que haja álcool, seja um casamento, um batizado, ou uma festa pela salvação do mundo feito esta; é um blefador, e agora David está pagando para ver.

– Você não está se divertindo aqui?

– Está tudo bem, tudo bem – diz Mike, cabisbaixo.

– Porque *Eastenders* vai começar na televisão daqui a um minuto, provavelmente – diz David, conseguindo provocar algumas risadas. Não é uma grande gargalhada, mas já é mais do que Mike conseguiu até agora.

– Eu não vejo *Eastenders* – diz Mike. – Não vejo novela nenhuma, na realidade.

Isto arranca a maior risada da noite, mas as pessoas riem da banalidade da réplica de Mike, que fica claramente irritado.

– Então você vai ficar?

– Pelo menos até terminar a minha cerveja.

– Que bom saber disso.

Mais risadinhas, e David já ganhou a platéia. Conseguiu calar um gozador, e sinto-me obscuramente, talvez nostalgicamente, orgulhosa. Só agora me ocorre que calar gozadores seria o emprego perfeito para o David antigo. Ele tinha a combinação exata de beligerância e espirituosidade. Seria um péssimo cômico, porque tem uma dicção ruim e vive perdendo o fio da meada, de uma forma confusa e nada engraçada. Além disso, os alvos do seu humor eram sempre obscuros e complicados (cortinas de teatro, copinhos de sorvete etc.). Mas se fizesse uma parceria com um comediante, ele poderia entrar em cena em momentos cruciais, como um anestesista. Talvez fosse essa a sua vocação. (E isso é a melhor coisa que posso dizer sobre o seu talento? Que ele é perfeito para calar insurretos verbais em reuniões alcoólicas? Não chega a ser a descrição de um luminar. Tampouco a descrição de alguém que possa ser amado.)

Ele faz uma pausa, para deixar que o clima mude.

– Bom, onde eu estava mesmo? Ah, sim. Quartos desocupados. Não sei de vocês, mas quando ligo a tevê ou abro o jornal, e vejo uma desgraça acontecendo em Kosovo, em Uganda ou na Etiópia, eu às vezes pego o telefone e dôo dez paus. Mas isso não muda nada. A desgraça continua acontecendo. Eu me sinto culpado e impotente, e continuo culpado e impotente mais tarde, quando vou ver um filme, jantar fora ou beber no pub...

O pub! O pub! Que "pub" seria esse, David? O pub "do bairro"? O Escroto Paternalizante?

– Talvez eu esteja tão culpado e impotente que ainda tenha vontade de querer fazer alguma coisa. Aí vejo um garoto sentado ao lado do caixa automático, com um cobertor e um cachorro. Dou cinqüenta centavos a ele, e isso também não muda nada, porque quando vou de novo ao caixa automático, ele continua sentado lá. Meus cinqüenta centavos não fizeram nada. Bom, é claro que não fizeram nada, porque são cinqüenta centavos, e se eu der a ele dez moedas de cinqüenta centavos, isso também não mudará nada, porque são cinco paus. Mas eu odeio ver o garoto sentado ali. Acho que todo mundo odeia. Se a gente pensar dez segundos sobre o assunto, já percebe como deve ser terrível dormir no frio, mendigar uns trocados, ficar na chuva e ser xingado pelas pessoas...

Olho em torno. Exceto pela parte do pub, ele está indo bem: as pessoas estão escutando, e uma ou duas estão balançando a cabeça. Mas não dá para dizer que a luz da conversão já brilha no olhar delas. Ele precisa tirar algum coelho da cartola se não quiser perder a platéia.

Felizmente, alguém faz isso por ele.

– Eu não acredito no que estou ouvindo – diz Mike. – Aquele pessoal é um bando de babacas.

– Que pessoal?

– Aquelas porcarias daqueles desabrigados. E eles vivem forrados, metade deles. Forrados de grana.

– Ah – diz David. – Forrados de grana. E é por isso que eles ficam sentados na calçada, mendigando?

– É assim que eles conseguem a grana, não é? E torram tudo com drogas. Estou procurando serventes de obra há seis meses, e algum deles se candidatou? Claro que não. Eles não querem trabalhar.

Algumas pessoas bufam, outras soltam muxoxos, várias abanam a cabeça, e muitas trocam olhares, erguendo as sobrancelhas. Mike está cercado por atores gays, profissionais do Serviço de Saúde, professores e psicanalistas, pessoas de corações sensíveis por baixo das camisetas da Gap. São pessoas que, mesmo que se pegassem no meio da noite pensando que os desabrigados só podem culpar a si mesmos, são todos uns drogado e têm saldos bancários maiores do que os nossos, jamais admitiriam isso quando acordadas, e muito menos numa festa. Mike avaliou mal a platéia, e ao fazê-lo muda a dinâmica do ambiente. Há dois minutos David estava falando para um bando de rostos intrigados; ninguém aqui lhe queria mal, tampouco havia alguém disposto a ceder uma parte substancial de sua casa para a causa dele. Agora já é diferente. De que lado eles estão? Vão se alinhar com as forças da escuridão direitista, isto é, Mike? Ou estão do lado dos anjos (levemente excêntricos e possivelmente equivocados, mas ainda assim angelicais)? Vivam os anjos!, clamam os psicanalistas. Abaixo as forças da escuridão direitista!, bradam os atores gays. É claro que ninguém chega a gritar. Todos são contidos demais para isso. Mas seguramente abriu-se um círculo em torno de Mike. As pessoas se afastaram um pouco, como se ele estivesse prestes a iniciar um elaborado número de dança.

– Se você acha isso, não vai se interessar pelo que eu tenho a dizer.

– Não, não vou. Mas mesmo assim, vou terminar minha cerveja.

– Fique à vontade. Mas posso pedir que você guarde as suas opiniões para si mesmo? Não sei se alguém aqui está interessado nelas.

– Porque são um bando de burguesinhos metidos a besta.

O círculo em torno de Mike expande-se mais um pouco. Ele já poderia fazer um número de dança *break* sem cair na cabeça de alguém. Até seu parceiro de comédia afastou-se dele. Mike chamou David daquilo que a maioria das pessoas aqui teme ser chamada; afinal, todos nós queremos ser aceitos e nos tornar parte da vizinhança. Queremos que Mike seja um de nós, e queremos que ele nos queira como vizinhos. É verdade que provavelmente ele pagou algumas centenas de libras pela sua casa no final da década de 1960, quando ninguém como nós queria morar neste bairro, e tem gente aqui que pagou duzentos e cinqüenta mil libras por uma casa há dois anos. (Mas David e eu, não! Nós pagamos cem mil pela nossa casa há dez anos!) Mas isso nos torna burguesinhos? Afinal, hoje a casa de Mike também vale duzentos e cinqüenta mil. Mas é claro que o importante não é isso. O importante é que nós somos pessoas que podem pagar duzentos e cinqüenta mil por uma casa (ou melhor, somos pessoas a quem os bancos emprestam duzentos e cinqüenta mil para comprar uma casa), o que nos torna pessoas que dão dinheiro a mendigos (e isso não é de surpreender, se somos insanos o bastante para pagar duzentos e cinqüenta mil por uma casa). Além disso, há o pub no final da rua, que antigamente Mike talvez freqüentasse, mas que agora mudou de dono e de clientela, e serve salsichas espanholas sobre um leito de sabe-se-lá-o-quê por dez libras, e nem é mais um pub de verdade. Encaremos a realidade: os burguesinhos são responsáveis por isso, bem como por outras coisas, como a mercearia da esquina ter virado uma delicatessen orgânica... Caramba, nós temos muita culpa no cartório!

Portanto, a saída de Mike (ele bate o copo com força na prateleira sobre a lareira e sai pisando duro) é ao mesmo tempo uma bênção e uma derrota, pois embora nos sintamos culpados pela situação dos desabrigados, também nos sentimos culpados por termos rejeitado Mike e feito com que ele se sinta excluído de sua própria vizinhança. Talvez essa culpa dupla até ajude David, porque já há tanta culpa coletiva na sala que os burguesinhos estão loucos para compensá-la de alguma forma. Todo mundo quer fazer algo árduo e difícil, só para provar que não é um burguesinho, e sim uma pessoa legal e prestativa, que não teme as dificuldades. Se David pedisse que as pessoas cedessem suas casas inteiras neste exato momento, uma ou duas talvez fizessem isso; um quarto – ora! Isso não é nada!

David percebe esse clima, e avança celeremente pelo seu discurso. BoasNovas posta-se ao lado dele com um sorriso satisfeito no rosto. As pessoas querem ser como Mike? Ou querem fazer algo melhor do que tudo que já fizeram na vida? Porque para David, não interessa o que nós estamos fazendo; por mais útil que seja o nosso trabalho, por mais dinheiro que doemos para fins caritativos, nada fará tanta diferença para alguns indivíduos quanto isto. Seis meses sem usar um quarto desocupado pode literalmente salvar uma vida; pois com um lar, um endereço permanente e um lugar para tomar banho e se barbear, esses garotos poderão se candidatar a empregos e ganhar dinheiro. E com um salário, surgem o auto-respeito e a capacidade de construir uma vida sem este tipo de intervenção...

– Eu tenho quarenta e um anos – apresenta-se David – e

passei metade da minha vida lamentando ter perdido a década de 1960. Li sobre a energia dessa década, e imagino a força que aquelas músicas deviam ter quando ainda significavam algo, antes de serem repetidas mil vezes. Sempre fico triste quando penso que o mundo é diferente hoje. Eu me empolguei um pouco com o Live Aid, mas depois a gente percebe que esses problemas... já são grandes demais. Não vão desaparecer nunca. Nós não podemos mudar o mundo, mas podemos mudar a nossa rua; e se mudarmos a nossa rua, talvez outras pessoas queiram mudar as suas ruas. Por isso, escolhemos a dedo dez garotos que estão desabrigados e precisam de ajuda. É uma garotada boa. Eles não são bêbados, viciados, ladrões ou malucos. São garotos cujas vidas desmoronaram sem que eles tivessem culpa disso. Uns foram expulsos de casa pelo padrasto, outros ficaram órfãos e se perderam... Mas nós botamos nossa mão no fogo por eles. Se eu conseguir encontrar dez quartos desocupados para esses garotos, vou achar isso a coisa mais maravilhosa que já fiz na vida.

– Você vai abrigar um deles? – pergunta alguém.

– É claro – responde David. – Como eu poderia pedir a vocês que fizessem isso, se eu também não fizesse?

– Posso saber onde vamos hospedar mais uma pessoa?

A pergunta vem da parte de uma mulher lá no fundo, que já sustenta dois filhos, um guru espiritual e um marido que perdeu a vontade de trabalhar.

– A gente vê isso depois que todo mundo for embora – responde David novamente. – Quem quer mais esclarecimentos sobre o assunto?

Quatro pessoas erguem as mãos.

– Só quatro não adiantam. Eu preciso de mais.

Mais uma mão, e só.

– Tá legal. Metade agora, metade mais tarde.

Estranhamente, a sala inteira prorrompe em aplausos espontâneos, e eu sinto que poderia chorar o tipo de lágrimas que vêm ao final de filmes melosos.

Sob os olhares de todos, BoasNovas e David levam os Cinco Cavaleiros para o escritório (escritório esse que presumivelmente está prestes a ser convertido num quarto). Parece aquela parte da cerimônia de casamento em que os noivos e mais algumas pessoas vão até o canto da igreja assinar os documentos, enquanto o resto da congregação sorri sem saber o que fazer. (Há cantoria nesse trecho? Talvez devêssemos todos cantar agora – *You've Got a Friend*, ou *You'll Never Walk Alone*, algo em que o secular comece a roçar o espiritual.)

Para constar, os cinco voluntários são:

1. Simon e Richard, o casal gay do número 25.

2. Jude e Robert, um casal de trinta e tantos anos, que pelo que alguém me contou certa vez não podem ter filhos e estavam tentando adotar, sem ter êxito. Eles moram no número 6.

(Assim, para quem tiver necessidade de entender por que alguém desejaria fazer o que essa gente está fazendo, um tema começa a surgir...)

3. Ros e Max, do número 29, em diagonal à nossa frente. As únicas coisas que sei sobre eles, porque se mudaram há pouco para a rua, são: 1) eles têm uma filha da idade da Molly; e 2) pouco antes de sua metamorfose, David disse que viu Ros lendo sua coluna no ônibus e rindo, de modo que essa disposição de ajudar por parte dela pode ser uma espécie de penitência.

4. Wendy e Ed, um casal mais velho do número 19. Eles sempre param para conversar quando a gente sai com as crianças. Também não sei muita coisa sobre os dois, apenas que ambos são enormes e os filhos já não moram com eles.

5. (Isto é apavorante) Martina, uma senhora idosa (bem idosa, com mais de setenta anos) e frágil da Europa Oriental que mora sozinha no número 21. Seu domínio do inglês sempre me pareceu notavelmente fraco para quem vive aqui há quarenta anos. Portanto, só Deus sabe o que ela acha que está se oferecendo para fazer. Provavelmente receberemos um grande bolo amanhã, e ela ficará perplexa e horrorizada quando alguém com trancinhas afro bater à sua porta daqui a uma semana.

Uma mulher que nunca vi na vida se aproxima de mim.

– Você deve estar muito orgulhosa dele – diz ela. Eu sorrio polidamente, sem dizer nada.

Só vamos para a cama depois de meia-noite, mas David está agitado demais para dormir.

– Você acha que cinco adiantam alguma coisa?

– Acho incrível – digo, e estou falando sério, pois eu esperava que ninguém aceitasse. Esperava zero, um fracasso melancólico e humilhante ao final da história.

– É mesmo?

– Sinceramente, você achava que conseguiria que dez pessoas se oferecessem?

– Eu não sabia. Só posso dizer que quando repassava a coisa na cabeça, não conseguia pensar em nenhum argumento contrário.

É isso. Eis aí, resumido, todo o esquema David/BoasNovas: "Não conseguia pensar em nenhum argumento contrário." Esse é exatamente o meu problema. Quero destruir toda a campanha de salvação-do-mundo-e-amor-para-todos de David, mas quero fazer isso usando a lógica, a filosofia e a linguagem dele, e não a linguagem de um colunista de tablóide reclamão, mimado e prosa, no estilo sobrevivência-dos-mais-aptos-e-pouco-me-importa-o-resto. É claro que isso é impossível, pois David é fluente na sua linguagem, e eu sou uma iniciante. É como se eu estivesse tentando argumentar com Platão em grego.

– Que argumentos existem? – diz ele. – Essa gente é...

– Eu sei, eu sei. Você não precisa argumentar comigo. Mas não é isso que interessa, é?

– Não?

– Nunca há qualquer argumento contra qualquer coisa que você queira fazer. As pessoas estão com fome? Vamos dar comida a elas, se pudermos. As crianças não têm com o que brincar? Vamos dar brinquedos a elas, se tivermos demais. Eu nunca consigo pensar em nada para dizer a você. Mas isso não significa que eu concorde.

– Mas tem de ser assim.

– Não é assim que o mundo funciona.

– Por que não? Tá legal, eu sei por quê. Porque as pessoas são egoístas, têm medo e... sofreram uma lavagem cerebral para pensar que não existem alternativas. Mas existem. Existem.

O que posso responder a isso? Que as pessoas têm o direito de serem egoístas se quiserem? Que não existem alternativas? Qual é a expressão grega equivalente a "Cale a boca e me deixe em paz"?

Na manhã seguinte fico sentada comendo cereal com Tom, enquanto BoasNovas, Molly e David tiram a mesa e lavam a louça. Não me mexo. Sou egoísta, e tenho o direito de ser. No

Guardian há uma reportagem sobre uma gangue de jovens que surraram um homem e largaram-no desfalecido sob uma sebe no parque Victoria, onde ele morreu de hipotermia. Ou então já estava morto, pois o delegado não sabe. Três dos jovens eram desabrigados. Tudo bem, admito que eu não deveria ler a reportagem em voz alta, já que nossos filhos são relativamente novos, estamos na iminência de receber um jovem desabrigado em nossa casa (presumo que a situação ainda seja esta, pois ninguém falou nada comigo), e eles passarão semanas tendo pesadelos com o garoto pobre e quase certamente inofensivo que estará dormindo embaixo deles. Mas estou me sentindo uma guerrilheira, e a munição estava bem à mão, no topo da página cinco, à espera de ser disparada.

– Ah, maravilha – diz Tom. – Então agora papai vai conseguir nos matar.

– Por quê? – pergunta Molly.

– Você não escutou o que mamãe leu? Um desabrigado vai vir para cá, roubar tudo e provavelmente nos matar.

Ele demonstra certa fleuma diante da coisa. Na realidade, parece encarar essa perspectiva com prazer, possivelmente porque seu assassinato provaria sua tese, e faria seu pai se arrepender. Desconfio que ele está sendo ingênuo, e que seu pai lamentaria e ficaria triste, mas não se arrependeria. Pelo menos, não do jeito que Tom precisa que ele se arrependa.

– Isso não é justo – protesta David em tom irritado.

– Não – digo. – Um contra cinco! Ele não tinha a menor chance.

Ele fica olhando para mim.

– O que foi? Está aqui no jornal. Não tem nada a ver com justiça. É uma reportagem. Um fato.

– Você poderia ter lido outras matérias. Aposto que há uma reportagem sobre, sei lá, mudanças na Previdência Social. Aposto que há algo sobre a Dívida do Terceiro Mundo.

– David, a Dívida do Terceiro Mundo não vai vir morar na nossa casa. A Dívida do Terceiro Mundo não matou...

Paro de falar de repente, sabendo que estou enganada, que perdi, que a Dívida do Terceiro Mundo já matou – matou milhões e milhões, um zilhão de gente a mais do que os jovens desabrigados já mataram, sei que sei que sei disso, mas vou ter de escutar tudo de novo, durante horas e mais horas.

10

Os jovens desabrigados chegam todos no mesmo dia, a bordo de um microônibus fretado por seus anfitriões. É uma ensolarada manhã de junho, um pouco enevoada por causa do calor matinal e da chuva da noite da véspera. Algumas pessoas se juntaram na rua, seja para ficar olhando feito basbaques, seja para dar as boas-vindas aos novos residentes, e tenho a súbita impressão de que nossa rua é mesmo especial, afinal de contas. Nenhuma outra rua em Londres, na Inglaterra ou no mundo está tendo uma manhã como esta, e percebo que David e BoasNovas já conseguiram realizar alguma coisa, aconteça o que acontecer daqui para a frente.

Os jovens saltam do ônibus fazendo algazarra e dando risadinhas:

– Ei, olha para ela, aposto que ela é sua.

Mas tudo não passa de bravata, e alguns deles estão claramente com medo. Todos nós estamos com medo uns dos outros. David conversa com cada um – são três garotos e três garotas – ali na calçada, apontando para as novas casas deles. Aperta a mão de um garoto e aponta para mim; dois minutos depois já estou fazendo chá, enquanto um adolescente de dezoito anos que deseja que eu o chame de Mico enrola um cigarro à mesa da cozinha.

– O que você está fazendo? – pergunta Molly.

– Enrolando um cigarro.

– Você fuma? – continua Molly.

– Dã – diz Tom, enfiando-se prontamente no quarto.

Molly, porém, fica estarrecida. Seu pai Tem Opiniões sobre o fumo, e sua mãe é clínica geral. Ela já ouviu dizer que as pessoas fumam, mas nunca viu alguém se preparar para fazê-lo na sua frente. De minha parte, não sei se quero Mico fumando na cozinha na frente dos meus filhos. Provavelmente não. Mas um pedido para que Mico fume lá fora, no quintal, talvez seja um mau começo entre nós. Talvez ele fique com a impressão de que não é querido aqui, ou de que não respeitamos sua cultura. Talvez isso sirva para acentuar nossas diferenças, pois ele pode achar que essa história de fumante passivo é um temor essencialmente burguês, ao pressupor o tipo de futuro a longo prazo que atualmente lhe parece ser negado, sendo por isso mesmo que não teme fumar cigarros enrolados à mão. Ou então, um pedido para que ele saia pode simplesmente enraivecê-lo, e essa raiva pode compeli-lo a roubar tudo que temos e nos matar durante a noite. Não sei. E como não sei, digo apenas:

– Vou achar um cinzeiro para você.

Depois digo:

– Você vai ter de usar este pires mesmo.

Ao rever mentalmente a última frase, porém, ouço: a) um tom que pode ser percebido como de irritação; e b) algo que pode ser interpretado como reprovação implícita, contendo a sugestão oculta de que não há cinzeiros nesta casa POR UMA RAZÃO. Por isso acrescento:

– Caso não se incomode.

Mico não se incomoda.

Ele é muito alto e muito magro; não se parece nem um pouco com um mico, e sim com uma girafa. Está usando (de baixo para cima) um par de tênis Dr Martens, calças de combate, uma jaqueta cáqui e um suéter de gola rulê manchado de lama, ou do que espero seja lama. Tem espinhas, e pouca coisa mais; o resto de seu guarda-roupa cabe numa sacola de supermercado.

– Então – digo. Ele me lança um olhar de expectativa, coisa que é razoável, considerando que a palavra que acabo de usar provoca expectativas, mas fico temporariamente embatucada. Tento pensar em algo para dizer depois disso, algo que não pareça condescendente ou ofensivo, e que indique solidariedade e curiosidade. (Sinto-me ao mesmo tempo solidária e curiosa, por falar nisso, de modo que a pergunta não é só para constar. Eu realmente me importo com ele.)

– Quando foi a última vez que você se sentou na cozinha de alguém?

Isto certamente não é ofensivo, é? Pois no caso de um desabrigado, deve ter sido há um bom tempo, não? E talvez a pergunta faça com que ele se abra e comece a falar; talvez assim eu consiga entendê-lo um pouco mais, ao descobrir o que ele andou fazendo, e por onde passou. Acho que o único perigo é a coisa soar esnobe – nós nos demos bem, temos uma cozinha, blablablá.

– Sei lá. Há séculos. Provavelmente quando vi minha mãe pela última vez.

– E quando foi isso?

– Uns dois anos atrás. O Ali G é engraçado mesmo?

– Quem é Ali G?

– Aquele comediante da tevê.

– Não sei. Nunca vi nada dele.

– Não, não é – diz Molly, que está desenhando à mesa.

– Quando você assistiu a esse programa? – pergunto a ela.

– Não assisti. Mas vi um retrato dele. Ele não parece muito engraçado. Parece burro. Por que você se chama Mico?

– Sei lá. É assim que me chamam. Por que tu se chama Molly?

– Porque papai não gostou de Rebecca.
– Ah. Tem digital aqui?
– Não.
– Tevê a cabo?
– Tem.
– Sky Sports?
– Não.
– Ah.

Ao que parece, somos uma decepção para Mico, e para ser sincera, também fico decepcionada com ele. Não consigo responder a nenhuma pergunta que ele me faz, e não temos nenhuma das coisas que ele parece querer mais (além de Sky Sports, não temos nem Dreamcast nem um cachorro). Por outro lado, Mico não me esclarece por que ele foi parar na rua, e isso significa que não consigo mostrar-lhe um lado meu que eu queria que ele visse: Katie, a terapeuta, a ouvinte, a imaginativa solucionadora de problemas insolúveis. Ele vai tomar banho; lamentavelmente, não temos um chuveiro de verdade aqui em casa.

Reina a calma por dois dias. Só vemos Mico à noite; ele não diz por onde andou durante o dia, mas fica claro que é difícil quebrar hábitos arraigados, e que as velhas amizades são tão importantes para ele quanto para todo mundo. Em todo caso, certa noite ele chega em casa e larga uma enorme pilha de moedas na mesa da cozinha, tentando me dar dinheiro para as despesas domésticas. Isso dá a todos uma idéia dos lugares que ele percorre durante o expediente. Quase fico tentada a pegar o dinheiro; afinal, Mico é a única pessoa da casa, além de mim, que está trabalhando. Ele é cortês, fica na dele, lê, vê televisão, brinca com Tom no computador, goza cada bocado de comida que ganha, e não faz exigências alimentares.

Certa noite deixamos nossos hóspedes cuidando das crianças (conversa imaginária com meus pais, ou alguma assistente social: "Quem está tomando conta dos seus filhos?" "Ah, BoasNovas e Mico") e vamos ao cinema ver um filme de Julia Roberts. Ela faz o papel de uma mãe solteira batalhadora que arranja emprego num escritório de advocacia, descobre que uma companhia de água está envenenando as pessoas, e inicia uma campanha de indenização. Seu relacionamento com um sujeito sexy e barbudo fica prejudicado, e ela se torna uma mãe negligente; mas está combatendo o bom combate, e a companhia de água é má, má, má. Como ela só tem dois filhos e um namorado, e há centenas de pessoas doentes, tudo bem. Não é um filme muito bom, mas adoro vê-lo, simplesmente porque é um filme colorido e com uma história que não envolve espaçonaves, insetos ou barulhos; sorvo aquilo como sorvi a peça de Tom Stoppard. David adora a história, porque acha que é sobre ele próprio.

– E aí? – diz ele depois.

– E aí o quê?

– Você entendeu?

– Entendi o quê?

– Que essa coisa tem um preço.

– No filme não houve preço algum. Todos viveram felizes para sempre. Com exceção do pessoal doente, talvez.

– Ela foi abandonada pelo namorado.

– Mas os dois voltaram depois – ressalto.

– Você não ficou do lado dela?

Antigamente David tinha uma mente tão complicada e interessante...

– Não, fiquei do lado da companhia de água. É claro que fiquei do lado dela, David. Não tive muita escolha. Você está tentando dizer que é Julia Roberts?

– Não, mas...

– Porque você não é.

Paramos a fim de que ele dê cinqüenta centavos a um garoto, e depois continuamos em silêncio por um trecho.

– Por que não?

– David, não quero perder muito tempo com isso.

– Por que não?

– Por que não quero perder muito tempo explicando por que você não é Julia Roberts?

– É. Isso é importante. Qual é a diferença entre o que eu estou fazendo e o que ela estava fazendo?

– O que você está fazendo? Explique isso para mim.

– Primeiro você explica o que ela estava fazendo. Depois veremos quais são as diferenças.

– Você vai me enlouquecer.

– Tá legal, desculpe. O importante é que ela e eu queremos mudar as coisas. Uma companhia de água está envenenando as pessoas. Isso é ruim. Ela quer justiça para as pessoas afetadas. Há crianças dormindo nas ruas. Isso é ruim. Eu quero ajudar essas crianças.

– Por que você?

– Por que ela?

– Aquilo é um filme, David.

– Baseado numa história real.

– Posso perguntar uma coisa? Vale a pena destruir a sua família por isso?

– Eu não pretendo destruir a minha família.

– Eu sei que você não pretende destruir a sua família. Mas Tom e eu estamos muito infelizes. E não sei se vou conseguir agüentar isso por muito tempo.

– Desculpe.

– É só isso que você tem para dizer?

– O que mais eu posso dizer? Você ameaça me largar só porque eu tento ajudar pessoas carentes. E eu...

– Isso não é verdade, David. Estou ameaçando ir embora porque você está ficando insuportável.

– O que você não consegue suportar?

– Tudo. Essa... essa falsa santidade. Esse ar de superioridade. Essa...

– As pessoas estão morrendo lá fora, Katie. Lamento que você veja um ar de superioridade em mim.

Não consigo dizer mais nada.

Devido a um motivo ou outro – uma perna quebrada num verão e nossa pobreza após a faculdade no seguinte –, David e eu só conseguimos sair de férias no terceiro ano de nosso relacionamento. Já éramos um verdadeiro casal a essa altura, e isso significa que tínhamos brigas, que às vezes eu não gostava muito dele e que não sentia saudades quando ele ou eu viajávamos por alguns dias, embora sempre me pegasse anotando bobagens para lhe contar depois. Mas também significa que eu nunca pensava se queria ficar com ele ou não, pois lá no fundo sabia que aquilo seria uma coisa a longo prazo. Acho que quero dizer que essa primeira viagem de férias não foi uma lua-de-mel, e que não havia muita chance de passarmos todos os quinze dias na cama, saindo apenas para nos alimentarmos mutuamente com colheradas de frutas exóticas. Era mais provável, na realidade, que David passasse as duas semanas emburrado por causa de uma interpretação das regras das Palavras Cruzadas, e durante esse tempo eu o chamasse de bebezinho trapaceiro patético. Era nesse estágio que nos encontrávamos.

Descobrimos um vôo barato para o Egito, na intenção de viajar um pouco por aquelas bandas; mas David adoeceu no segundo dia de nossa estadia no Cairo. Na realidade, ficou mais doente do que jamais esteve. Começou a delirar, e vomitava de duas em duas horas; acabou perdendo o controle dos intestinos, e como estávamos num hotel vagabundo, sem privada ou chuveiro no quarto, eu tive que limpá-lo.

Por um lado fiquei até satisfeita, pois anos antes eu estipulara um teste para mim mesma (provavelmente quando pensara pela primeira vez em ser médica, e percebera que às vezes minha vida particular se assemelharia à minha vida profissional): Será que eu conseguiria ver um homem naquele estado e continuar a respeitá-lo na manhã seguinte? Passei no teste com distinção. Não tive pruridos para limpar David, e ainda consegui fazer sexo com ele depois (quer dizer, depois das férias, e depois que ele recobrou a saúde, e não depois do tal acidente)... Vi que eu era capaz de manter um relacionamento maduro, afinal. Aquilo só podia ser amor, não?

Mas hoje vejo que estava enganada. Aquilo não foi um teste. Que tipo de mulher deixaria o namorado apodrecer nos lençóis sujos de um hotel desconhecido num país estrangeiro?

Isto, sim, é um teste. E eu estou sendo reprovada, meu Deus.

Wendy e Ed, o casal enorme que mora no número 19, vêm falar conosco logo de manhã cedo. Eles abrigaram um garoto chamado Robbie, dizendo que haviam gostado dele. Ontem à noite os três ficaram em casa conversando sobre a vida de Robbie e o rumo que as coisas haviam tomado. Wendy e Ed foram dormir achando que haviam tomado a decisão certa ao abrigar Robbie. Mas quando acordaram Robbie desaparecera. Também haviam desaparecido uma filmadora, setenta libras em dinheiro vivo e uma pulseira que Wendy deixara perto da pia ao lavar a louça.

BoasNovas escuta toda a história com sinais crescentes de agitação, coisa que me surpreende: eu achava que ele classificaria o prejuízo de um ganho de experiência, que argumentaria (com certa facilidade, pois possui muito pouca coisa) que vale a pena correr esse tipo de risco, que é tudo em prol de um bem maior, e por aí afora. Descubro, no entanto, que ele não está agitado por causa do roubo, e sim por causa da nossa lógica burguesa.

– Ah, não, não, não, gente – diz ele. – Isso é uma conclusão precipitada. Nós não devemos nos precipitar. Devemos sentar e pensar, sem precipitação.

– Como assim? – diz Ed, autenticamente perplexo. Tal como eu, ele está tentando ver como é possível interpretar os acontecimentos de outra forma.

– Vocês não percebem? Estamos somando dois mais dois e chegando à conclusão proverbial. O que eu quero dizer é... tudo bem, Robbie se foi. E tudo bem, umas coisas também se foram. Mas isso não significa, necessariamente, que os dois foram para o mesmo lugar.

– Tenho certeza de que não – digo. – Tenho certeza de que foram para lugares diferentes. Tenho certeza de que a filmadora foi para o brechó da Holloway Road e de que Robbie foi comprar bebida.

David me lança um olhar que diz que eu não estou ajudando, mas não acho que isso seja verdade. Na realidade, Wendy e Ed estão sendo bem legais quanto àquele episódio. Eles poderiam ter vindo aqui e jogado David pela janela do segundo andar, ou sentado em cima dele até fazê-lo estourar, mas parecem simplesmente perplexos e magoados. E agora estão ouvindo que seus poderes de dedução são falhos.

– BoasNovas tem razão – diz David com previsibilidade entediante. – Nós não podemos prejulgar esses garotos. Foi por causa disso que eles acabaram ficando assim.

Mico entra na cozinha, usando umas roupas velhas de David e bocejando.

– Você conhece o Robbie? – pergunto a ele. – O cara que estava morando com a Wendy e o Ed?

– Conheço – diz Mico. – É um ladrãozinho de merda. Desculpem o palavreado.

– Como você sabe? – pergunta David.

– Como eu sei que ele é um ladrãozinho de merda? Porque ele rouba tudo – responde, avaliando mal o clima reinante e rindo de sua própria piada.

– Ele roubou uns troços nossos e sumiu – diz Ed.

– É, eu já sabia que isso ia acontecer. O que ele levou?

Ed conta a ele o que sumiu.

– Veadinho. Tudo bem – diz Mico, desaparecendo em seguida.

Fazemos chá para Wendy e Ed. David põe a cabeça entre as mãos e fica olhando tristemente para o chão.

– Refletindo bem, acho que foi uma estratégia de alto risco – diz ele.

Se eu fosse Wendy ou Ed, acharia a última frase particularmente difícil de engolir. Eles provavelmente esperavam que essa tal reflexão tivesse sido feita antes.

– Vocês não devem se preocupar muito com isso – diz BoasNovas alegremente. – Agiram muito bem, por maior que tenha sido o prejuízo. Mesmo que o Robbie tivesse levado tudo que vocês possuem, até o último centavo, vocês poderiam ir dormir hoje sabendo que estão com a consciência limpa. Mais do que limpa, até. Vocês estão com a consciência...

Por um instante, Boas Novas luta para encontrar uma palavra que signifique "mais do que limpa"; depois desiste, e se contenta com um largo sorriso que não parece oferecer a Ed e Wendy tanto consolo quanto ele esperava.

Quarenta e cinco minutos depois Mico volta, trazendo a filmadora, a pulseira, cinqüenta das setenta libras, e Robbie, que sangra profusamente de um corte acima do olho direito. David fica irritado com isso, e BoasNovas se angustia.

– Como ele se cortou? – pergunta David.

Mico ri.

– Ele esbarrou numa porta.

– Ah, cara – diz BoasNovas. – Nossa transa não é essa.

– Não posso sancionar a violência – diz David.

– O que isso quer dizer?

– Quer dizer que eu não concordo com isso.

– É, mas eu pedi direito, e ele não quis escutar.

– Eu ia voltar com os troços. Ele não precisava me bater. Eu só estava... – geme Robbie. Ele tenta explicar satisfatoriamente por que precisava fazer uso puramente temporário de uma filmadora e uma pulseira, mas não consegue e acaba se calando.

– Isso é verdade, Mico? – pergunta David. – Ele ia voltar com as coisas?

– Vou dar minha opinião sincera, David: não, não é verdade. Ele não ia voltar com isso. Ia passar tudo nos cobres.

Ele solta isso para fazer a gente rir, e consegue, pois pelo menos Ed e eu rimos. Mas David e BoasNovas não riem; parecem simplesmente horrorizados.

Peço que Mico leve Robbie para dar uma caminhada enquanto nós conversamos.

– E agora? Vocês dois querem chamar a polícia?

– Ei, é melhor pensar bem nisso – diz BoasNovas. – Porque a polícia, saca... Isso é pegar pesado. Se vinte paus são tão importantes para vocês, entendem...

Significativamente, ele deixa a frase no ar sem completá-la da forma ditada pelo sentido e pelo costume. Fica claro que não haverá ofertas de reparação por parte dele.

– Como assim? – pergunto.

– Tipo, vinte libras não é muito, é? Quer dizer, a vida de um jovem tem que valer mais do que isso.

– Então você está dizendo que o Ed e a Wendy são mesquinhos. Insensíveis.

– Só estou dizendo que se eu tivesse perdido o dinheiro, saca...

– Isso não é problema seu – digo a ele. – A decisão é do Ed e da Wendy.

– Se a gente chamar a polícia – diz David –, vai ser muito difícil o Robbie continuar onde está. Ele pode achar que o Ed e a Wendy não querem que ele fique lá.

Acho que até agora nem eu avaliara direito a ligação tênue que David tem com a realidade.

– A gente não quer que aquele merdinha fique mais lá, caramba – diz Ed.

BoasNovas fica estarrecido.

– Vocês não querem que ele continue lá? Por causa disto? Qual é, pessoal? A gente sabia que o caminho seria acidentado. Eu não esperava que vocês desistissem diante do primeiro obstáculo.

– Vocês disseram que tinham feito uma triagem – diz Wendy.

– E fizemos – diz David. – Um albergue aqui do bairro nos deu as recomendações. Mas vocês sabem como são essas coisas. Deve ter sido uma grande tentação para ele. Dinheiro pela casa, jóias, aparelhos eletrônicos e...

– Então a culpa é nossa? – pergunta Ed. – É isso que você está dizendo?

– Não é culpa de vocês, exatamente. Mas talvez a gente não esteja enxergando direito a... extensão do abismo cultural que existe aqui.

Ed e Wendy se entreolham e vão embora.

– Estou muito decepcionado com eles – diz David, quase para si mesmo. – Achava que eles tinham mais fibra.

Faço um curativo em Robbie e sugiro-lhe que seria de bom alvitre desaparecer. Ele não fica inteiramente feliz com esta sugestão. Tal como David e BoasNovas, parece acreditar que eu tenho uma visão preconceituosa, e que ele merecia outra chance. Temos uma animada discussão sobre a questão toda, como se pode imaginar, porque minha própria impressão, impressão essa que Robbie não compartilha, é a de que ele teve uma chance e não a aproveitou de forma inteiramente positiva.

Ele discorda.

– Aquela filmadora coreana era uma bosta. E como diz o BoasNovas, foram só vinte paus – diz.

Tento ressaltar que isto não vem ao caso, sendo na verdade um *non sequitur,* mas não chego a lugar algum. Após uma conversa bem mais breve com Mico, ele conclui que nossa rua não é lugar para ele, afinal. E jamais o vemos novamente.

A notícia do problema se espalha pela rua toda, e recebemos várias visitas ao longo do dia. Os outros quatro anfitriões querem falar com David e BoasNovas, é claro, mas os vizinhos de porta de Ed e Wendy – inclusive Mike, cuja oposição ideológica ao projeto radicalizou-se previsivelmente da noite para o dia – também estão insatisfeitos. Mike vem nos visitar.

– Isto não tem nada a ver com você – diz David.

– Com uma porcaria de um ladrão morando ao meu lado?

– Você não conhece quem mora ao seu lado – diz David. – Está julgando as pessoas sem saber quem elas são.

– Está se precipitando – diz BoasNovas, satisfeito com o novo verbo que arranjou. – E aqui nós não nos precipitamos.

– Então eu tenho que esperar que metade das minhas coisas desapareça para poder reclamar?

– Por que a gente não faz uma reunião de moradores? – sugere David.

– E o que isso vai adiantar?

– Quero medir a temperatura ambiente. Saber qual é a opinião do resto do pessoal.

– Estou cagando para a opinião do resto do pessoal.

– Não é assim que se vive em comunidade, Mike.

– Eu não moro numa porra duma comunidade. Moro na minha casa. Com as minhas coisas. E quero ficar com elas.

– Tudo bem. Talvez seja bom você ter a oportunidade de expressar isso, de conhecer os garotos e dizer a eles que não quer ninguém entrando na sua casa.

– Dizer a eles! Dizer a eles! Se alguém precisa dizer a eles que é proibido invadir a casa dos outros, eles nem deveriam estar aqui, para começar.

– E onde deveriam estar?

– Num albergue, ou de volta à rua. Quem se importa?

– Eu, obviamente. É por isso que estou fazendo isto.

– Bom, eu não me importo.

– Com o que você se importa, Mike? – diz BoasNovas. É sua primeira contribuição ao debate, mas também a mais incendiária até agora: Mike parece perigosamente prestes a surrar alguém. Sinto um conflito interior. Não gosto muito de Mike; por outro lado, tanto David quanto BoasNovas precisam claramente ser surrados, e é difícil ver quem mais pode fazer isto.

– Escute, eu entendo a sua preocupação – diz David. Já recuou da borda do abismo; ouço o desejo de acalmar a situação na sua voz. – Mas prometo que não haverá motivo para isso. Só peço que você conheça os outros garotos, e escute o que eles têm a dizer. Se algo assim voltar a acontecer, será porque eu estou totalmente enganado, e terei que repensar as coisas. Tudo bem?

Isso já basta: Mike se acalma, e concorda em voltar mais tarde, embora eu desconfie que David ainda terá de suar muito para convertê-lo à causa. Enquanto isso, preparamos – alguns com os corações mais pesados do que outros – mais palitos de queijo, para mais uma reunião comunitária em nossa casa.

Numa atitude encantadora, os jovens não vêm em grupo; cada um vem com seu anfitrião, como que para exibir suas novas lealdades. Têm de ser empurrados porta adentro, feito criancinhas que chegam a uma festa de aniversário, e depois ficam parados olhando para o chão, enquanto os adultos os apresentam com delicadeza e até orgulho.

– Esta é a Sas – diz Richard, o ator gay de *The Bill.* Sas é uma garota de dezoito anos cronicamente tímida. Ela é de Birmingham e chegou a Londres há dois anos, depois de ser atacada sexualmente pelo padrasto. Quer ser enfermeira; até recentemente, trabalhava como prostituta. Algumas de suas características, como a linguagem corporal e as tranças, fazem com que ela pareça ter nove anos; os olhos lhe dão quarenta e cinco.

Ninguém, nem Mike, pode querer que mais coisas ruins lhe aconteçam.

Martina traz uma menina chamada Tiz, que é gorda e cheia de espinhas. Noto que as duas entram de mãos dadas. Ros e Max trazem sua filha verdadeira, Holly, e a nova amiga dela, Annie, que é mais velha que os demais. Tem cerca de vinte e dois anos, e está usando roupas que visivelmente são de Ros: um longo vestido florido, e um par de sandálias cintilantes. Robert e Jude chegam com Craig, que está usando um terno emprestado, tem o cabelo ainda molhado do chuveiro, e parece um menininho inocente e assustado. É isso que mais se nota em todos eles: quando chegaram, todos pareciam já ter visto coisas demais para a idade que tinham, e agora é como se os confortos da nossa rua, os banhos e duchas, houvessem lavado todas aquelas experiências inimaginavelmente imundas de seus corpos e rostos. Agora todos parecem ser o que deveriam ser – ou não deveriam, se o mundo fosse um lugar diferente. Parecem ser jovens aterrorizados que estão muito longe de casa, da família e de uma vida que qualquer um de nós quereria viver.

Mike não tem a menor chance – nem permitem que ele fale. Max ressalta que eles foram assaltados três vezes nos dois últimos anos, e que na verdade não importa se os ladrões moram na casa ao lado ou a dois quarteirões de distância. Martina diz a Mike que mora sozinha há quinze anos, e que está adorando tanto a companhia de Tiz que ficaria arrasada se ela desaparecesse agora.

– Eu terria que encontrrarr outrra Tiz – diz ela.

Sas fala por último. Ela não é uma boa oradora: é tímida, olha para os sapatos e fala aos arrancos. Ninguém consegue ouvi-la direito. Mas fica claro que ela se agarrou desesperadamente a esta chance. Está desesperada para ficar com Simon e Richard, desesperada para ir à faculdade a fim de passar em alguns exames, desesperada para não voltar à vida que tinha antes. Diz que teve vontade de matar Robbie, porque sabia o que aquilo significaria e o que as pessoas pensariam do resto deles. Diz que indenizará pessoalmente as vítimas de seu próprio bolso, ainda que isso lhe custe o resto da vida, se mais alguma coisa for roubada enquanto eles estiverem aqui na rua. Quando ela termina, Richard se aproxima e lhe dá um abraço, enquanto todos os demais aplaudem. Mike vai para casa, parecendo pronto a assaltar sua própria casa e desaparecer.

Depois Richard vem me agradecer pela noite, como se eu tivesse feito algo além de reclamar dessa nova invasão.

– Sei que a Sas acha que nós fizemos muito por ela – diz ele. – Mas o que ela fez por nós é indescritível. Olhe só para mim. Um canastrão que ficava empolgado ao conseguir sobreviver mais de uma semana num leito hospitalar em *Casualty*. Eu estava desperdiçando a minha vida. E agora sinto uma euforia permanente. Se algum dia a Sas se formar como enfermeira, posso morrer feliz. E chorarei durante um mês. Você deve ter muito orgulho do David.

– Eu sou médica, sabia? – digo. – Já salvei algumas vidas por aí.

Richard fica olhando para mim, até que saio correndo e me tranco no banheiro.

Esta história não é sobre os jovens; é sobre mim e sobre David. Por isso, quero encerrar a história deles, e contar o que aconteceu a cada um. Craig e Mico desapareceram. No caso de Mico, após alguns dias, e no caso de Craig, após algumas semanas. Mico levou um pouco de dinheiro quando se foi, mas era dinheiro que David e eu havíamos reservado para ser roubado: quando começamos a desconfiar que ele estava infeliz, pouco à vontade e louco para seguir em frente, mostrei-lhe a jarra da cozinha onde guardamos dinheiro para emergências. Depois colocamos cinco notas de vinte libras lá dentro. Sabíamos que o dinheiro sumiria, e foi o que aconteceu. Craig andava falando em procurar a mãe, aparentemente, e temos esperança de que ele tenha feito isso. As meninas continuam aqui na rua; é como se jamais tivessem tido uma vida anterior. É isso. David queria salvar dez crianças. Teve que se contentar com seis. Três estavam fora do seu alcance. Se as outras três continuarem aqui, arrumarem empregos, criarem lares próprios e arranjarem companheiros, talvez, então... Ah, qualquer um pode fazer as contas. Não estou falando da conta de três entre dez, é claro. Estou falando do resto todo. Pois já não sei o valor de mais nada.

11

De todos os episódios de *Guerra nas estrelas*, as únicas partes que tolero são as cenas calmas do segundo filme, *O Império contra-ataca*. Ou melhor: aquele que costumava ser o segundo, antes que o quarto se tornasse o primeiro, fazendo com que o segundo virasse o terceiro. Há dois anos, Tom vivia assistindo aos seus vídeos de *Guerra nas estrelas*, em seqüência, e no início eu preferia *O Império contra-ataca* simplesmente porque esse episódio oferecia um certo descanso no meio do alarido, das explosões e dos sibilos dos outros. Mais tarde, porém, comecei a valorizar a sua... não sei que palavra usar. Mensagem? Moral? Os filmes de *Guerra nas estrelas* têm mensagens? Em todo caso, aquilo começou a ressoar dentro de mim, e eu passei a querer ser Luke Skywalker, sozinho num planeta longínquo, aprendendo a ser um cavaleiro Jedi. Eu queria descansar da guerra. Queria que algum sábio me ensinasse a fazer as coisas que eu precisava saber para sobreviver até o fim da vida. Sei que é patético perceber isto num filme de ficção-científica infantil, e não na obra de George Eliot, Wordsworth ou Virginia Woolf. Mas aí está o cerne da questão, não é? Não tenho tempo nem energia para Virginia Woolf, e por isso sou obrigada a procurar sentido e reconforto nos vídeos de *Guerra nas estrelas* do meu filho. Tenho que ser Luke Skywalker porque não sei quem mais ser.

Quando Mico e seus cupinchas se mudaram para a nossa rua, percebi a necessidade de refletir; na realidade, parecia que a vida era insuportável sem reflexão. Eu já não sabia quem tinha e quem não tinha razão, minha casa estava cheia de gente que eu não conhecia... eu estava realmente enlouquecendo. Portanto, eu tinha de fazer isto, não tinha? É claro que foi egoísmo, autocomplacência e maldade da minha parte, mas parecia que eu não poderia descobrir como ser uma pessoa legal sem fazer isto. Qualquer um entenderia. Deus, o Arcebispo de Canterbury, Miriam Stoppard, qualquer um. Não entenderiam? Isso não significa que eu tenha menos amor pelos meus filhos, e nem sequer significa que eu tenha menos amor pelo meu marido (acho que não, embora essa seja uma das coisas sobre as quais preciso pensar)...

Eu saí de casa. Pelo menos, saí em parte. Mas ninguém sabe disso. Bom, David e BoasNovas sabem, assim como uma colega minha chamada Janet, por razões que logo ficarão claras, mas Molly e Tom ainda não sabem. Estou morando, ou pelo menos dormindo, num conjugado a um quarteirão lá de casa. Depois de pôr as crianças para dormir à noite, venho para cá e acerto o despertador para as seis e quinze da manhã. Visto a roupa e saio sem tomar o café da manhã, com a camisola e o robe numa sacola de supermercado. Assim estou de volta ao lar familiar às seis e trinta. Geralmente as crianças só precisam ser acordadas uma hora depois, mas sempre chego antes, caso alguém levante mais cedo. (Hoje em dia, elas raramente acordam no meio da noite; mas quando isso acontece, é David quem cuida delas, simplesmente porque sou eu que tenho um emprego de verdade.) Para eliminar quaisquer dúvidas que as crianças possam ter – embora elas tivessem de ser muito desconfiadas para pensar que a mãe que as põe na cama à noite e toma café com elas na manhã seguinte saiu de casa – visto novamente a camisola e o robe, e passo essa hora extra lendo o jornal que levo comigo. Em teoria, perco uma hora de sono, mas isso não é problema, pois na prática parece que dormi uma hora a mais, tamanho é o efeito restaurador de passar a noite sozinha.

Não estou pagando aluguel pelo conjugado, que pertence a Janet Walder, a terceira pessoa que sabe de minha nova situação doméstica. Janet trabalha na clínica e foi passar um mês na Nova Zelândia para conhecer sua nova sobrinha. Na realidade, se não fosse pela nova sobrinha de Janet eu jamais tomaria a decisão de sair de casa. Como no caso daqueles ladrões que jamais sonhariam em roubar uma carteira se não a vissem quase caindo do bolso de alguém, neste caso a oportunidade foi tudo: Janet simplesmente mencionou que deixaria o apartamento vago, e em poucos segundos eu me resolvi. Foi como se eu não tivesse forças para resistir à tentação; meus sentidos foram engolfados. Dava para ouvir o vazio, provar o silêncio e cheirar a solidão; eu precisava de tudo isso como jamais precisara de algo antes. (E o que isto revela a meu respeito? Que espécie de sensualista anseia pelo nada?) Inventei ali mesmo, na hora, o esquema da hora de dormir e do café da manhã, pois a necessidade é a mãe da invenção. Depois fui para casa, contei a David o que ia fazer, e fiz.

– Por quê? – perguntou ele, suponho que com alguma dose de razão.

Por causa de tudo, respondi. Por causa do BoasNovas, por causa do Mico, e porque tenho medo do que você pode fazer em seguida. E porque eu estou desaparecendo, tive vontade de dizer a ele. A cada dia que acordo, eu existo um pouco menos.

Mas não podia dizer isso, porque não sabia se tinha esse direito, e jamais saberia, se não passasse pelo treinamento de um cavaleiro Jedi.

– Na verdade, não sei – disse eu. – Só preciso de uma folga.

– Folga do quê?

Folga do nosso casamento, é o que eu deveria ter dito.

Pois na verdade é isso. É isso que sobra quando eliminamos as horas de trabalho, os jantares familiares e os cafés da manhã familiares: as horas que passo sozinha aqui são as horas que eu passaria como esposa, e não como mãe ou médica. (Meu Deus, como é assustador ter apenas essas opções. Só não estou representando um desses três papéis quando estou no banheiro.)

Mas é claro que eu também não disse isso; simplesmente fiz um gesto airoso em direção ao mundo, na esperança de que ele o visse como um planeta decadente e devastado pela guerra, sem oxigênio suficiente para sustentar organismos complexos.

– Não vá embora, por favor – pede ele.

Mas não consegui ouvir convicção ou desespero em sua voz. Talvez ele não estivesse se esforçando o suficiente.

– Por que você não quer que eu vá embora? – perguntei. – Que diferença vai fazer para você?

Houve uma pausa longa, pensativa e fatal antes que ele dissesse qualquer coisa, pausa essa que me permitiu primeiro ignorar, e depois esquecer.

O conjugado de Janet fica no andar de cima de um casarão pertencente a um conjunto de casarões na Taymor Road, que corre paralela à nossa rua. O conjunto é esquisito, pois na realidade é muito bonito, mas não foi bem conservado. Atualmente os casarões estão sendo restaurados um a um, e eu estou no meio dos três últimos em mau estado que ainda restam.

Há três apartamentos nos andares inferiores; já conheço os habitantes de todos eles, e gosto da turma. Gretchen, que trabalha como relações-públicas e me prometeu amostras grátis de todos os tipos, mora no apartamento térreo, que é o maior dos quatro; acima dela mora Marie, que é professora de filosofia na University of North London e passa os fins de semana com a família em Glasgow; e acima de Marie mora Dick, um sujeito calado e muito nervoso, que trabalha numa loja de discos das redondezas.

É divertido morar aqui. Nós tomamos decisões coletivas; decidimos como viver nossas vidas, quais são as responsabilidades de cada um, e o que beneficiará todos ao máximo. Na semana passada, por exemplo, fizemos uma reunião de moradores na casa de Gretchen, e resolvemos por votação ampliar nossa caixa de correio; Marie encomenda muitos livros da Amazon, e o carteiro não consegue enfiá-los pela fresta da porta, de modo que passou a largá-los na soleira, onde eles ficam molhados de chuva. Ouviu isso, David? O tipo de coisa que podemos mudar é o tamanho das caixas de correio! (E isso apenas provavelmente, pois ainda não temos um orçamento e não sabemos quem instala caixas de correio; não sabemos nem como descobrir isso.) Foi uma discussão inteiramente satisfatória, curta, lógica, harmoniosa e justa: Marie vai pagar dois terços do custo da instalação, e eu não vou pagar nada. Além disso, bebemos vinho e escutamos um disco do Air, aquele conjunto francês que toca música instrumental do tipo que parece soar melhor quando ouvida no elevador. O Air passou a ser o meu conjunto favorito, embora Dick, daquele seu jeito calado e nervoso, pareça torcer o nariz para eles. Diz ele que há conjuntos pop franceses de música ambiente muito melhores do que o Air, e que ele pode gravar uma fita para nós se quisermos.

Para mim, porém, o Air parece moderno, solteiro e sem filhos, comparado a – digamos – Bob Dylan, que parece velho, casado e sobrecarregado, ou seja, parece um lar. Se o Air é um hipermercado, Bob Dylan é uma mercearia. Cogumelos, alface e tomate; já para casa a fim de cozinhar molho à bolonhesa, preparar uma salada, e como é que éééééé? Você estar sozinhaaaaaa? Só que nunca estou sozinha quando Bob Dylan está cantando. É impossível não sentir que a vida em comum deveria ser assim: música tranqüila, vinho branco, caixas de correio e uma porta fechada quando necessário. Na próxima reunião vamos resolver se precisamos de uma mesa na portaria para colocar a correspondência; mal posso esperar para ir. (Sou de opinião que precisamos, embora esteja pronta para dar ouvidos a quem discordar.)

Todos aqui são solteiros, e isso também me agrada. Desconfio que ninguém esteja solteiro de propósito, pois nessa noite ouvi um monte de piadas forçadas, auto-irônicas e bem ensaiadas sobre a situação romântica de todos: Gretchen perguntou se o tamanho da fresta da porta era responsável pelo pequeno número de cartões recebidos no Dia dos Namorados, e todo mundo deu as devidas risadas, em tom pseudotriste. Como o assunto veio à baila durante uma reunião de moradores sobre a caixa do correio, presumo que viria à baila em qualquer discussão. E embora eu lamente a situação deles, para mim é conveniente que ninguém aqui tenha um relacionamento fixo, porque isso só reforça aquele clima intermediário de *O Império contra-ataca.* Parece que eu acabo de virar uma página nova no bloco de desenho de outra pessoa. A minha foi usada, com cada canto preenchido, e eu não gostei do que fiz.

Não sei quanto tempo posso passar vivendo deste jeito. Janet voltará daqui a algumas semanas, mas já estou pensando se Marie usará seu apartamento no verão, e se eu poderia arcar com um conjugado próprio, além da hipoteca, dois filhos, um marido, BoasNovas e os desabrigados. E tudo isto sem refletir se vale a pena viver esta vida, ou seja, se as duas horas que ganho a cada noite – sozinha, ou escutando o Air com Dick, Marie e Gretchen enquanto falamos sobre o tamanho da caixa do correio – já me bastariam pelos próximos quarenta e poucos anos. No momento parece que sim, mas provavelmente seria tolice assinar agora qualquer contrato com duração de quarenta anos.

Mas eu estou feliz, droga, por essas duas horas preciosas. Mais feliz do que me sentia há anos e anos. Eu penso. Vejo programas na minúscula tevê de Janet. Voltei até a ler as páginas culturais dos jornais, e, desde que vim para cá, há duas semanas, li setenta e nove páginas do *Captain Corelli's Mandolin*. Pago o preço durante a noite, apresso-me a acrescentar. Essas duas horas têm um custo. Na primeira noite que passei aqui acordei de um pesadelo coberta de suor; aí percebi onde estava, e onde não estava. Depois me vesti, fui para casa e voltei; só queria ouvir a respiração das crianças. Desde então, acordo na maioria das noites às 2:25 exatamente, sentindo-me desolada, solitária, culpada e desesperada de preocupação e medo; levo séculos para voltar a adormecer. Ainda assim, acordo de manhã sentindo-me renovada.

Quinze dias depois de me mudar para o apartamento de Janet, chego em casa e encontro Tom vendo televisão com um amigo novo. Esse amigo novo é uma criança gordinha com um furúnculo perto do nariz e uma franjinha que só serve para acentuar, ou talvez até ironizar, a sua feiúra quase espantosa. A franja parece estar dizendo: "Sabe o tipo de rostos em que eu sou geralmente encontrada? Bom, dêem uma olhada neste aqui!" Os amigos de Tom nunca têm essa aparência. São bonitos e modernos. Essa aparência moderna é muito importante para Tom; ele gosta ainda menos de gordura e furúnculos (além de suéteres felpudos marrons e brancos) do que o resto das pessoas.

– Oi – digo alegremente. – Quem é esse?

O amigo novo olha para mim, e depois olha em torno do aposento; sua cabeça oscila, enquanto ele tenta localizar o desconhecido em nosso meio. Diante de suas outras desvantagens, é de cortar o coração que ele não pareça muito inteligente; mesmo depois de ver que não há mais ninguém aqui, ele se recusa a responder à minha pergunta, presumivelmente supondo que daria uma resposta errada.

– É o Christopher – resmunga Tom.

– Oi, Christopher.

– Oi.

– Você vai ficar para o chá?

Ele fica olhando para mim novamente. Neca. Não vai se arriscar a responder errado.

– Ela está perguntando se você vai ficar para o chá – grita Tom.

Sinto um remorso e um constrangimento súbitos, e pergunto:

– O Christopher é surdo?

– Não – responde Tom desdenhosamente. – É burro mesmo.

Christopher vira a cabeça para olhar para Tom, e dá-lhe um empurrão fraco no peito. Tom olha para mim e abana a cabeça, e só posso interpretar isso como um gesto de incredulidade.

– Onde está o seu pai, Tom?

– No quarto do BoasNovas.

– E a Molly?

– Lá em cima. Ela também está com uma amiga.

Molly está no quarto com o que parece ser a equivalente feminina de Christopher aos oito anos de idade. Sua nova amiga é magricela, usa óculos e fede inequivocamente, pois o quarto de Molly nunca teve este cheiro antes. O ar do aposento parece uma poção de bruxa composta de peidos, odor corporal e meias.

– Oi. Eu sou a Gloria.

Gloria. Meu Deus. A impropriedade quase sobrenatural desse nome é uma advertência terrível para pais e mães de todo o mundo.

– Vim brincar com a Molly. Estamos jogando baralho. É a minha vez – diz ela, colocando cuidadosamente uma carta numa pilha. – Três de ouros. Agora é a sua vez, Molly.

Molly coloca uma carta na pilha.

– Cinco de paus – diz Gloria, que é tão loquaz quanto Christopher é calado. Ela descreve tudo que faz e tudo que vê. E, aparentemente, tem pavor de orações compostas. Parece a Janet de "Janet and John".

– O que vocês estão jogando?

– Mau-mau. É a nossa terceira partida. Até agora ninguém ganhou.

– Não? Bom, sabem... – digo, começando a explicar as falhas fatais na abordagem e no equipamento delas, mas desistindo no meio do caminho.

– Posso voltar amanhã? – pergunta Gloria.

Olho para Molly, em busca de sinais de relutância ou até dissabor, mas seu rosto é uma máscara de diplomacia.

– Vamos ver – respondo.

– Eu não me incomodo – diz Molly rapidamente. – Sério.

É estranho que uma menina diga isso sobre um encontro marcado para brincar com uma amiga nova, mas deixo a coisa passar em branco.

– Vai ficar para o chá, Gloria?

– Também não me incomodo – diz Molly. – Ela pode ficar, se quiser. Sinceramente. Seria bom para mim.

Essa última frase, dita em tom alegre e sincero, já me diz tudo que preciso saber sobre nossos convidados.

O acaso determina que seja minha vez de cozinhar; David e BoasNovas permanecem no quarto, tramando. Christopher e Gloria ficam para o chá, que transcorre em silêncio quase total, quebrado apenas por comentários ocasionais em forma de oração principal feitos por Gloria:

– Eu adoro pizza! Minha mãe bebe chá! Gostei deste prato!

Christopher parece só conseguir respirar pela boca, e come em meio a uma cacofonia alarmante de engasgos, grunhidos e arrotos que Tom contempla com total desprezo. O povo fala de rostos que só mães poderiam amar, mas todo o ser de Christopher seguramente esticaria qualquer laço maternal além do limite de elasticidade: nunca vi uma criança menos amável, embora confesse que Gloria, cujo peculiar aroma pessoal não se dissipou quando ela se aproximou da comida ou das outras pessoas, quase empata com ele.

Christopher afasta o prato.

– Terminei.

– Quer um pouco mais? Tem outra fatia aqui.

– Não. Não gostei.

– Eu gostei – diz Tom, que jamais aprovou qualquer coisa que eu tenha cozinhado, presumivelmente porque jamais viu a oportunidade de fazer tal aprovação soar agressiva. Christopher vira a cabeça para procurar a origem deste comentário, mas não consegue achar algo para dizer em resposta depois de localizá-la.

– Eu gosto de pizza – diz Gloria pela segunda vez. Normalmente, Tom aproveitaria esse tipo de repetição para trucidar o repetidor, mas parece já ter desistido disso, pois meramente revira os olhos.

– A sua tevê é pequena demais – diz Christopher. – E num fala muito alto. A explosão daquele negócio foi boba.

– Por que você não pediu para aumentar o volume? – pergunta Tom. Mais uma vez Christopher vira a cabeça aos trancos, feito o protótipo de um robô, para examinar seu amigo; mais uma vez, não dá resposta. Em apenas quarenta e cinco minutos, Christopher conseguiu fazer com que eu passasse a questionar todo o apoio que dou à educação abrangente. Subitamente, começo a desconfiar que a estupidez pode ser contagiosa, e a achar que este garoto deve ser expulso de nossa casa imediatamente.

– Onde você mora, Christopher? – pergunto, tentando encontrar um assunto do qual ele possa participar.

– Em Suffolk Rise – responde ele, no mesmo tom beligerantemente defensivo que outras crianças usam para dizer "Não, não fui eu".

– E você gosta de morar lá? – pergunta Molly. Outra criança poderia ser acusada de estar satirizando a situação social vigente, mas sinto que Molly está apenas se esforçando ao máximo.

– É bom. Melhor do que aqui. Isto aqui é um chiqueiro.

O autocontrole de Tom é revelador. Ele conta até dez, talvez até vinte ou trinta, examinando Christopher como quem examina um problema enxadrístico, ou um caso médico especialmente complicado. Depois se levanta, e calmamente soca Christopher bem no tal furúnculo; inspecionado de perto, vê-se que o furúnculo estourou e espalhou o conteúdo amarelo-fosforescente pela face do seu ex-proprietário.

– Desculpe, mamãe – diz ele tristemente ao sair, já esperando o primeiro estágio de seu castigo antes mesmo de recebê-lo. – Mas você deve entender um pouco.

– Estamos transando culpa – explica David depois que Christopher e Gloria vão para casa. (A mãe de Christopher, uma mulher grande, simpática e talvez compreensivelmente desalentada, não parece muito surpresa ao saber que seu filho levou um soco. Talvez como conseqüência disso, não pareça muito interessada no meu longo e detalhado relato dos corretivos que pretendemos aplicar.)

– O que significa isso?

– Todos nós somos culpados, não é? – interrompe entusiasticamente BoasNovas.

– Foi isso que vocês sempre me levaram a perceber.

– Ah, não, eu não estou falando de sermos todos culpados por fazermos parte de uma sociedade insensível. Embora sejamos, é claro.

– É claro. Nem por um instante eu sugeriria outra coisa.

– Não, estou falando de culpa individual. Todos nós já fizemos algo de que nos sentimos culpados. As mentiras que contamos. Os... hum... casos que tivemos. As mágoas que causamos. David e eu andamos conversando com as crianças sobre isso, tentando sentir de que coisas específicas elas se sentem culpadas, e depois meio que encorajando as duas a reverter a coisa.

– Reverter a coisa.

– É isso aí. Reverter. Foi esse o nome que demos ao negócio. Você pega algo de errado que fez, ou alguma maldade que fez com alguém, e reverte a coisa. Faz o contrário. Se roubou alguma coisa, devolve. Se foi nojento, tem de ser simpático.

– Porque estamos introduzindo o pessoal ao lado do político.

– Obrigado, David. Esqueci de dizer essa parte. Certo. O pessoal e o político. Já cuidamos do lado político, não é? Com as crianças desabrigadas e tudo o mais?

– Ah, então essa parte já terminou? O problema dos desabrigados foi resolvido? O mundo se tornou um lugar melhor?

– Deixe de ser debochada, Katie, por favor. Quando BoasNovas diz que "cuidamos" disso, ele não quer dizer que resolvemos nada...

– Deus, de jeito e maneira. Ainda há tanta coisa por fazer aí fora! Ufa! – diz BoasNovas, abanando-se com a mão, aparentemente para mostrar a quantidade de suor a ser gasta no sofrimento dos pobres do mundo. – Mas também há muito a ser feito aqui dentro, saca?

Ele aponta para o próprio crânio ao dizer isso, e depois desloca o dedo para o coração.

– Ou aqui dentro, talvez. E é esse o trabalho que estamos fazendo no momento.

– Foi por isso que convidamos Christopher e Gloria para tomarem chá aqui?

– Exatamente – diz David. – Conversamos com Molly e Tom, perguntamos o que eles queriam reverter e identificamos essas duas pobres crianças como fontes específicas de... arrependimento. Molly sempre se sentiu culpada por não ter convidado Gloria para sua última festa de aniversário e... Bom, você vai rir, mas Tom se sentia culpado por ter dado um soco em Christopher na escola.

– Que ironia, não? Visto que ele acaba de dar outro soco no garoto.

– Até entendo por que você diz isso.

– E talvez o que aconteceu hoje fosse até previsível?

– Você acha? – diz David, que claramente não previu a possibilidade de ver a história se repetir. – Por quê?

– Pense um pouco.

– Não quero ver meu filho bancando o valentão com outras crianças, Katie. E também não quero que ele antipatize com ninguém. Quero que ele descubra o lado bom e... amável de todo mundo.

– E você acha que eu não quero isso?

– Não tenho certeza. Você quer que ele descubra o que é amável no Christopher?

– Quero. Mas o Christopher pode se revelar um caso especial. Uma falha na lei do amor universal.

– Então você não quer que ele ame todo mundo.

– Bom, num mundo ideal é claro que quero. Mas...

– Você não percebe? – diz BoasNovas empolgado. – É isso que nós estamos fazendo! Construindo um mundo ideal na nossa própria casa!

Um mundo ideal na minha própria casa... ainda não sei direito por que essa perspectiva me apavora tanto, mas lá no fundo sei que BoasNovas está errado, que uma vida sem ódio não é vida, e que meus filhos têm o direito de detestar quem eles quiserem. E esse é um direito pelo qual vale a pena lutar.

– E você? – pergunta David, depois que as crianças vão dormir e eu já estou de saída.

– Eu o quê?

– O que você quer reverter?

– Nada. Sou de opinião que tudo que fazemos é por um bom motivo. Tal como o soco que o Tom deu no Christopher. A tarde de hoje foi a prova disso. O Tom socou o Christopher pela segunda vez porque não consegue evitar isso. Portanto, o melhor a fazer é deixar os dois separados, e não juntos.

– Saquei. Você não acredita que tribos em guerra possam algum dia conviver em paz – diz BoasNovas tristemente. – Mas e a situação em Belfast? É melhor a gente desistir? E a Palestina? E aquele lugar, saca, dos Tutsis e daqueles outros caras? A gente esquece tudo?

– Mas o Tom e o Christopher são tribos em guerra? Parecem mais dois garotinhos do que tribos em guerra, ou não?

– Dá para dizer que eles são representativos, em certo sentido – diz David. – Dá para dizer que Christopher é um albanês de Kosovo, por exemplo. Ele não tem nada, é desprezado pela maioria...

– Só que ao contrário de um típico albanês de Kosovo, ele pode simplesmente ficar em casa vendo televisão sozinho, sem que nada aconteça com ele – ressalto.

Mas só ressalto isso na minha cabeça, já a caminho do conjugado; bati a porta na cara deles na hora da segunda sílaba da palavra "maioria".

Mas é claro que me pego pensando sobre o tal conceito de reversão. É impossível não pensar nisso. David sabe que tenho mil e uma culpas, e foi por isso que lançou a idéia na minha direção. Idiota. Chego ao apartamento de Janet com vontade de ler e escutar o CD do Air que peguei emprestado lá embaixo, mas acabo fazendo uma lista mental das minhas culpas e das possibilidades que existem para aliviar algumas delas. Fico apavorada ao ver como é fácil lembrar das coisas erradas que fiz; é como se elas estivessem boiando na superfície da minha consciência o tempo todo, e eu pudesse simplesmente pescá-las com uma escumadeira. Eu sou médica, sou uma pessoa legal, e mesmo assim há tantas coisas...

Item número um, campeão absoluto: ficar aqui. É por causa da minha sensação de culpa que ando me esforçando tanto, acordando às seis e quinze e tudo o mais. Acho que isso é uma espécie de penitência, e talvez eu possa até me perdoar por este item. (Mas na realidade eu me levanto às seis e quinze porque não tenho coragem de contar às crianças que saí de casa; portanto, tenho que acrescentar o pecado da covardia ao pecado de morar num conjugado. E assim, na verdade, vejo-me duplamente culpada, e não completamente absolvida.)

Item número dois: Stephen. Ou melhor, David. Não há muito a dizer sobre isso. Fiz meus votos conjugais, quebrei-os e não posso desquebrá-los. (Embora haja circunstâncias atenuantes, como espero que já se tenha percebido.) Mas nesse tipo de coisa nunca há circunstâncias atenuantes, não é? Quando vejo *Jerry Springer*, o cônjuge culpado sempre diz para a parte arrasada: "Eu tentei dizer que não estava feliz, mas você não queria escutar." E eu sempre acabo pensando que o crime de surdez não merece automaticamente o castigo da infidelidade. No meu caso, porém, realmente acho que pode haver atenuantes. É óbvio que sim. Para começar, quantos convidados de Jerry Springer são médicos? Quantos daqueles travestis e pais compulsivos já quiseram fazer boas ações? (Talvez todos. Talvez isto seja apenas moralismo de classe média da minha parte. Ai, meu Deus.)

Item número três: meus pais. Nunca ligo para eles. Nunca vou visitá-los. (Ou melhor, vou, mas com uma grande dose de má vontade, procrastinação e coisa e tal.) (Mas realmente acho que meus pais são piores do que todos os demais. Eles nunca reclamam e nunca me questionam; simplesmente sofrem em silêncio, de um jeito que é terrivelmente agressivo, se pensarmos bem. Ou então fingem compreender, o que é uma provocação ainda pior. "Ah, não se preocupe. Você já tem muita coisa nas costas, como o trabalho e as crianças. Só telefone quando puder..." Isso é uma manipulação imperdoável.) Há um paradoxo aqui, no entanto, paradoxo esse que fornece algum consolo: admito que estes sentimentos de culpa são prejudiciais à nossa saúde mental, mas aqueles que não têm necessidade de se sentirem culpados são, na minha visão, os mais doentes de todos, porque a única maneira de termos um relacionamento livre de culpa com nossos pais é conversar com eles e vê-los constantemente, talvez até morar com eles. E isto não pode ser bom, não é? Portanto, se as alternativas são essas – culpa permanente, ou um tipo de freudismo pavoroso que exija cinco telefonemas por dia –, eu fiz a opção saudável e madura.

Item número quatro: trabalho. Este me parece especialmente injusto. Era de se pensar que minha escolha profissional bastaria para me absolver de qualquer preocupação nesse sentido; era de se pensar que até uma médica ruim num dia ruim se sentiria melhor do que uma traficante de drogas boa num dia bom, mas desconfio que isto talvez não seja verdade. Desconfio que as traficantes de drogas têm dias em que tudo funciona, em que tudo é um barato atrás do outro, em que elas executam suas tarefas uma por uma, e em que voltam para casa com uma sensação de missão cumprida. Enquanto isso, eu tenho dias em que sou grosseira com as pessoas, não consigo fazer nada, e vejo no olhar dos pacientes que eles se sentem logrados, incompreendidos e abandonados (Olá, dona Cortenza! Olá, Brian Biruta!). Além disso, nunca cuido da papelada, e todos os pedidos de indenização ficam amontoados no fundo da minha gaveta; na última reunião da clínica, prometi que escreveria uma carta ao deputado distrital dizendo que alguns tratamentos estão sendo negados aos refugiados, e nem comecei a fazer isso ainda...

Não basta ser médica; você tem de ser uma médica boa, tem de tratar bem as pessoas, tem de ser conscienciosa, dedicada e sábia. Embora eu chegue à clínica todo dia determinada a ser tudo isso, basta atender dois dos meus pacientes prediletos – um Brian Biruta, digamos, ou o pessoal de três maços de cigarro por dia que reage agressivamente quando não consigo resolver um problema pulmonar – para logo ficar mal-humorada, sarcástica e entediada.

Item número cinco: Tom e Molly. Todas as coisas óbvias, tediosas demais para entrarem aqui e por demais familiares a quem já tenha sido pai, mãe, filho ou filha. Além disso, ver o item número um, acima: eu saí de casa (embora temporariamente, por ter sido provocada a isto, e para um conjugado logo ali na esquina) e não lhes contei isso. Desconfio que muitas mães ficariam imaginando se haviam agido certo nestas circunstâncias específicas.

Estes são, porém, apenas os dramas de consciência em três atos que são encenados diariamente na minha psique. Há também muitos dramas em um só ato, coisas que cabem mais em espaços alternativos do que em grandes palcos, mas que de vez em quando também fornecem bastante material para contemplação antes que eu adormeça. Há o meu irmão (ver "pais", acima), que eu sei que vive infeliz; ainda assim, não vi Mark depois da tal festa. Há diversos outros parentes, incluindo tia Joan, a irmã da minha mãe, que até hoje aguarda um agradecimento por um generoso... ah, meu Deus, é melhor deixar isso para lá. E há uma antiga colega de escola, que certa vez nos emprestou um chalé em Devon; Tom até quebrou um dos vasos dela, mas quando ela quis passar uma noite lá em casa... é melhor deixar isso para lá, também.

Não quero ser melodramática: sei que não vivo fazendo maldades. Mas tampouco acho que esta folha corrida não tenha importância alguma, pois tem, e bastante. É só olhar para ela. Adultério. Exploração eventual de amigos. Desrespeito por pais que nada fizeram além de tentar se manter próximos de mim. Ora, só aí já são dois dos dez mandamentos quebrados. E quantos, três ou quatro?, são sobre o horário de trabalho aos domingos e imagens sacras, ou seja, coisas que não se aplicam mais à realidade de Holloway neste início do século vinte e um, fico com uma taxa de infração de trinta e três por cento, que para mim é alta demais. Lembro de ter olhado para a lista aos dezessete anos de idade e pensado que não teria grandes problemas, caso fossem retiradas as restrições a imagens sacras e só sobrassem os que realmente importavam. Na realidade, eu nem ligaria se os mandamentos mais meticulosos também permanecessem. Por certo, Deus compreenderia uma ou outra consulta domiciliar de emergência aos domingos? E quantas imagens sacras eu tenho a probabilidade de esculpir na vida? Até hoje o placar permanece zerado – nunca tive essa tentação, e ficaria bastante surpresa se um dia fraquejasse. Para começar, não tenho tempo.

Quando olho para os meus pecados (e são pecados, se acho que são), consigo enxergar a atração exercida pelos cristãos renascidos. Desconfio que não é a cristandade que é tão sedutora, e sim o renascimento. Pois quem não gostaria de começar tudo de novo?

12

Ao ver a torcida inglesa promovendo um quebra-quebra numa Copa do Mundo qualquer, perguntei a David por que eram sempre os ingleses e jamais os escoceses que faziam aquilo. Ele explicou que essa recusa da torcida escocesa a criar tumulto também é uma forma esquisita de agressão: embora alguns escoceses até preferissem brigar, eles nos detestam tanto que não fazem isso, pois querem provar que são melhores do que nós. Bom, Molly virou escocesa. Desde que Tom deu um soco no repulsivo Christopher, ela insiste em mostrar a maior simpatia possível pela repulsiva Gloria, que todo dia vem empestear nossa casa com seu fedor após a aula. E quanto mais ela fede, mais desejosa se mostra Molly de que ela volte na tarde seguinte, fazendo assim Tom perceber como é antipático com seu equivalente de Gloria. Estou começando a ficar seriamente preocupada com a saúde mental de Molly, pois quantas meninas de oito anos gostariam de passar dia após dia fazendo algo tão pouco atraente, só para provar que são moralmente superiores aos irmãos?

Em breve Molly vai fazer aniversário, e insiste que não quer festa; quer passar o dia conosco, seu irmão e sua nova amiga. É um enorme demérito nosso que duas das pessoas envolvidas não se mostrem muito entusiasmadas com isso.

– Ela nunca é convidada para nada – diz Molly à guisa de explicação. Meu filho e minha filha são muito diferentes, e no momento andam cada vez mais assim. Tom faria o mesmo comentário para justificar uma linha de ação oposta. Quem jamais fosse convidado para nada estaria, *ipso facto*, excluído de qualquer festa que ele pensasse em dar.

– Mas ela fede – ressalta ele.

– Pois é – diz Molly, quase afetuosamente. – Mas não pode fazer nada.

– Pode, sim.

– O quê?

– Ela pode tomar banho. Usar desodorante. E não precisa peidar o tempo todo, precisa?

– Acho que precisa, sim.

Subitamente, atento para a importância desta discussão (que afinal é sobre aquilo que devemos a nossos semelhantes e nosso dever de amar todos igualmente, a despeito de seus atributos pessoais), e para a forma por ela assumida – ou seja, as flatulências de uma criança. Abafo uma risada, pois trata-se de algo sério. A idéia de ir a um parque de diversões num carro de passeio pequeno com Gloria dentro não é, em última análise, muito engraçada.

– Por que você não dá uma grande festa de aniversário e convida a Gloria?

– Ela pode fazer o que quiser – diz David.

– É claro que ela pode fazer o que quiser. Só quero ter certeza de que é isso que ela quer. Não quero ver fotos do nono aniversário de Molly no futuro, e não me lembrar de quem passou o dia com ela, droga.

– Por que não? Nós já mal conhecemos as pessoas das fotos do nosso casamento.

– Pois é. E veja qual... – digo, parando de falar ainda a tempo. Um exame amargo do desastre que nosso casamento se tornou seria inconveniente no momento. – ... Veja qual foi a causa disso.

Na minha ansiedade de terminar a frase sem interrupção, começo a falar feito uma estudante de intercâmbio da Europa Oriental.

No entanto, quem se dispusesse a examinar qual foi a causa disso não encontraria exemplo melhor de como nosso casamento se tornou um desastre: ao longo dos anos seguintes, David debochou, escarneceu e riu de todos os convidados, amigos, colegas e parentes presentes ao casamento. Passou anos fazendo isso, até que eles passaram a nos evitar.

– É meu aniversário. Posso fazer o que quiser.

– Ainda faltam duas semanas. Por que você não espera mais um pouco antes de falar com ela, só para ter certeza? Afinal, ela não vai estar ocupada mesmo.

– Não quero – diz ela, indo até o telefone com uma alegria mais maliciosa, ao que me parece, do que a estritamente apropriada a um ato de generosidade tão altruísta.

Portanto, só para recapitular: quero ser perdoada pelas minhas infrações (que incluem cometer adultério, desonrar meus pais, ser grosseira com casos fronteiriços de doença mental, ou seja, Brian Biruta, e até mentir para meus filhos sobre minha residência atual), mas não perdôo aqueles que cometem infrações contra mim, nem mesmo uma menina de oito anos cuja única infração real é feder. Além de ter a pele acinzentada. E de não ser muito inteligente. Está certo. Então, tudo bem. Preciso pensar sobre isso, e volto ao ar em breve.

Só percebo que vou dizer a frase quando as palavras saem da minha boca, e quando isso acontece fico até meio tonta. Talvez já estivesse tonta antes – é uma manhã de domingo e ainda não comi nada, apesar de ter saído do apartamento há duas horas. Se eu tivesse comido uma tigela de cereal quando cheguei em casa, talvez não houvesse dito nada.

– Vou à igreja. Alguém quer vir?

David e as crianças olham para mim com interesse, coisa que não ocorre há algum tempo. É como se eu, tendo dito algo excêntrico, talvez faça a seguir algo excêntrico, como tirar a roupa ou sair dando facadas a torto e a direito. Subitamente, fico feliz por não ser obrigada a convencer as pessoas de que ir à igreja é uma atividade de lazer perfeitamente saudável.

– Eu avisei – diz Tom.

– Avisou o quê? Quando?

– Há séculos, quando o papai estava doando todas as nossas coisas. Eu disse que no final a gente teria de ir à igreja.

Eu já tinha me esquecido disso. Portanto, Tom tinha razão, de uma forma que jamais poderia ter previsto.

– Isto não tem nada a ver com o seu pai – digo. – E ninguém tem que ir a lugar algum.

– Eu vou com você – diz Molly.

– A que igreja? – pergunta David.

Boa pergunta.

– Aquela ali, depois da esquina.

Deve haver uma igreja depois da esquina. As igrejas são como casas lotéricas, não? Tem sempre uma depois da esquina; se a gente não entra nela, nem nota.

– Que esquina?

– A gente podia ir com a Pauline – diz Molly. – Eu sei a que igreja ela vai.

Pauline é uma colega de escola de Molly que é afro-caribenha. Ah, meu Deus.

– Não era isso... Eu estava pensando num tipo de igreja diferente.

– A Pauline diz que a dela é divertida.

– Não estou procurando uma igreja divertida.

– O que você está procurando? – pergunta David, adorando o meu desconforto.

– Só... só quero ficar sentada no fundo, sem participar. A da Pauline deve ser uma espécie de igreja... participativa, não?

– Para que ir à igreja se você não vai participar? O que adianta isso?

– Só quero ficar escutando.

– Tenho certeza de que podemos ficar escutando na igreja da Pauline.

Estou à cata, é claro, de falta de convicção. Minha esperança era achar algo de um liberalismo moderado e cheio de dúvidas: talvez uma mulher jovem, que fizesse um sermão sobre refugiados em busca de asilo e migrantes econômicos, ou sobre a Loteria Nacional e a cobiça, e depois pedisse desculpas por trazer à baila assuntos divinos. No meio desse processo, eu teria minhas imperfeições perdoadas, obteria permissão para não gostar de Gloria e Brian Biruta, e chegaria a compreender que o fato de não ser uma pessoa legal não significa que eu seja má. Esse tipo de coisa. E talvez a igreja de Pauline seja exatamente assim – como posso saber? No entanto, já estou presumindo que não seja. Presumo que na igreja de Pauline não haja dúvidas; haja apenas adoração apaixonada e jubilosa, e presumo isso porque é mais fácil lançar mão de um preconceito racial do que descobrir a verdade. Portanto, é isso: levanto pela manhã decidida a fazer algo que se aproxime do correto, e dentro de duas horas já encontro mais uma razão para me sentir culpada.

– Eles vão a uma espécie de igreja diferente, não é, mamãe? – diz Tom.

– Quem são "eles"? – pergunto rispidamente. Quero arrastar todos comigo nessa queda.

– A família da Pauline – diz Tom, perplexo.

– Ah. Achei que você estava sendo... Deixe para lá.

Pois é claro que ele não estava sendo coisa alguma. Eu é que estava. Como sempre.

Acabo conseguindo convencer Molly de que rezamos pela Igreja Anglicana, embora esta linha de argumentação também não seja desprovida de momentos apavorantes. Nós duas pegamos o carro e saímos pela vizinhança procurando a igreja certa com o espetáculo certo na hora certa. Damos sorte quase imediatamente: Molly avista uns velhos paroquianos arrastando-se para dentro de St. Stephen a dois quarteirões de distância, e estacionamos o carro bem na frente da igreja. (Para aqueles cujas opções de lazer são regidas pela oferta de vagas de estacionamento, recomendo irrestritamente os serviços religiosos dominicais anglicanos. É possível chegar às cinco para as dez, assistir à missa das dez e pegar o carro às onze e dois. Quem já tiver esperado uma hora no estacionamento de Wembley depois de um concerto das Spice Girls talvez ache isto bastante atraente.)

A igreja tem tudo que eu quero. A pastora é uma senhora de meia-idade e ar bondoso, que parece vagamente envergonhada de suas crenças; o pequeno número de paroquianos e sua aparente falta de interesse em qualquer coisa ou pessoa permitem que nos sentemos lá atrás, fingindo não ter nada a ver com aquilo ali. É claro que Molly é a pessoa mais jovem nos bancos deste lado da igreja, e provavelmente eu sou a segunda mais jovem, com dez ou quinze anos a menos do que os demais, embora alguns mostrem-se difíceis de avaliar, pois pode-se dizer que o tempo foi cruel com este pessoal. Aqui, só Deus sabe o que é causa e o que é efeito.

Cantamos um hino – "De Vós Dizem Coisas Gloriosas" – bem fácil, e que recordamos de assembléias escolares e casamentos variados; Molly e eu juntamo-nos à cantoria vigorosa e afinadamente, modéstia à parte. Depois alguém lê um texto religioso, e diversos avisos são dados. Será organizada uma quermesse de artigos usados. O coro não está presente nesta semana porque foi convidado a juntar forças com outro coro para fazer outra coisa em outro lugar... Começo a devanear. Nunca assisti a um serviço religioso comum antes. Já fui a casamentos, enterros, batizados, celebrações natalinas e até a festivais agrícolas, mas nunca estive num destes serviços religiosos dominicais normais, aos quais ninguém vai.

Tudo aqui parece estar longe de Deus – não mais perto do que a quermesse de artigos usados estaria, e muito mais longe do que imagino que Pauline, a amiga de Molly, está neste exato momento. Todos parecem tristes, exaustos e derrotados. Dá vontade de dizer ao punhado de presentes: isto pode ter sido a casa de Deus outrora, mas obviamente Ele se mudou, fechou a loja e foi para um lugar onde há mais demanda para este tipo de coisa. Mas olho em torno e me pergunto se essa tristeza não será um componente essencial da coisa, pois quem consegue se arrastar até aqui uma vez por semana obviamente não está em busca de convívio social, já que nada do que acontece aqui tem qualquer cunho social. Este não é um lugar para ver e ser visto, a menos que binóculos de ópera sejam colocados nos encostos dos bancos. Seria preciso andar vinte metros para apertar a mão de alguém. Não, este pessoal é o núcleo central, os últimos anglo-saxões brancos e protestantes de Holloway; são os derrotados, os solitários e os destituídos, e merecem qualquer lugar que houver para eles no Reino dos Céus. Só espero que seja um lugar mais quente do que este – com mais esperança e juventude, sem necessidade de quermesses de artigos usados –, e que o coro de anjos não esteja cantando em outro lugar, mas temo o contrário; o paraíso da Igreja Anglicana é, com toda a probabilidade, um quarteirão de tristes senhoras idosas vendendo bolinhos de frutas disformes e discos de Mantovani arranhados. Todos os dias da semana, por toda a eternidade. E esta senhora simpática que está lendo os avisos para nós? Será que às vezes ela desanima diante deste rebanho claudicante e cansado? Achei que vi um traço de fadiga, até desespero, durante o apelo que ela fez por arranjadores de flores, mas talvez isto seja porque arranjos de flores não são a sua praia.

Já os sermões são, de forma eletrizante, constrangedora e hilariante. Ela respira fundo, olha fixamente para nós e grita:
– 1, 2, 3, 4... JUNTEM-SE AOS MAUS!

Todos se encolhem nos bancos, temerosos e confusos – todos menos Molly, que reconhece a referência. *1, 2, 3, 4... Juntem-se aos maus* é no momento sua canção predileta nas paradas; ela usou a mesada para comprar o disco na Holloway Road no sábado passado, e passou a tarde dançando ao ritmo da música. Já o resto da congregação, ou seja, as mulheres com varizes e os homens com enfizemas que compõem o rebanho da tal senhora simpática... aposto que ninguém aqui comprou esse CD. Portanto, ninguém sabe por que a senhora simpática está gritando estas coisas, e todos que ainda são fisicamente capazes de olhar para os próprios sapatos fazem exatamente isso.

A senhora simpática faz uma pausa, sorri e pergunta:

– É isso que Jesus queria, que todos "juntem-se aos maus"? Eu acho que é.

Ela aponta para nós, num gesto súbito e teatral, como se tivesse um microfone na outra mão, e acrescenta:

– Pensem sobre isso.

É um convite bem-vindo, pois significa que podemos continuar a olhar para os nossos sapatos, enquanto tentamos desvendar todas as implicações teológicas da letra da música. Deus meu, com quem ela acha que está falando? Só posso supor que ela enxerga literalmente uma outra platéia: ela adentrou um universo paralelo cheio de cristãos jovens e moderninhos que não perderiam esses sermões por nada deste mundo, e que uivam de júbilo a cada referência que ela faz à cultura deles. Sinto vontade de subir correndo ao púlpito e sacudi-la.

– Pensem sobre isso – diz ela novamente. – Maria Madalena. Judas Iscariotes. Zaqueu, o coletor de impostos. A mulher do poço. Um, dois, três, quatro! Era Jesus se juntando aos maus!

No entanto, ela muda subitamente a linha de seu raciocínio; com uma troca de marchas tão ruidosa que provocaria uma careta até no pior dos aprendizes de motorista. Ela pergunta se Deus não quererá que nos juntemos aos bons tanto quanto quer que nos juntemos aos maus. Ela desconfia que não. Desconfia que Ele quer apenas que sejamos nós mesmos, pois se passarmos o tempo todo sendo falsamente piedosos, Ele não conseguirá nos conhecer, e é isso que Ele quer.

Subitamente, ela começa a cantar *Conhecendo você*, de *O rei e eu*. Fico até vermelha. Sinto o sangue bombeando em cada veia do pescoço e do rosto e, pela primeira vez, me pergunto se essa senhora simpática não será, na verdade, demente. É justo ressaltar, porém, que nem todos ficam tão agoniados quanto eu com este número. Alguns balançam a cabeça e sorriem; fica claro que *O rei e eu* se aproxima mais do nosso coração coletivo do que "Juntem-se aos maus".

– Essa igreja é legal, não é, mamãe? – sussurra Molly, e eu assinto com o maior entusiasmo que consigo reunir. – A gente vai vir aqui toda semana?

Dou de ombros. Quem sabe? Não consigo perceber como poderei me tornar uma cristã convicta vendo uma louca cantar sucessos musicais à minha frente, mas também jamais pensei que um dia dividiria minha casa com sujeitos chamados Boas-Novas e Mico.

– Eu sei que esta canção é de *O rei e eu* – diz a senhora simpática –, mas podia ter sido composta sobre Deus. Ele quer conhecer vocês. E é por isso que Ele não quer que vocês sejam artificialmente bons, pois assim fica impedido de descobrir vocês.

Ah-ah! Agora sim! "Artificialmente bons." Gosto desta frase, e vou jogá-la na cara de alguém na primeira oportunidade possível. Foi por isso que eu saí de casa: por causa do artificialismo do comportamento de David, que impede que Deus o descubra. O paradoxo irônico é que, na realidade, David pode até acabar no inferno, pois Deus não terá a menor idéia de quem ele realmente é. Já estou me aproximando do ponto de vista cristão. A senhora simpática está argumentando que não fazer nada – o que não é o meu caso, pois eu sou médica e sou uma pessoa boa, mas minha bondade é orgânica e natural, e não artificial – é melhor e mais santo do que fazer algo. Resolvo imediatamente abrir meu coração para Deus, na esperança de que esta fé recém-descoberta possa de alguma forma ser usada como uma arma perversa na minha guerra conjugal. É verdade que nem todo mundo descobre Deus desta maneira. Pode-se argumentar que na realidade é um ato nitidamente anticristão a pessoa se converter na esperança de que isto enfureça outra pessoa. Mas é notório que Deus escreve certo por linhas tortas.

O sermão é seguido pela leitura de um trecho que acho tão pertinente que tenho de me controlar para não pular do banco e sair socando o ar. A leitura é feita por um dos poucos homens da congregação com fôlego para subir os degraus até o púlpito. Quando ele se recupera do esforço, começa a ler uma das cartas de São Paulo aos coríntios. É um trecho famoso, que já ouvi muitas vezes antes (como? onde?). Como sinto que já o conheço, começo a devanear. Mas a palavra "caridade" me traz de volta.

– A caridade não se vangloria, nem se pavoneia – diz o sujeito de fôlego. Viva São Paulo! Bem na mosca! Vangloriar e pavonear! Pavonear e vangloriar! Quem gosta disso deve ir até a nossa rua, que se tornou o Clube Social dos Vangloriadores e Pavoneadores! Por que nunca escutei este troço direito?

Tento pensar sobre tudo isto – para descobrir como causar os maiores danos possíveis – olhando para o outro lado da igreja, onde fica o que espero seja um lugar santo, mas acabo simplesmente olhando para alguém que ainda não tinha notado: um homem quase da mesma idade que eu, com o meu nariz e a minha pele, que está usando a velha jaqueta de couro do meu marido. Estou olhando para o meu irmão. Meu irmão!

Minha primeira reação – que mostra a situação do anglicanismo contemporâneo, e também revela minha suspeita de que este recente entusiasmo pela Igreja terá curta duração – é de imensa tristeza por ele; eu realmente não sabia que as coisas andavam tão desesperadoras. Fico olhando para Mark e consigo me convencer de que esse desespero está gravado no seu rosto. Obviamente, ele não está escutando uma só palavra do que a senhora simpática está dizendo; a certa altura dá um suspiro e apóia a cabeça no punho. Cutuco Molly e aponto para ele; ela passa dois minutos, tentando atrair, sem sucesso, a atenção dele, e depois cruza a igreja e junta-se ao tio. Mark leva um susto e depois a beija; olha em torno e me localiza. Trocamos sorrisos perplexos.

A simpática senhora louca já vai dar a comunhão. Trêmulos, os paroquianos colocam-se de pé e começam a arrastar-se para a frente. Esse tumulto – pois aqui isto equivale a um tumulto – permite que eu reúna meus familiares espalhados pela igreja e saia com eles.

– Oi – digo quando chegamos lá fora, dando um beijo em Mark e lançando-lhe um olhar de interrogação.

– É como esbarrar com alguém num bordel, não é? – comenta ele.

– É?

– É. Quer dizer, estou envergonhado por você ter me achado aqui. Mas, na verdade, você também não deveria estar aqui, não é?

– Eu tenho uma filha.

– Isso é desculpa para ir a *Toy Story 2*, e não à igreja.

– A gente vai vir toda semana – diz Molly. – Foi ótimo, não foi?

– Bom, o tio Mark vai trazer você na semana que vem. Quer ir tomar um café lá em casa?

– Quero. Obrigado.

Em silêncio, Mark e eu andamos até o carro – levamos apenas trinta segundos para isso! – ouvindo Molly cantarolar *1, 2, 3, 4... Juntem-se aos maus*, enquanto saltita no ritmo da música. Nem ele nem eu ficamos encantados ou nos divertimos com esse número, embora ela esteja sendo relativamente encantadora e divertida, para quem gosta desse tipo de coisa. Lembro que quando estava grávida de Tom, ficava observando outras mães e pais reagindo com indiferença ou irritação às criancices dos filhos, e me perguntava se um dia seria capaz de reagir da mesma forma. Não conseguia imaginar isso. A poção de esperança e hormônios que passa pelo nosso corpo durante a gravidez me induzia a crer que eu sempre teria vontade de chorar quando meu futuro filho fizesse uma gracinha. Mas essa sensação acaba sufocada dentro de nós – não pelos filhos, mas pela vida. Até temos vontade de chorar, mas já estamos ocupadas demais tentando não chorar por algum outro motivo, e hoje eu estou tentando não chorar por causa da situação do meu irmão.

Mark parece envelhecido; não me lembro de tê-lo visto tão envelhecido como está agora. A tristeza vincou-lhe umas rugas a mais em torno dos olhos e da boca, e há um toque grisalho nos pêlos da barba por fazer. Como geralmente ele anda bem barbeado, parece significativo que tenha deixado esse toque grisalho aparecer. Não me parece, no entanto, que ele tenha aceitado o processo de envelhecimento com dignidade; ele simplesmente desistiu, e sabe que não adianta esticar a mão para pegar o creme de barbear, pois barbear-se é a primeira jogada de um jogo que ele já perdeu vezes demais. Talvez isto seja tolo e melodramático da minha parte, pois se eu tivesse pegado Mark saindo de uma boate (ou um bordel) com esta aparência, a barba por fazer e o cansaço propiciariam uma interpretação inteiramente diferente, mas não foi isso que aconteceu. Peguei-o saindo de uma igreja, e conheço Mark o suficiente para supor que isto não é um bom sinal.

– E aí?

– E aí o quê?

– Foi só umazinha?

– Duazinhas.

– Duas vezes seguidas? Ou duas vezes na vida?

– Seguidas.

– E como está indo a coisa?

– Você estava lá. Quer dizer, ela... não bate bem da bola, não é?

– Então para que voltar? Por que não ir a outra igreja?

– Tenho medo de me viciar se eu for a uma igreja boa. Isso não tem chance de acontecer ali.

– É a lógica de um deprimido.

– Bom, isso é. Mas só podia ser, não?

Estaciono diante de casa, e nós entramos. BoasNovas e David estão à mesa da cozinha, curvados sobre uma folha de papel.

– Este é o meu irmão Mark. Esbarrei com ele numa igreja. Mark, este é o DJ BoasNovas.

Os dois trocam um aperto de mão, e BoasNovas lança um demorado olhar de interrogação para Mark, deixando-o claramente nervoso.

– Vocês dois podem se mandar agora? – digo. – Mark e eu queremos conversar em particular.

David me lança um olhar amoroso e magoado, mas os dois pegam seus pertences e desaparecem.

– Posso escutar? – pergunta Molly.

– Não. Tchau.

– Esse cara estava na festa – diz Mark. – Quem é ele?

– O BoasNovas? É o curandeiro espiritual do meu marido. Mora conosco agora. Com eles, pelo menos. Eu moro num conjugado a um quarteirão daqui. Mas as crianças não sabem disso.

– Ah, entendi. E aí? Mais alguma novidade?

– É mais ou menos isso.

Conto-lhe os acontecimentos das últimas semanas com a maior economia que ele permite e, enquanto estou falando, ocorre-me que Mark, mais do que qualquer pessoa, precisa livrar-se da sua tristeza.

– E você?

– Ah, você sabe – diz ele, dando de ombros.

– Sei o quê?

– Fui à igreja duas vezes na última quinzena. Isso meio que resume a coisa.

Ele não está dizendo que esta é a soma total de suas atividades; está dizendo que chegou ao fim da linha. Mark toma drogas, vai a shows de música, fala muito palavrão, odeia os conservadores e tem períodos de promiscuidade. Ao conhecê-lo, qualquer um diria que uma coisa que ele não faz é ir à igreja.

– Como foi que isso começou?

– Eu peguei o carro para vir visitar vocês. Estava me sentindo para baixo e achei que as crianças iriam me alegrar. Era domingo de manhã e... sei lá... Vi a igreja, estava na hora certa, e eu entrei. E você?

– Eu queria ser perdoada.

– Pelo quê?

– Por todas as merdas que eu faço – digo.

Mark acaba de entrar para a minha lista de culpas e, quando olho para ele agora, a lista me parece quase risivelmente complacente. Ele é um homem muito infeliz, talvez até suicida, e eu nem sabia disso. Todos os solitários... Ao menos sabemos de onde eles vêm: Surrey. Pelo menos foi de lá que Mark e eu viemos.

– Você não faz nenhuma merda.

– Obrigada. Mas eu sou humana. E os seres humanos vivem fazendo merda.

– Puta que o pariu. Que bom que eu vim aqui.

Dou-lhe uma xícara de café; ele acende um cigarro – parou de fumar há dez anos – e eu procuro o pires-cinzeiro de Mico, enquanto ele fala do emprego idiota que tem, da vida amorosa idiota que leva, dos erros idiotas que já cometeu e do ódio que começou a sentir de tudo e de todos, inclusive os mais próximos e mais queridos. Foi assim que ele acabou escutando uma mulher cantar versos de *O rei e eu* às dez horas de uma manhã de domingo.

BoasNovas já percebeu tudo, é claro. Sentamo-nos diante de um lanche apressadamente preparado e, sem esperar convite algum, ele adentra o charco fedorento que é a vida de Mark.

– Não quero que você pense que eu estou me metendo, saca? – começa ele. – Mas quando a gente se cumprimentou... Cara, você quase arrancou o meu braço.

– Lamento – diz Mark em tom de desculpa, mas compreensivelmente surpreso. Eu vi o cumprimento, e me pareceu um aperto de mãos normal. Em nenhum momento tive a impressão de que alguém ia acabar permanentemente inválido. – Machuquei você?

– Aqui dentro, machucou – diz BoasNovas batendo no coração. – Porque machuca quando eu sei que um semelhante meu está com problemas. Sua mão estava gritando por socorro como nunca vi uma outra gritar antes.

Involuntariamente, Mark dá uma olhadela em ambos os lados da mão, procurando indícios dessa angústia manual.

– Nada disso, você não vai ver nada aí. Não é uma coisa tipo visível. Quer dizer, eu sinto o troço fisicamente. Ui. Saca? – diz BoasNovas, fazendo uma careta e massageando a mão para mostrar a dor que Mark recentemente lhe causou. – A tristeza é uma sacanagem para ficar escondida. Uma sacanagem. Mas tem que sair um dia, e está jorrando do seu interior.

– Ah – diz Mark.

As crianças continuam mastigando ininterruptamente. Fico deprimida ao pensar que elas já estão tão acostumadas a este tipo de conversa que nem se espantam mais.

– Tenho certeza de que Mark prefere falar de outra coisa – digo esperançosamente.

– Talvez até prefira – acrescenta BoasNovas. – Mas não sei se seria uma boa idéia. Você sabe por que está triste, Mark?

– Bom...

– Pelo que eu vejo, é principalmente na área de relacionamentos e trabalho – diz BoasNovas, aparentemente pouco interessado em qualquer coisa que Mark tenha a dizer. – E a situação parece que está ficando séria.

– Séria a que ponto? – pergunta David, preocupado.

– Você sabe – diz BoasNovas, balançando a cabeça significativamente na direção das crianças.

– O Mark não precisa ficar aqui, precisa? – perguntei. – Por que vocês dois não esclarecem o assunto entre vocês?

– Ah, não podemos fazer isso – adverte BoasNovas. – Afinal, o Mark conhece a tristeza dele melhor do que qualquer um de nós.

– É mesmo? – digo em tom sarcástico, fazendo uma cara sarcástica e tentando assumir uma postura sarcástica. Tudo em vão.

– Ah, claro. Eu só tenho uma sensação muito vaga das causas.

– Eu diria que meus relacionamentos e meu trabalho cobrem quase tudo – diz Mark.

– Quer resolver isso? – pergunta David.

– Bom, sim, não seria má idéia.

– O BoasNovas tira a tristeza esfregando a gente – afirma Molly em tom objetivo. – As mãos dele ficam quentes, e a tristeza vai embora. Eu já não estou mais triste pela vovó Papagaio, nem pela Poppy, nem pelo bebê da mamãe que morreu.

Mark quase engasga.

– Cristo, Katie...

– Experimente, tio Mark. É ótimo.

– Posso comer mais presunto, mamãe? – pergunta Tom.

– A gente pode fazer muito bem a você, Mark – diz David. – Se quiser, você pode se livrar de um monte de coisas aqui hoje.

Mark empurra a cadeira para trás e se levanta.

– Não vou ficar escutando esta merda – diz ele, saindo.

Casar e criar uma família é como emigrar. Eu vivia no mesmo país que meu irmão, e compartilhava os valores, gostos e atitudes dele; depois fui embora. Apesar de não notar, comecei a falar com um sotaque diferente e a pensar de forma diferente. Embora recordasse minha terra natal afetuosamente, já perdera todas as características dela. Atualmente, porém, quero voltar para casa. Vejo que cometi um grande erro, que o novo mundo não é aquilo que se supõe e que as pessoas de lá são muito mais saudáveis e sábias do que as pessoas que vivem no país que eu adotei. Quero que meu irmão me leve com ele. Nós podíamos ir para a casa da mamãe e do papai. Seríamos mais felizes lá. Mark não era um suicida quando morava lá, e eu não era cheia de preocupações e culpas. Seria ótimo. Provavelmente brigaríamos para escolher os programas de televisão, mas fora isso... E não cometeríamos os erros de antes. Não resolveríamos que queríamos crescer e viver vidas próprias. Já tentamos isso e não deu certo.

Saio atrás de Mark, e ficamos sentados no carro.

– Você não pode continuar assim – diz ele.

Dou de ombros.

– Não é impossível. O que pode me acontecer se eu continuar assim?

– Você vai pirar. Não vai conseguir criar seus filhos. Não vai conseguir trabalhar.

– Talvez eu é que seja patética. Meu marido arranjou um passatempo novo e convidou um amigo a se hospedar aqui conosco. Tudo bem, o passatempo é redimir almas, mas... Eu deveria ser capaz de lidar com isso, entende?

– Eles estão loucos.

– Fizeram umas coisas bem impressionantes. Conseguiram que a rua toda recebesse crianças desabrigadas.

– Sim, mas... – diz Mark, calando-se, pois não consegue pensar em nada para dizer. É sempre "Sim, mas..." e depois nada, quando os desabrigados entram na roda.

– E em todo caso, você também é péssima propaganda para o outro lado? Cristo. Você tem trinta e oito anos, não trabalha em tempo integral, vive deprimido e sozinho, e começou a ir à igreja porque seu estoque de idéias se esgotou.

– Eu não sou do outro lado. Sou apenas... normal.

Dou uma risada.

– Sei. Normal. Está certo. Suicida e desesperançado. O negócio é o seguinte: lá dentro, todos estão loucos. Mas nunca vi o David tão feliz.

Tarde da noite, quando já estou aninhada no meu conjugado, leio o caderno cultural do jornal, feito a adulta que estou desesperadamente tentando me tornar. Na resenha de um livro, alguém diz que a irmã de Virginia Woolf, Vanessa Bell, levou uma "vida rica e bela". Sigo a frase até o final, e acabo num beco sem saída. O que isso pode significar? Como se pode levar uma vida rica e bela em Holloway? Com David? Com BoasNovas? Com Tom, Molly e dona Cortenza? Com mil e duzentos pacientes e um turno de trabalho que às vezes vai até sete da noite? E quem não vive uma vida rica e bela? Será que isso significa que estragamos tudo? é um perdedor? A culpa é nossa? Quando David morrer, alguém vai dizer que ele também viveu uma vida rica e bela? É essa vida que quero impedi-lo de viver?

Molly consegue a festa de aniversário que quer: nós quatro e Gloria vamos nadar, depois vamos comer hambúrgueres, e depois vamos ao cinema ver *A fuga das galinhas*, que Gloria não consegue entender. Após algum tempo, Molly conclui que Gloria é, para todos os fins, cega, e começa a narrar o filme para ela, coisa que acaba provocando uma reclamação irritada na fila de trás.

– Ei. Feche a matraca aí.

– Ela não é muito inteligente – retruca Molly num tom de autodefesa magoada. – É meu aniversário, e ela foi convidada para a minha festa porque não tem amigos. Fiquei com pena dela, e quero que ela aproveite o filme. Ela só pode fazer isso se souber o que está acontecendo.

Faz-se um silêncio chocado – ou aquilo que, em minha vergonha, imagino ser um silêncio chocado – e depois ouve-se o barulho de alguém fingindo vomitar exageradamente.

– Por que aquele homem fingiu que estava vomitando? – pergunta Molly depois de deixarmos Gloria em casa.

– Ele vomitou por sua causa – diz Tom.

– Por quê?

– Porque você é nojenta.

– Já chega, Tom – diz David.

– Mas ela é. Tão boazinha.

– Você não quer que ela seja boa?

– Não. Ela só faz isso para se exibir.

– Como você sabe? Em todo caso, que diferença faz? O que interessa é que Gloria se divertiu, para variar. Se isso foi porque a Molly estava se exibindo, tudo bem.

E Tom se vê silenciado, como todos se vêem silenciados, pela irretrucável lógica de David.

– "A caridade não se vangloria nem se pavoneia" – digo.

– Como?

– Você me ouviu. Vocês dois estão se pavoneando e se vangloriando a cada oportunidade que aparece.

– É – diz Tom com voz sombria. Ele não sabe do que eu estou falando, mas reconhece um tom de voz agressivo.

– Que história é essa? – pergunta David. – De onde saiu esse negócio de se pavonear e se vangloriar?

– Da Bíblia. Da carta de São Paulo aos coríntios, capítulo 13. Eles leram isso na igreja no domingo.

– Aquele trecho que foi lido no nosso casamento?

– O quê?

– Coríntios, capítulo 13. Foi seu irmão quem leu.

– O Mark não leu nada sobre a caridade. Era tudo sobre o amor. Aquele trecho meloso que todo mundo pede para ser lido.

Por favor me perdoe, São Paulo, pois não acho aquilo nada meloso; acho, e sempre achei, aquilo lindo, mesmo que todo mundo também ache, e fui eu que escolhi esse trecho.

– Sei lá. Só sei que Coríntios, capítulo 13 foi o que foi lido no nosso casamento.

– Tudo bem, eu me enganei de número. Mas o trecho que foi lido na igreja no domingo era todo sobre a caridade. Dizia que a caridade não se pavoneia. Pensei em você e no seu amigo-pavão.

– Obrigado.

– Foi um prazer.

Seguimos adiante em silêncio, mas subitamente David soca o volante do carro.

– É a mesma coisa – diz ele.

– O quê?

– O amor não é gabola nem orgulhoso. Não se vangloria nem se pavoneia. Entendeu? O que Mark leu foi uma tradução.

– Não era amor. Era caridade.

– É a mesma palavra. Agora estou lembrado. *Caritas*. É latim, grego ou coisa assim. Às vezes isso é traduzido como "caridade", e às vezes é traduzido como "amor".

Então foi por isso que as palavras me pareceram estranhamente familiares: meu irmão leu a mesma coisa no meu próprio casamento, e esse é um dos meus trechos prediletos. Por alguma razão, sinto-me tonta e enjoada, como se houvesse feito algo terrível. O amor e a caridade compartilham a mesma raiz verbal... Como é possível isso, se tudo no nosso passado recente sugere que os dois não podem coexistir, que são antitéticos, e que se forem enfiados juntos num saco ambos irão se morder, se unhar e berrar até um dos dois ser despedaçado?

– "E embora eu tenha fé para mover montanhas, sem amor nada sou". É isso.

– A gente tem essa música – diz Molly.

– Não é uma música, idiota – diz Tom. – É a Bíblia.

– A Lauryn Hill canta isso. Naquele CD que o papai comprou há séculos. Eu ando ouvindo o disco no meu quarto. Na última música ela canta isso – diz Molly, brindando-nos com uma bela, ainda que ocasionalmente desafinada, interpretação da carta de São Paulo aos coríntios, capítulo 13.

Quando chegamos em casa, Molly põe a música de Lauryn Hill para tocar; David desaparece escada acima e volta com uma caixa cheia de lembranças do dia do nosso casamento, uma caixa que eu nem sabia que tínhamos.

– De onde saiu isso?

– Daquela mala velha embaixo da nossa cama.

– Foi minha mãe que nos deu isso?

– Não.

Ele começa a remexer na caixa.

– Quem deu, então?

– Ninguém.

– Como assim, ela apareceu sozinha?

– Você não consegue pensar em outra explicação?

– Deixe de idiotice, David. É uma pergunta muito simples. Não há necessidade de tanto mistério.

– A resposta também é muito simples.

Ainda assim, não consigo atinar com a coisa; dou um rosnado de impaciência frustrada e começo a me afastar.

– É minha – confessa ele, baixinho.

– Por que passou a ser sua, agora? – digo em tom agressivo. – Por que não é nossa? Eu também estava lá, sabia?

– Não, quer dizer, é claro que é sua também, se você quiser. Só estou dizendo... que eu comprei a caixa. E juntei tudo isso. Foi assim que a caixa apareceu aqui.

– Quando? – pergunto, ouvindo um tom de muxoxo na minha própria voz, como se eu não acreditasse nisso, e ele estivesse de alguma forma tentando passar a perna em mim.

– Não sei. Quando nós voltamos da lua-de-mel. Foi um dia fantástico. Eu estava tão feliz. E não queria esquecer nada.

Prorrompo em lágrimas e choro sem parar, até ter a impressão de que não estou soltando sal e água pelos olhos, e sim sangue.

13

"Sem amor nada sou", canta Lauryn Hill pela décima segunda, décima sétima e vigésima quinta vez no aparelho de CD de Janet. E a cada vez eu penso: pois é, isso sou eu, eu fiquei assim, um nada. Aí, ou choro de novo, ou simplesmente tenho vontade de chorar. Percebo agora que foi por isso que a tal caixa de David me deixou tão arrasada: não foi só porque eu não sabia que meu marido ainda sentia algo a respeito do dia do nosso casamento, e sim porque o lado meu que deveria sentir coisas está doente, moribundo ou morto. E eu só notei isso hoje.

Não sei ao certo quando isso aconteceu, mas sei que foi há muito tempo – antes de Stephen (ou não teria existido um Stephen), e muito antes de BoasNovas (ou não teria havido um BoasNovas), mas depois que Tom e Molly nasceram, porque nessa época eu era algo e alguém; a pessoa mais importante de todo o mundo. Se eu tivesse um diário, poderia datar a coisa com precisão. Poderia ler um verbete e pensar, ah, sim, foi em 23 de novembro de 1994, quando David disse isto ou fez aquilo. Mas o que David poderia ter dito ou feito para que eu me fechasse dessa forma? Não, desconfio que eu mesma me fechei, que algo dentro de mim enfartou, ressecou ou esclerosou. Deixei que isso acontecesse porque era mais conveniente para mim. Sobrou apenas o suficiente para Molly e Tom, mas isso na verdade não conta, pois é um reflexo, e esses periódicos episódios de calor humano mais parecem meu periódico desejo de mijar.

Talvez este seja o problema de todos nós. Talvez Mark achasse que ia encontrar esse calor humano na igreja; talvez todo o pessoal da rua que hospedou as crianças desabrigadas achasse que elas iam encontrar esse calor nos quartos desocupados; e talvez David tenha encontrado isso nas pontas dos dedos de BoasNovas. Ele foi procurá-lo porque queria sentir esse calor mais uma vez, antes de morrer. Como eu também quero.

Ah, não estou falando de amor romântico, essa fome louca por alguém que nem conhecemos muito bem. E os sentimentos que constituem a minha semana de trabalho – a culpa, é claro, o medo, a irritação e outras perturbações ignóbeis que simplesmente servem para me deixar mal metade do tempo – não me bastam, e não bastam para ninguém. Estou falando daquele amor que era parecido com otimismo, benignidade... Onde foi parar aquilo? Ao que parece, meu combustível simplesmente acabou no meio do percurso. Acabei decepcionada com o meu trabalho, meu casamento e comigo mesma, e virei uma pessoa que não sabia o que mais esperar da vida.

O truque, aparentemente, é evitar o arrependimento. Esse é o segredo. Não dá para fazer isso eternamente, pois é impossível não cometer os erros que abrem as portas para o arrependimento, mas os mais bem-sucedidos conseguem se arrastar até os sessenta ou setenta anos de idade antes de sucumbir. Eu consegui chegar aos trinta e sete, e David também, mas meu irmão entregou os pontos antes disso. E não sei ao certo se arrependimento tem cura. Desconfio que não.

A nova paciente parece vagamente familiar, mas não estou muito atenta: a menininha turca que acabo de atender provavelmente tem um problema sério, e fiquei tentando explicar à mãe dela, com a ajuda de uma assistente social que falava turco, por que a estava mandando fazer uma tomografia computadorizada. Portanto, estou meio nervosa, e inicialmente o problema de pele desta nova paciente não me causa tanto interesse quanto eu gostaria que causasse.

Peço que ela tire a blusa, e a mulher brinca, dizendo que detesta mostrar a barrigona para médicas odiosamente esbeltas. No momento em que o suéter cobre-lhe o rosto, reconheço sua voz; é a tal senhora simpática da igreja.

Ela levanta para que eu veja a inflamação nas suas costas.

– Já teve isso antes?

– Não tenho há muito tempo. É devido ao estresse.

– Por que você diz isso?

– Porque tive isso pela última vez quando minha mãe morreu. E agora ando cheia de problemas no trabalho.

– Que tipo de problemas?

É uma pergunta antiprofissional. Vivo escutando que as pessoas têm problemas no trabalho e nunca mostrei o menor interesse por isso, embora até estale a língua quando tenho um surto especial de solidariedade. Esta senhora simpática, porém... É claro que quero saber o que anda errado no trabalho dela.

– Meu trabalho não tem o menor sentido, e eu odeio os meus... odeio o pessoal para quem trabalho. Principalmente... bom, principalmente o meu chefe.

– Pode vestir a blusa de novo – digo, começando a preencher uma receita. – Estive na sua igreja na semana passada.

Ela fica vermelha e diz:

– Eu não deveria ter dito nada.

– Ah, não faz mal. Existe sigilo entre médico e paciente.

– Então você já sabe quais são os meus problemas.

– Sei mesmo?

– Não é óbvio?

Resolvo que é melhor não dizer nada. O que é óbvio para mim – sua interpretação de “Conhecendo você” foi uma verdadeira tortura e suas referências aos sucessos musicais atuais eram tão equivocadas que pareciam insanas – pode não ser óbvio para ela, e talvez eu só consiga enfurecer aquelas raivosas manchas vermelhas nas suas costas. Preencho a receita e entrego o papel a ela.

– Eu gostei de ter ido – digo.

– Obrigada. Mas o problema é que eu já não acredito no que faço. Acho que é pura perda de tempo, e meu corpo sabe disso. Daí me sinto mal todo dia.

– Bom, tomara que eu possa ajudar um pouco.

– Por que você foi à igreja? Nunca esteve lá antes, esteve?

– Não, eu não sou cristã. Mas estou passando por uma crise espiritual, de modo que...

– Os médicos têm crises espirituais?

– Aparentemente têm. Meu casamento está afundando. Eu estou muito triste e preciso resolver o que fazer. O que você recomenda?

– Como?

– O que eu devo fazer?

Ela dá um sorriso nervoso; não sabe ao certo se eu estou brincando ou não. Subitamente, vejo-me consumida pelo desejo de ouvir o que ela tem a dizer.

– Já lhe disse o que fazer em relação à inflamação. É para isso que eu estou aqui. Agora você me diz o que fazer em relação ao meu casamento. É para isso que você está aqui.

– Não sei se você compreende bem qual é o papel da igreja.

– Qual é, então?

– Não é a mim que você deve perguntar isso? Pois eu não faço idéia.

– Quem faz, então?

– Já tentou fazer terapia?

– Não estou falando de terapia. Estou falando do que é certo ou errado. Disso você entende, ou não?

– Quer saber o que a Bíblia fala do casamento?

– Não! – digo. Ouço meu próprio grito, mas parece que não consigo me controlar. – Quero saber o que VOCÊ fala. É só me dizer. Vou seguir a sua recomendação, seja para ficar ou ir embora. Diga.

E estou falando sério. Estou farta de não saber o que fazer. Quero que outra pessoa esclareça as coisas para mim.

A senhora simpática parece um tanto temerosa, e creio que tem todo o direito de estar assim. Estou pensando seriamente em mantê-la em cativeiro até ela me dar uma resposta, seja esta qual for. Mas não vou contar-lhe este plano de ação ainda.

– Doutora Carr, não posso lhe dizer o que fazer.

– Lamento, mas isso não é resposta.

– Quer ir conversar comigo no meu escritório?

– Não, não é necessário. Seria perda de tempo. É uma questão de sim ou não. Não quero passar horas conversando sobre o assunto com você. Estou pensando nisso há meses. Agora chega.

– Vocês têm filhos?

– Temos.

– O seu marido é um homem cruel?

– Não, agora não é mais. Antigamente era, mas depois viu a luz. Não o seu tipo de luz. Outro tipo.

– Bom... – diz ela, que parece à beira de falar alguma coisa, mas subitamente se levanta. – Isto é ridículo. Eu não posso...

Arranco a receita da sua mão, e digo:

– Nesse caso, também não posso lhe dar ajuda alguma. Você faz o seu serviço, e eu faço o meu.

– Esse não é o meu serviço. Por favor me devolva a receita.

– Não. Não estou pedindo muito. Só quero saber o seguinte... fico, ou vou embora? Meu Deus, porque vocês são tão tímidos? Não é de surpreender que as igrejas estejam vazias... vocês não conseguem responder às perguntas mais simples.

Será que você não entende? É isso que nós queremos. Respostas. Se quiséssemos besteirol, ficaríamos em casa. Dentro das nossas cabeças.

– Acho que você vai fazer o que quer, de qualquer maneira, de modo que o que eu disser não vai fazer diferença.

– Errado. Errado. Porque eu já não tenho a menor idéia do que fazer. Lembra de *The Dice Man*, aquele livro que todo mundo lia na faculdade? Talvez na faculdade de teologia ninguém lesse, mas nas faculdades normais liam. Bom, eu sou a Pastora. Farei qualquer coisa que você disser.

Ela olha para mim e ergue as mãos, admitindo a derrota.

– Fique.

Subitamente, sinto-me sem esperanças, como sempre nos sentimos quando escolhemos uma entre duas alternativas. Tenho vontade de voltar àquele outro momento, dez segundos atrás, em que eu não sabia o que fazer. Pois o negócio é o seguinte: para uma pessoa metida numa encrenca como a minha, o casamento vira uma faca cravada na barriga, e a pessoa sabe que a encrenca será grande seja qual for a decisão. Ninguém pergunta a uma pessoa com uma faca cravada na barriga o que a deixaria feliz; sua felicidade não está mais em questão. É sua sobrevivência que interessa: a pessoa arranca a faca e sangra até morrer, ou deixa-a cravada na esperança de dar sorte e a faca estar na verdade estancando o sangramento? Para quem quiser saber, a recomendação médica de praxe é deixar a faca cravada lá. Sério.

– Sério?

– Sério. Eu sou pastora. Não posso sair por aí mandando as pessoas largarem a família por capricho.

– Ah! Você acha que é capricho meu?

– Desculpe, mas você não pode contestar a minha decisão. Não queria que eu dissesse algo? Eu disse. Agora você vai ficar. Quer me dar a receita?

Entrego a receita a ela. Estou começando a me sentir meio constrangida, como era de esperar.

– Não vou dizer nada a ninguém – diz ela. – Vou tomar como premissa que você está num dia ruim.

– Também não vou dizer nada sobre a música de *O rei e eu* – digo eu, de forma um tanto deselegante, dadas as circunstâncias. Se chegássemos a ser julgadas por má conduta profissional, quase certamente receberíamos veredictos diferentes, diante da gravidade relativa de nossos crimes. Ela poderia argumentar que faz parte de suas crenças iluminar os sermões com sucessos tirados dos grandes musicais; já eu teria de me esforçar muito para defender esta violenta negação de tratamento até receber conselhos conjugais inadequados.

– Boa sorte.

– Obrigada – digo, já me sentindo menos deselegante e dando-lhe um tapinha nas costas na saída. Vou sentir falta dela.

– Você já... Você já ameaçou algum paciente? – pergunto a Becca antes de ir embora. Becca já fez muitas, muitas maldades, algumas delas durante o expediente.

– Não – diz ela, chocada. – É isso que você pensa de mim?

Nosso número de médica boa/médica ruim é tão bem ensaiado que nem por um instante ela desconfia que isto é uma confissão, e não uma acusação. É por isso que é tão bom conversar com Becca: ela não escuta.

Quero falar com meu marido quando chego em casa, mas ele agora parece estar casado com BoasNovas. Os dois se tornaram inseparáveis; parecem ligados, não pelos quadris, mas pelas têmporas, pois só os vejo curvados sobre a tal folha de papel com as cabeças encostadas uma na outra. Presumivelmente, isso induz a um fluxo mútuo de energia psíquica.

Antigamente, seria razoável perguntar a David o que havia nessa folha de papel; na realidade, seria indiferença e grosseria não demonstrar algum interesse. Hoje em dia, porém, já ficou estabelecido que Molly, Tom e eu somos soldados, e que eles são os generais. Qualquer curiosidade de nossa parte seria considerada impertinência e passível de punição.

Bato na porta invisível do escritório.

– David, posso falar com você?

Ele ergue o olhar, momentaneamente irritado.

– Agora?

– Se possível.

– Diga.

– Podemos jantar hoje à noite?

– Nós jantamos toda noite.

– Você e eu. Fora daqui. Deixando BoasNovas de babá. Se ele aceitar.

– Hoje? – diz BoasNovas, consultando sua agenda eletrônica mental e descobrindo que por acaso está livre à noite.

– Tudo bem – diz David. – Você acha que a gente precisa conversar?

– Acho.

– Sobre...?

– Umas coisas. Talvez seja bom conversar sobre a noite de ontem, por exemplo. Sobre a minha reação.

– Ah, não se preocupe. Todo mundo se irrita de vez em quando.

– É, não dá para evitar. Como eu disse ao seu irmão, a tristeza pode ser uma sacanagem para ficar escondida e de repente sair – diz BoasNovas, fazendo um gesto magnânimo. – Esqueça isso. Não aconteceu nada.

Eles sorriem beatificamente e voltam à tal folha de papel. Fui dispensada. Mas não desejo ser dispensada.

– Não estou em busca de perdão. Quero conversar sobre o assunto. Quero explicar. Quero que a gente saia e tente se comunicar. Como marido e mulher.

– Ah, certo. Desculpe. Seria bom mesmo. Mas tem certeza de que não quer que BoasNovas vá com a gente? Ele é ótimo para essas coisas.

– Tenho de confessar que ando passando por um período muito intuitivo – diz BoasNovas. – E entendo o que você diz sobre marido, mulher e todo esse negócio de intimidade, mas é surpreendente quanta coisa consigo enxergar ziguezagueando entre vocês.

Ele faz um gesto em ziguezague, cujo significado exato me escapa, mas que presumo tenha a intenção de indicar uma comunicação conjugal enviesada.

– Obrigada, mas não é preciso – digo. – A gente liga para você se tiver problema.

Ele sorri pacientemente.

– Isso não vai dar certo. Eu vou estar de babá, lembra? Não posso simplesmente largar as crianças sozinhas aqui.

– A gente pede uma quentinha e volta para casa imediatamente.

Ele aponta o dedo para mim, querendo dizer que sou esperta. Como descobri a solução, temos permissão para sair.

– Então.

– Então.

É uma rotina tão familiar. Dois *poppadoms* apimentados para ele, um normal para mim, e uma guarnição de pedaços de cebola com *mango chutney* no meio da mesa para facilitar o uso do molho... Fazemos isto há quinze anos, desde que começamos a ganhar dinheiro; mas antes que alguém ache que a variedade e espontaneidade sumiram de nossa vida, quero ressaltar que só começamos a vir a este restaurante específico há dez anos. O restaurante que freqüentávamos antes foi vendido, e o cardápio mudou um pouco; viemos para este por ser o mais parecido com o que estávamos acostumados.

Mas nós precisamos de coisas como a Rainha do Curry. Não só David e eu: todo mundo. Que cara tem um casamento? O nosso tem esta cara: uma guarnição de cebola ensopada de molho da manga. Para nós, é isto que o diferencia dos outros. Este molho é a mancha branca na face de um gato preto, o número da placa de um carro novo, ou a etiqueta bordada na camisa do uniforme escolar de uma criança; sem isto, estaríamos perdidos. Sem esta guarnição e sua gosma alaranjada, talvez um dia eu voltasse do banheiro e me sentasse à mesa de um casamento completamente diferente. (E quem pode dizer que tal casamento completamente diferente seria melhor ou pior do que o meu? Subitamente, percebo o absurdo da minha decisão – não a decisão que a pastora me mandou tomar na clínica, que ainda parece tão boa ou tão ruim quanto qualquer outra, mas a decisão que tomei há tantos anos.)

– Você queria conversar – começa David.

– Você não quer?

– É, quero. Acho que sim. Já que você quer.

– Eu quero, sim.

– Está certo – concorda ele, fazendo uma pausa. – Pode começar, então.

– Vou parar de dormir na casa da Janet.

– Ah. Tudo bem – diz ele, bebendo um gole de cerveja. Parece não saber ao certo se esta notícia tem relevância na sua vida. – Você vai voltar para casa? Ou arranjou outro lugar para ir?

– Não, não, eu vou voltar para casa.

Subitamente, sinto uma certa pena dele, pois essa pergunta tem razão de ser. Geralmente os relacionamentos em crise dão alguma pista quanto ao seu eventual sucesso ou fracasso: os casais envolvidos começam a dormir juntos novamente, por exemplo, ou a se atacar mutuamente com facas de cozinha. A partir desses sintomas, pode-se fazer algum tipo de prognóstico. Mas nós não passamos por nada disto. Eu saí de casa sem explicar por quê, na realidade, e depois uma pastora simpática que nem me conhece mandou que eu voltasse, só porque a obriguei a isso. Não é de surpreender que David esperasse várias respostas possíveis para sua pergunta. Provavelmente ele achava que estava me perguntando quem iria ganhar o Grand National.

– Ah, certo. Tudo bem. Que bom. Que bom. Fico feliz.

– Fica mesmo?

– Fico, claro.

Tenho vontade de perguntar por quê, e depois argumentar contra qualquer coisa que ele disser, mas não é isso que vou fazer. Já parei com tudo isso. Tomei uma decisão – ou melhor, fiz alguém tomar essa decisão por mim – e não desejo voltar atrás agora.

– Há algo que eu possa fazer para facilitar as coisas para você?

– Está falando sério?

– Estou. Acho que sim.

– O que eu posso pedir?

– O que você quiser. Se eu achar que não é razoável, a gente conversa sobre o assunto.

– Há alguma possibilidade de BoasNovas encontrar outro lugar para morar?

– Isso realmente incomoda você?

– Incomoda, claro.

– Tudo bem. Vou dizer que ele tem que ir embora.

– Assim, sem mais nem menos?

– Assim, sem mais nem menos. Mas não sei se vai fazer muita diferença. Quer dizer, ele vai continuar por lá o tempo todo. Nós trabalhamos juntos. Somos colegas. Nosso escritório é lá em casa.

– Tudo bem – digo, refletindo sobre isto, e concluindo que David tem razão. Não vai fazer muita diferença. Não quero BoasNovas morando lá em casa, pois não gosto dele, mas esse problema não será resolvido se ele for passar as noites em outro lugar. Desperdicei um dos meus três desejos.

– O que vocês fazem, exatamente?

– Como assim?

– Você diz que trabalha junto com o BoasNovas. O que vocês fazem?

Uma mulher na mesa vizinha olha para mim; depois desvia o olhar e olha para David. Obviamente, está tentando descobrir qual é relação que tenho com este homem. Acabo de dizer que vou morar com ele, mas agora – um pouco tardiamente, ela deve estar pensando – quero descobrir o que ele faz.

– Ah-ah! Boa pergunta!

Quando uma pessoa normal responde assim a essa pergunta, geralmente está brincando. Por exemplo: "Boa pergunta! Deixa isso pra lá! E eu lá sei!", etc. Mas o que David quer dizer é: "Ufa! Como eu posso explicar isso, com toda a sua insondável complexidade!"

– Obrigada.

A mulher da mesa vizinha atrai o meu olhar. Está tentando dizer: "Não vá morar lá. Ele nem reconhece um comentário sarcástico." Tento responder a ela com métodos semelhantes: "Tudo bem! Somos casados há trocentos anos! Mas ultimamente, andamos meio afastados! Conversão espiritual!" No entanto, não sei se ela me entende. É muita informação para ser transmitida sem palavras.

– Estamos num estágio mais estratégico. Ainda não temos nenhum projeto em andamento, mas estamos pensando.

– Sei. Pensando em quê?

– Em uma maneira de convencer as pessoas a doar tudo o que ganham acima da média salarial nacional. No momento ainda estamos fazendo as somas.

– E como está indo a coisa?

– Você sabe, é dureza. Não é tão simples quanto parece.

Não estou inventando nada. É exatamente isto que ele diz, na vida real, aqui na Rainha do Curry.

– Ah, e também estamos meio que escrevendo um livro.

– Um livro.

– É. Vai se chamar "Como Ser Legal". Fala como devemos viver nossas vidas. Dá sugestões, entende? Tipo abrigar os desabrigados, doar dinheiro, o que fazer com propriedades imobiliárias e, sei lá, o Terceiro Mundo e coisa e tal.

– Então é um livro destinado aos altos funcionários do FMI?

– Não, é para gente como eu e você. Porque todo mundo uma hora fica confuso, não fica?

– Fica.

– Portanto, é uma boa idéia, não acha?

– É uma idéia fantástica.

– Você não está sendo sarcástica?

– Não. Um livro que nos diga o que pensar sobre tudo? Eu compraria.

– Vou dar um exemplar a você.

– Obrigada.

Depois desta cena, a mulher da mesa vizinha não quer atrair mais o meu olhar. Já não somos cúmplices. Ela acha que eu sou tão louca quanto David, mas isso pouco me importa. Preciso muito desse livro; acreditarei em cada palavra que houver lá e seguirei cada sugestão apresentada, por menos prática que seja. O "Como Ser Legal" se tornará a receita que a tal senhora simpática me negou. Só preciso dirimir as dúvidas e o ceticismo que me tornam humana.

Quando chegamos em casa, encontramos BoasNovas dormindo numa poltrona com um caderno aberto sobre o peito. Enquanto David põe a chaleira no fogo, pego o caderno cautelosamente e dou uma olhadinha no seu conteúdo. "VEGETARIANO OU CARNE?????", leio em grandes letras vermelhas. "ORGÂNICA PODE???? Provável." Sem dúvida o livro nos dirá como alimentar uma família de quatro pessoas com carne orgânica depois de termos doado a maior parte de nossa renda. Recoloco o caderno delicadamente onde o encontrei, mas mesmo assim BoasNovas acorda.

– E aí, foi jóia?

– Jóia – respondo. – Mas estou com uma dor de cabeça massacrante.

David entra na sala com três canecas de chá numa bandeja.

– Que chato – diz ele. – Você não me contou isso.

– Estou com essa dor há bastante tempo. Vários dias. Alguém tem alguma idéia do que fazer?

David ri e diz:

– Você conhece o BoasNovas. Ele é cheio de idéias. Mas eu achava que você não estava interessada nelas.

– Estou interessada em me livrar de dores de cabeça. Quem não estaria? E não posso mais tomar comprimidos. Passei o dia tomando um atrás do outro.

– É sério? – diz BoasNovas. – Você quer o tratamento?

– Quero. Por que não?

– E está preparada para o que pode acontecer? – pergunta David.

– Estou preparada.

– Tudo bem, então. Vamos até o escritório?

Sob certo aspecto, eu até gostaria de ter uma dor de cabeça, mas não tenho; tenho uma dor na alma, e quero me livrar dela, seja qual for o custo. Eu desisti. Não consegui derrotá-los, de modo que vou juntar-me a eles. Se por causa disso eu jamais voltar a pronunciar uma frase coerente, ter um pensamento sardônico ou brincar com colegas e amigos, que seja. Sacrificarei tudo que considero parte de mim em prol do meu casamento e da união familiar. Talvez o casamento não passe disso mesmo: a morte da personalidade. E talvez BoasNovas seja irrelevante ao processo. Eu já deveria ter me matado, por assim dizer, há anos. Subindo a escada, tenho a sensação de estar vivendo um suicídio pessoal.

BoasNovas entra comigo, e eu me sento na cadeira que David usa para escrever.

– Tenho que tirar a roupa? – pergunto. Não tenho medo de BoasNovas sob este aspecto. Duvido que ele tenha alguma sexualidade. Acho que sublimou a coisa de alguma forma, transformando-a no caldo do seu ensopado espiritual.

– Ah, não. Se eu não fosse capaz de atravessar algumas camadas de algodão, como conseguiria atingir a Katie interior?

– Então você quer que eu faça o quê?

– É só ficar sentada aí. Onde é a dor de cabeça?

Aponto para um lugar onde poderia haver uma dor de cabeça, e BoasNovas toca esse ponto delicadamente.

– Aqui?

– É.

Ele massageia minha cabeça por alguns instantes. A sensação é boa.

– Não estou captando nada.

– O que isso quer dizer?

– Tem certeza que a dor de cabeça é aqui?

– Talvez mais para o lado?

Ele desloca os dedos alguns centímetros, e começa a pressionar meu couro cabeludo delicadamente.

– Não. Nada.

– Sério? Nem... ui! Nem aí?

– Nem aqui. Sinto muito.

O tom de sua voz sugere que ele sabe que eu estou fingindo, mas que é polido demais para dizer algo.

– É isso, então?

– É. Não posso fazer nada. Não consigo encontrar a dor.

– Não pode pelo menos fazer o tal negócio das mãos quentes?

– Não é assim que a coisa funciona. Tem que haver algo aí.

– Como assim? – pergunto, pois sei que ele não está falando só da dor de cabeça. Está falando de outra coisa, algo que ele acha que está faltando, e acho que ele tem razão: há algo faltando, e foi por isso que entrei aqui, para começar.

– Sei lá. É o que as minhas mãos me dizem. Você não está... lamento que isto pareça grosseria, mas você não está toda aí. Tipo no sentido espiritual da palavra.

– E o David estava?

– Só podia estar.

– Mas isso é um absurdo! O David era um porco nojento, insensível e sarcástico!

– Bom, isso eu não sei. Mas nele havia algo com o que trabalhar. Já você... é como um carro sem bateria. Eu fico virando a chave, virando a chave, e só ouço choc-choc-choc-choc.

O barulho que ele faz representa exatamente o meu sentimento.

– Talvez você esteja precisando de uma recarga rápida – sugere ele alegremente. – Vamos descer e tomar chá?

14

Brian Biruta, meu Desânimo Número 1, é o primeiro paciente na manhã de segunda-feira, e não parece nada bem. Sei que ninguém se apresenta num consultório médico com a melhor das aparências, mas Brian piorou muito desde que o vi pela última vez, há cerca de três semanas. Ele parece estar de pijama sob a capa de chuva, e não se barbeou; tem o cabelo desgrenhado, o rosto acinzentado, e um hálito que só pode ser classificado como alcoólico-agrícola.

– Oi, Brian – digo alegremente. – Saiu apressado hoje de manhã?

– Por que você está dizendo isso?

– Você não está de pijama?

– Não.

Embora ele venha ao consultório com regularidade, desconfia de mim, e pensa que quero pegá-lo, como se eu achasse que ele não é quem diz que é. Talvez nem seja – talvez seja o Miguel Maluco, o Colin Cabeça-Oca ou o Len Lunático –, mas minha opinião, mais ou menos constante, é a de que ele é um homem doente e, portanto, necessitado de ajuda. Ele, porém, não vê a coisa assim. Parece achar que eu o banirei da clínica se conseguir desmascará-lo.

– Entendi. Isso é só um conjunto de calça e camisa, listado de rosa e azul.

– Não.

Prefiro não insistir (embora ele realmente esteja de pijama, e só esteja negando isso porque admitir o fato me daria algum tipo de informação crucial que ele não quer que eu tenha). Tratar de BB envolve regras não-escritas: podemos até nos divertir um pouco – caso contrário seríamos todos tão birutas quanto ele –, mas não demais.

– O que posso fazer por você?

– Estou com o estômago ruim. Estou com dor.

– Em que lugar?

– Aqui.

Ele aponta para o abdome. Por experiência adquirida, sei que não posso tocar qualquer parte do corpo de BB, mas como a maioria de suas queixas não se origina de problemas fisiológicos, e sim do segundo B do seu nome, isso não chega a ser uma desvantagem.

– Anda sentindo náuseas? Enjôo?

– Não.

– E no banheiro? Está tudo bem?

– Como assim? – pergunta ele, retomando o tom de desconfiança.

– Ora, Brian, se você está com dores abdominais, preciso fazer perguntas como essa.

Há dois anos, Brian negou freneticamente que utilizasse a privada, e admitiu apenas que fazia xixi. Vi-me forçada a insistir que eu também tinha movimentos intestinais, mas ele não me deu ouvidos, nem se mostrou interessado em ouvir as confissões de outros funcionários da clínica.

– Parei de ir.

– Há quanto tempo?

– Duas semanas.

– Então é provável que o problema seja esse.

– Sério?

– É. Duas semanas sem ir ao banheiro é o suficiente para dar dor de barriga em qualquer um. A sua alimentação mudou?

– Como assim?

– Você anda comendo coisas diferentes?

– Claro – responde ele com um muxoxo, para enfatizar a estupidez da pergunta.

– Por quê?

– Porque mamãe morreu, não morreu?

Se BoasNovas tocasse a minha cabeça agora, não diria que eu tinha uma bateria pifada. Diria que havia tudo que é tipo de coisa lá dentro: piedade, tristeza, pânico e falta de esperança. Jamais me ocorrera que Brian tinha mãe – segundo minhas anotações, ele tem cinqüenta e um anos –, mas isso faz total sentido. É claro que ele tinha mãe, e obviamente ela é que segurava a barra dele; como a mãe se foi, surgiram os pijamas e as dores abdominais.

– Sinto muito, Brian.

– Ela era velha, velha, velha. Disse que ia morrer um dia. Mas como ela fazia a comida quente? E como eu vou saber o que deve ser quente e o que deve ser frio? Porque às vezes a gente comia presunto. Frio. E às vezes a gente comia bacon. Quente. Mas quando eu compro comida, não me dizem qual é qual. Eu achava que diziam. E alface e repolho? E frango frio e frango quente? Tenho certeza que uma vez a gente comeu batatas frias, mas elas não eram como as batatas frias que eu comprei no supermercado. As que eu comprei eram horríveis. Acho que comprei as quentes por engano, mas elas ficaram batatas quentes frias. Eu fico confuso. Já ficava confuso quando comia, e agora fico confuso quando compro a comida. Eu me sinto muito confuso.

Este é, penso, um dos discursos mais tristes que já ouvi, e tenho que me controlar para não abraçar Brian e chorar no seu ombro. Tenho vontade de dizer a ele: "Eu também me sinto muito confusa. Todo mundo se sente assim. Nem é grande coisa não saber o que deve ser comido cru e o que deve ser cozido, quando a gente pensa nas coisas que confundem os outros."

– Acho que a sua barriga aprontou porque você anda comendo coisas como batatas cruas – digo por fim. – Mas tudo bem. Há várias coisas que nós podemos fazer.

E faço algumas delas. Receito um pouco de vaselina líquida, recomendo um prato de curry desses que são entregues em casa, para soltar bem o intestino, e prometo fazer um jantar para ele qualquer noite. Quando ele vai embora, ligo para o serviço de assistência social.

Quando chego em casa, David e BoasNovas anunciam que, após várias semanas de deliberação, finalmente isolaram seus candidatos para "reversão" – seus equivalentes de Gloria e Christopher, ou as pessoas em relação a quem se sentem mais culpados na vida. Estou cansada, faminta e um tanto desinteressada, mas eles continuam parados na minha frente, insistindo em me contar.

– Falem logo, então – resmungo com todo o cansaço que sinto, e até ampliando-o um pouco em busca de mais efeito.

– Meu candidato se chama Nigel Richards – proclama David orgulhosamente.

– Quem é Nigel Richards?

– É um garoto que eu vivia surrando na escola. Só que agora ele não é mais garoto. Era, no começo da década de 1970.

– Você nunca falou dele antes.

– Tinha vergonha demais – responde David em tom quase triunfante.

Não consigo evitar a sensação de que deve existir mais alguém, alguém mais recente – um ex-colega de trabalho, um parente, eu, eu, eu –, mas mesmo num dia como este, em que estou deprimida e cansada, prefiro não fornecer a David uma lista comprida e espinhosa com a qual ele possa se flagelar por meses a fio. Ele se sente culpado em relação a Nigel Richards? Pois Nigel Richards será.

Enquanto isso, BoasNovas escolheu a própria irmã.

– O que – pergunto – você fez à sua irmã?

– Nada, na verdade. Eu só... eu não agüento minha irmã, só isso. Por isso nunca vou à casa dela. E ela é minha irmã. Eu me sinto culpado por isso, saca?

– Eu ainda preciso brincar com a Gloria, mamãe?

– Você já fez a sua parte.

– Bom, na verdade ninguém chega a fazer completamente a sua parte, não é? – diz David. – É um compromisso para a vida inteira.

– Então Nigel Richards vai passar a ser o seu melhor amigo? Vamos passar o tempo todo com o senhor e a senhora Richards no futuro?

– Tenho certeza de que Nigel Richards não precisa de mim como melhor amigo. Tenho certeza de que ele já criou milhões de relacionamentos bem-sucedidos e recompensadores. Mas se isso não tiver acontecido, eu virarei amigo dele.

– Você virará amigo de um sujeito que não conhece, só porque batia nele há vinte e cinco anos?

– Exatamente. Eu não deveria ter feito isso.

– E essa é a única coisa que não deveria ter feito que você consegue lembrar?

– A única, não. A primeira.

Aparentemente, esta será uma vida muito longa.

Confesso que é idéia minha juntar forças, ou seja, reunir Brian, Nigel e a irmã de BoasNovas (que atende pelo nome de Cantata, um nome aparentemente escolhido por ela mesma após uma experiência muito intensa sob a influência de ácido no

Royal Festival Hall) à mesa de jantar, na esperança de expurgar todos os nossos pecados com um só golpe certeiro. Pelo menos é assim que apresento a coisa a David, que enxerga apenas a perspectiva de uma noite muito feliz, ainda que Nigel atualmente seja presidente de um banco multinacional e vá passar a noite toda sentado ao lado de Brian e seu intestino desarranjado.

Na verdade, eu desisti de esperar qualquer coisa que se aproxime de uma vida social agradável ou até mesmo tolerável. Por isso, minha motivação para tal sugestão é ao mesmo tempo cínica e desesperadamente perversa: por que não sentá-los todos juntos? Vamos botar pra quebrar! Quanto pior, melhor! No mínimo a noite será uma anedota, que poderá espantar e deliciar meus amigos por anos a fio; e talvez o desejo de passar noites agradáveis com gente que conheço e amo seja essencialmente burguês, repreensível e quase depravado.

BoasNovas é o primeiro. Ele telefona para o número de Cantata que ainda tem; recebe outro, depois outro e finalmente a localiza num cortiço invadido em Brighton.

– Cantata? BoasNovas.

Aparentemente, porém, ela não concorda, pois desliga.

BoasNovas liga novamente.

– Antesdevocêbaterotelefonenovamente me escute... Obrigado. Ando pensando muito em você, e em como tratei você. E eu queria...

– ...

– Eu sei.

– ...

– Eu sei.

– ...

– Ah, isso não foi culpa minha. Não fui eu que chamei a polícia. Foi a mamãe.

– ...

– Bom, ele não foi atropelado por mim. E também não fui eu que deixei a porta aberta.

– ...

– Ah, Cantata, aquilo custou setenta centavos. E eu tenho quase certeza de que já estava rasgado.

– ...

BoasNovas põe-se de pé com um pulo e continua pulando, para cima e para baixo, como se estivesse num trampolim. Ou melhor, como alguém que está tentando resolver uma disputa sangüínea – o tipo de problema que não pode ser resolvido por mãos que curam, nem respondido numa folha de papel, ou descrito num livro, mas apenas por pulos para cima e para baixo, para cima e para baixo, porque esta é a única reação que lhe sobra. Quisera eu ter pensado em pular para cima e para baixo meses atrás. Teria sido tão útil quanto qualquer outra coisa.

– Não! – berra BoasNovas. – Não, não, não! Vá se foder VOCÊ! Foda-se VOCÊ!

Depois bate o telefone com força e sai da sala.

– Você não vai conversar com ele? – pergunto a David.

– E dizer o quê?

– Sei lá. Tente fazer com que ele se sinta melhor.

– Ele não deveria ter dito isso. Estou muito decepcionado com ele. Nós devemos estar acima de tudo isto.

– Mas não estamos, não é mesmo?

– Não estou falando de você. Estou falando dele e de mim.

– Esse é o problema, não é? Vocês eram humanos o tempo todo. Só esqueceram disso.

Vou conversar com BoasNovas, que está deitado na cama, ruminando furiosamente e olhando para o teto.

– Peço desculpas por ter falado palavrão na frente das crianças.

– Tudo bem. Eles já ouviram o pai falar muito palavrão.

– Antigamente?

– É, antigamente – digo. Não me ocorrera que David já não fala palavrão na frente das crianças. Isso é bom, não é? Por certo alguém argumentaria que se trata de uma vitória de Pirro, obtida apenas em troca de termos um sujeito com cágados nas sobrancelhas morando conosco (pelo que já parece uma década), e de nossa vida perder toda a semelhança com a de uma família normal. Mas eu prefiro enfatizar o lado positivo.

– Você não deve se punir por isso – digo. – Quer dizer, só ouvi o seu lado da discussão, mas ela parece bastante insensata. O que foi aquele negócio dos setenta centavos?

– Uma porcaria de um pôster do Simon LeBon que ela tinha, e nunca esqueceu.

– Isso eu entendi.

– Katie, eu não agüento a minha irmã. Ela é horrorosa. Sempre foi e sempre será. Cantata! Que idiota.

Com enorme autocontrole, dispenso a oportunidade de debochar de certos nomes.

– Está tudo bem.

– Não, não está. Ela é minha irmã.

– Mas não precisa de você.

– Não tenho certeza disso.

– Se ela precisasse de você, mandaria notícias. Apesar desse infeliz incidente com o pôster do Simon LeBon.

– Você acha?

– Claro.

– Mesmo assim, estou me sentindo um fracassado, saca? É tudo amor para cá, amor para lá, e eu odeio a porra da minha irmã. Desculpe o palavreado.

E na minha opinião, ele tem razão. Ele é um fracassado, e meu interesse próprio exige que eu lhe diga isto. Quem eles pensam que são? Querem salvar o mundo, mas são incapazes de estabelecer um relacionamento decente com alguém? Como diz BoasNovas com tanta eloqüência, é tudo amor para cá e amor para lá; mas obviamente é muito fácil amar quem não conhecemos, seja George Clooney ou Mico. Manter boas relações com quem sempre partilhamos o peru de Natal é que é um milagre. Se BoasNovas conseguisse fazer essa proeza com suas mãos quentes, poderia morar conosco para sempre.

– Mas pense em todas as pessoas que você ajuda, e que precisam de você. Isso não é mais importante?

– Você acha?

– Claro.

Assim, BoasNovas é encorajado a continuar criando o caos, e por alguém que deveria ter mais bom senso. Mas – para cúmulo da ironia – sei que estou agindo certo.

É fácil localizar Nigel. David faz parte da associação de seus ex-colegas de turma, e em poucos minutos obtém o número de um celular. Deixa que todos nós ouçamos a conversa que se segue, tamanha a sua confiança em uma recepção calorosa e até, quem sabe, com direito a lágrimas.

– Alô, é o Nigel?

– ...

– Aqui é o David Grant – diz ele, com um sorrisinho de expectativa.

– ...

– O David Grant. Da escola.

– ...

– É, isso mesmo. Ha, ha. Como vai?

– ...

– Que bom, que bom.

– ...

– Bem, obrigado. O que você anda fazendo?

– ...

– Certo, certo. Excelente.

– ...

– Puxa!

– ...

– Uau!

– ...

– Sério? Muito bem. Escute...

– ...

– Quantos megabytes!

– ...

– Quanto capital de giro!

– ...

– Quanta milhagem! Escute...

– ...

– Sério? Parabéns.

– ...

– Não, quinze anos não são nada hoje em dia. Veja o Michael Douglas e...

– ...

– Ela é?

– ...

– Ela faz?

– ...

– Quantas capas de revistas!

– ...

– Ela fez isso? Bom, o Rod deve estar arrasado. Provavelmente nem quer falar no assunto, ha, ha... Em todo caso, eu só queria ficar a par das coisas. E já estou. Tchau, Nigel!

Ele desliga. Olho para ele e, por um instante, entrevejo o homem que eu conhecia antes: irritado, desdenhoso, carcomido de inveja e descontentamento.

– Você não convidou o sujeito para jantar.

– Não. Acho que para ele aquelas surras já não têm muita importância.

– Sério?

– É. E acho que ele não se daria muito bem com o Brian Biruta.

– Sei.

– Além disso, ele é um porco. Eu acabaria dando outro soco no sujeito, se ele viesse aqui.

– Como eu soquei o Christopher? – pergunta Tom alegremente.

– Exatamente – diz David.

– Tem umas pessoas em quem a gente simplesmente tem de bater, não é? – acrescenta Tom. – Não dá para evitar.

David não diz nada, mas fico com a impressão de que a ausência de um corretivo é significativa. É uma pena que este momento quase epifânico surja durante uma conversa entre meu marido e meu filho sobre a perpetração de atos violentos, mas ando aceitando qualquer momento epifânico que puder encontrar.

– Quem você vai tentar agora? – pergunto a David quando estamos nos aprontando para ir para a cama.

– Sei lá – responde ele em tom taciturno. – A coisa não funcionou, não é?

– Não sei direito o que você queria com aquilo. Mas também acho que não funcionou.

David senta-se pesadamente sobre as roupas usadas que cobrem a cadeira que há no nosso quarto. Há tantas roupas empilhadas ali que ele fica todo torto, inclinado em direção à janela feito uma planta caseira sedenta de luz.

– Sei que você acha tudo isso uma idiotice.

– O quê? Telefonar para gente que não lembra de você, a fim de pedir desculpas por algo que todos já esqueceram que você fez?

– Não estou falando só do Nigel Richards. De tudo.

Não digo nada. Apenas suspiro, o que é uma forma tão boa de responder quanto qualquer outra.

– Bom, eu também acho – diz ele. – Acho tudo isso uma idiotice incrível. Absurda. Patética.

– Você só está desanimado. Sofreu uma derrota. Peça desculpas para outra pessoa. Aquele pobre-coitado que você infernizava no jornal de bairro. Aquela amiga da mamãe que você não quis convidar para o nosso casamento.

– Não estou falando de pedir desculpas. Estou falando de tudo. De alimentar os pobres. De mandar todos doarem seu dinheiro. De escrever aquele livro. É tudo loucura, eu sei. Sei disso já há algum tempo. Só não deixei transparecer.

Quando David e BoasNovas foram para o telefone hoje à noite, a coisa parecia apenas mais um plano bem-intencionado, equivocado e totalmente sem sentido. Agora, porém, está claro que na realidade tratava-se de um momento decisivo no histórico familiar. É como a queda do Muro de Berlim: ninguém percebeu que ia acontecer, mas depois ficou claro que as contradições internas tornavam tal queda inevitável. Estava escrito que ia acontecer, tal como David acabaria percebendo que isso tudo é loucura. É estranho pressentir que estamos à beira de voltar à nossa vida antiga: sarcasmo, amargura, romances ruins, um quarto desocupado e menos uma boca pra alimentar... Para ser sincera, tenho sentimentos contraditórios a respeito disso. Por um período, as coisas ficaram interessantes, e até especiais.

– BoasNovas me falou da sua bateria descarregada – diz David. – Bom, a minha também está assim. Não há nada aqui dentro. Aquela empolgação inicial que eu senti... desapareceu completamente, e agora não sinto mais nada. É por isso que consigo enxergar a idiotice da coisa toda. Como você. Como todos os deprimidos que não conseguem entender o que deveriam estar fazendo da vida.

Não digo nada. Talvez amanhã eu tente descobrir o telefone de uma organização terapêutica para pessoas que sofreram lavagem cerebral em algum culto; tenho certeza de que este tipo de depressão é uma conseqüência inteiramente normal quando a pessoa perde todas as razões para viver.

– É por isso que não vou desistir – continua David. – Não posso fazer isso. Qual é a alternativa? Voltar a escrever colunas maldosas para o jornal de bairro sobre passageiros de ônibus idosos? Ha! Não dá. Isso é como... bom, é como um casamento. A gente tem que ficar se esforçando, na esperança de que o sentimento volte. E mesmo que não volte, eu vou saber que estou fazendo alguma coisa. Não vou estar sentado, só reclamando e sendo mesquinho.

– Então você vai sair por aí batendo à porta das pessoas e dizendo que elas precisam doar todas as suas economias, mesmo sem acreditar nisso?

– Não é que eu não acredite, exatamente. É mais como se, sei lá, eu apenas não desacreditasse.

– E isso basta?

– Não sei. Acho que não – responde ele, olhando para mim. – O que você acha?

– E eu lá entendo disso?

– Nós dois não estamos fazendo a mesma coisa?

– Estamos?

– Quanta paixão você enxerga no nosso casamento?

– Quanta paixão *você* enxerga no nosso casamento?

Acho justa a pergunta que acabo de devolver para David feito uma tenista junto à rede, aproveitando a força e o efeito que ele imprimiu à bola. Qualquer terapeuta de casais defenderia meu direito a fazê-la, mas sei que estou trapaceando. Isto acontece em todo relacionamento em crise. Sempre se pode fugir a uma pergunta, simplesmente repetindo-a. "Você me ama?" "Você quer se divorciar?" "Você é feliz?" Invariavelmente, nossos cônjuges mostram-se tão ambivalentes quanto nós, e se ele ou ela for humano ou humana, ou seja, covarde mas ao mesmo tempo cheio ou cheia de indignação moral, nem ele nem ela se comprometerão com qualquer expressão de paixão ou compromisso. Afinal, a ausência de paixão ou compromisso é a razão pela qual o relacionamento está em crise, ou não? Na minha experiência, portanto, é ao mesmo tempo fácil e aconselhável reduzir qualquer discussão séria a um impasse farsesco quase imediatamente. Anos podem se passar antes que se precise tomar uma decisão.

O que é atipicamente patético, neste caso, é que David nem está me pedindo para conversar seriamente sobre a nossa relação. Está usando nosso casamento retoricamente, como uma analogia, e mesmo assim eu mantenho o pé atrás. Quanta insegurança!

– Está bem, está bem – digo num impulso. – Não enxergo nenhuma paixão. Só não acabo com tudo porque tenho medo. Muita coisa depende do nosso casamento. E não quero ser a vilã da história.

– Exatamente – diz David em tom sério. – Bom, é isso que...

– Espere aí, espere aí. Exatamente? Só isso? Você não se importa que eu diga isso? Sabia o tempo todo?

– Katie, nos dois últimos meses você teve um caso e saiu de casa. Isso não chega a ser o retrato de uma noiva apaixonada, não é? Mas o que interessa é o que nós vamos fazer, se estamos os dois tão... mortos por dentro? Eu sinto que já avancei demais neste caminho para poder voltar. Talvez você também se sinta assim em relação ao nosso casamento. Por isso, qualquer coisa que nós fizermos vai ser muito difícil, muito mais difícil do que seria para quem sabe o que quer e por quê. Nós dois estamos sem bateria, mas precisamos continuar dirigindo o carro, seja como for. E eu não tenho idéia de como fazer isso. Você tem?

Abano a cabeça. Não gosto deste tipo de conversa. Prefiro o tipo "Você me ama?/Você me ama?", porque essas conversas podem continuar eternamente, sem chegar a lugar algum, e ninguém diz nada sobre o que valha a pena pensar novamente.

Fazemos amor nessa noite, pela primeira vez em séculos. Depois comentamos que é bom sentir algum calor, mesmo que este calor se localize na genitália e não na alma. Mas talvez algo engrene agora.

– Quanta paixão você enxerga no nosso casamento? – pergunto pouco antes de adormecer. É o momento certo para a pergunta: minha cabeça repousa no peito dele, e estou perguntando para saber, e não para fugir de uma pergunta que ele acaba de fazer.

– Quer mesmo conversar sobre isso agora?

– A resposta é comprida?

– Não muito. Eu só não consigo pensar num bom motivo para desistir. Assim como não consigo pensar num bom motivo para desistir das outras coisas.

– Então eu sou um caso beneficente?

– Você, não. Mas nosso casamento é. Nosso casamento parece um daqueles cachorros que a gente vê nos pôsteres da Sociedade de Proteção aos Animais. Magro. Patético.

– Despelado em alguns lugares. Com os olhos cheios de pus. E com queimaduras de cigarro.

– Exatamente.

Eu estava tentando ser frívola, e por um instante desejo que David compartilhe desta frivolidade; quero que ele pegue essa imagem maluca e brinque com ela. Mas ele não faz isso, obviamente.

– Enfim. É isso que eu penso do nosso casamento.

– O quê? Que o bicho deve ser sacrificado, e seus proprietários processados?

– Não, não. Quero dizer que eu não posso abandonar o bicho nesse estado, entende?

– Então você vai cuidar do bicho até ele recuperar a saúde, e depois vai embora.

– Ah, não. Eu jamais faria isso. Porque se o nosso casamento fosse saudável...

– Tudo bem. Eu estava brincando.

– Ah. Não percebi. Já não consigo perceber essas coisas muito bem, não é?

– Não muito.

– Desculpe.

É engraçado, mas de todos os pedidos de desculpas feitos nos últimos meses, este me parece o mais digno de pena, e o crime menos perdoável.

Brian foi levado para um asilo, que detesta.

– É cheio de velhotes e velhotas. Eles têm umas campainhas de emergência, que tocam a cada cinco minutos. Toda vez que eles caem. E eles vivem caindo. Eu não deveria estar lá. Quase nunca caio. Quer dizer, já caí, mas todo mundo cai, não cai?

Digo-lhe que sim, que todo mundo já caiu alguma vez.

– Quer dizer, aposto que você também já caiu, e você é médica. Provavelmente foi à faculdade e tudo o mais.

Digo-lhe que sim, que fui à faculdade, e que nem sete anos de educação formal me impedem de perder o equilíbrio ocasionalmente. Assim confirmo sua desconfiança de que é a idade, e não a inteligência, que tende a governar a capacidade de nos mantermos eretos, e de que apesar de não ter preparo para freqüentar uma faculdade, ele não deveria estar num asilo com um bando de trôpegos.

– Então pronto.

– Mas você está se alimentando melhor.

– A comida até que é boa. Vem em uns carrinhos. Refeições sobre Rodas. Portanto, eles sabem o que deve ser esquentado e assim por diante e coisa e tal.

– Que bom.

Faz-se um silêncio. Pela última contagem, eu tinha quinze pacientes esperando lá fora, mas é como se nós dois estivéssemos esperando um ônibus. Brian olha para o teto e começa a assobiar.

– Mais alguma coisa? – pergunto. Esse "mais" é uma gentileza da minha parte. É o meu jeito de fingir que realmente havia um bom motivo para a visita de Brian, e que ele não estava apenas desperdiçando o meu tempo.

– Na verdade, não – responde ele, voltando a assobiar.

– Então foi bom ver você novamente, Brian. E fico feliz por saber que você está melhor.

Para dar mais ênfase à coisa, fico de pé e sorrio.

– Quero o meu jantar – diz Brian em tom objetivo. – Você prometeu.

– Sim, mas... – digo. São onze horas da manhã. – Eu estava falando de uma refeição à noite. Algum dia.

– Eu espero. Não vou atrapalhar.

– Brian, você não pode esperar aqui dentro. As pessoas não vão querer que você fique aqui, caso eu peça que elas tirem a roupa.

– Ah, é. Não pensei nisso. E nem quero ver ninguém sem roupa. Vem gente gorda aqui, não vem? Não gosto muito de gordos. Vou esperar lá fora.

– Brian... Eu só paro de trabalhar às seis horas.

– Tudo bem.

Ele passa sete horas na sala de espera, e vai para casa comigo.

Já avisei David por telefone; quando Brian e eu chegamos, há um frango no forno e vários legumes fumegando na chapa elétrica. A mesa está posta, e vejo até flores. Todos os membros da minha família sabem quem é Brian Biruta, assim como sabem os nomes de todos os meus pacientes-desânimos; e por isso também avisei David que se algum dos meus filhos acrescentar um adjetivo, seja este qual for, ao primeiro nome dele na minha presença, ele ou ela passará um mínimo de dois anos sem comer *en famille*, incluídos aí o Natal e os aniversários.

Brian tira o casaco, senta-se e fica assistindo à *Sabrina, a bruxa adolescente* com as crianças, enquanto eu preparo o molho.

– O que está acontecendo aí?

– É *Sabrina, a bruxa adolescente* – resmunga Tom.

– Como assim?

Tom lança um olhar nervoso na minha direção.

– O nome do programa é esse – digo.

– Ah. Entendi. Diga de novo.

– *Sabrina, a bruxa adolescente* – explica Tom.

Brian dá uma grande gargalhada.

– Nunca ouviu falar desse programa? – pergunto.

– Nãooooo – diz ele, como se continuasse duvidando da existência de um programa assim. – Mas ela é só uma adolescente?

– É.

– E já é bruxa? Caramba.

Todos sorriem polidamente.

– Ela é jovem demais. Vocês não acham?

– Essa é a graça do programa – diz Tom. – Porque a maioria das bruxas não é adolescente.

– Como assim?

– Deixe as crianças verem o programa, Brian.

– Desculpe. Só queria esclarecer umas coisas na minha cabeça antes de assistir também.

E ele realmente assiste ao programa com um prazer enorme, ainda que ocasionalmente um tanto amalucado. Infelizmente o programa só dura mais trinta minutos, e aí já é hora de comer.

BoasNovas chega quando estamos nos servindo.

– Oi – diz ele para Brian. – Sou BoasNovas.

– Como assim? – pergunta Brian em tom nervoso.

– Como assim? – diz BoasNovas com grande formalidade, apertando a mão de Brian.

BoasNovas, que também já foi informado de que passará a noite com um excêntrico, obviamente ficou com a impressão equivocada de que "Como assim?" é o cumprimento excêntrico de Brian, uma versão maluca de "Como vai?".

– Não! – grita Tom. – Ele não entendeu o seu nome!

– Não entendeu meu nome?

– Você deve ter um nome como Tom, Brian, David ou doutora Carr – diz Brian. – Qual é o seu nome assim?

– Pois é – digo. – Qual é o seu nome assim?

– Isso não tem importância – diz BoasNovas a Brian. – Meu nome agora é BoasNovas. Porque isso é o que quero trazer, saca?

– Pois eu quero trazer Brian – afirma Brian com firmeza. – Para que Brian possa jantar.

– Que bom para você – diz David.

Comemos em silêncio, e no caso de Brian com tremenda rapidez. Quando acabo de me servir de molho, ele já põe o garfo e a faca sobre o prato vazio.

– Essa foi a melhor refeição que já comi em toda a minha vida – diz ele.

– Sério? – pergunta Molly.

– É claro. Como eu já poderia ter comido uma refeição melhor do que essa? Minha mãe não sabia cozinhar assim.

– E você?

– Não. Eu não sei o que deve ou não deve ser cozido, entende? Fico confuso.

– Sério?

– Ah, é. Confuso às pampas.

– Posso fazer um teste com você? – pergunta Molly.

– Pode, mas eu não vou saber a resposta.

– Coma o seu jantar, Molly – digo. – Quer um pouco mais, Brian?

– Geralmente não tem mais.

– Aqui tem, e você pode comer mais se quiser.

– Não custa mais?

Olho para ele, esquecendo por um instante que Brian é incapaz de fazer brincadeiras deste tipo.

– Você não sabe que não vai ter que pagar pelo jantar, Brian?

– Como assim?

– Isto aqui não é um restaurante. Você é nosso convidado.

– Bom... não sei o que dizer. Você me disse que eu tinha que beber aquele troço e eu tive de pagar. Depois me mandou comer um prato de curry e eu tive que pagar. Aí disse que eu tinha que vir jantar aqui e achei que eu tinha que pagar também. Trouxe cinco libras. O prato de curry foi cinco libras. Quatro e noventa e cinco.

– Nós não queremos o seu dinheiro, Brian.

– Que coisa incrível. Vai para a conta do Serviço Nacional de Saúde?

– Vai para a conta do Serviço Nacional de Saúde.

Molly fica fascinada com Brian, e começa a fazer-lhe perguntas sem parar: onde ele mora? O que ele faz o dia todo? Quem são os seus amigos? Ele tem família?

Cada resposta parece uma martelada a forçar as cabeças dos adultos em direção à mesa. Ao final do inquérito de Molly, já estamos com os narizes quase encostados nas batatas assadas. Brian não faz quase nada o dia todo, a não ser nos dias em que vai ao consultório; não tem amigos (acha que tinha dois na época da escola, mas já não sabe onde eles estão); tem uma irmã, mas ela o chama de Brian Biruta e não quer saber dele. (Esta resposta é seguida por um silêncio especialmente tenso, e fico satisfeita e espantada ao ver que meus dois filhos ignoram a imensa e suculenta minhoca pendurada à sua frente.)

– Você não gostaria de morar com alguém? – pergunta Molly.

– Eu adoraria – diz Brian. – Eu achava que ia morar com a minha mulher. Mas não consegui encontrar uma.

– Mamãe – diz Molly.

Começo a tossir freneticamente, e levanto para pegar um copo d'água.

– Mamãe – diz Molly, depois que acabo de beber a água e dar uma longa explicação sobre os motivos presumíveis que me levaram a tossir daquele jeito.

– Quer mais um pouco? – pergunto. Ela me ignora.

– Mamãããe.

– E você, Tom? David? BoasNovas? – digo. Sei que mais cedo ou mais tarde terei de deixar minha filha falar. Um dia ficarei sem táticas postergatórias, mas esperançosamente esse dia levará vários anos para chegar. – Querem sair da mesa, crianças?

– Mamãããeee.

– Molly, é falta de educação falar quando... quando... ninguém quer nos escutar.

– Mamãe, o Brian pode vir morar com a gente?

– Obrigado – diz Brian. – Eu adoraria. Lá onde eu moro é muito solitário, porque eu não conheço ninguém, e não tenho nada para fazer. Vocês podiam virar a minha família. Podiam cuidar de mim feito a minha mãe cuidava.

– O que aconteceu com a sua mãe? – pergunta Molly.

– Nada – rebato, já percebendo que esta é uma resposta inadequada, quase certamente provocada pelo pânico.

– Ela morreu – diz Brian. – Disse que não ia morrer, mas morreu.

– Que tristeza – comenta Molly. – Não é, mamãe?

– É – admito. – É uma tristeza.

– É por isso que o Brian deveria morar aqui.

– Obrigado – diz Brian. – Eu vou adorar.

– Molly, o Brian não pode morar aqui.

– Pode sim, não pode, papai? – insiste Molly. – O Mico morou aqui um tempo, Brian. E se o Mico morou com a gente, você também pode morar.

– Não posso morar aqui só por um tempo – diz Brian prestativamente. – Teria que ser para sempre.

– Tudo bem – diz Molly. – Não é, papai? Para sempre? É isso que a gente faz aqui. É ótimo. A gente cuida dos pobres. A gente é muito legal. Todo mundo acha isso.

– Eu não sou pobre – diz Brian. – Tenho algum dinheiro.

– Você é um pobre diferente – diz Molly.

Tom, que vem mantendo um silêncio sinistro, levanta-se violentamente. O movimento de seu lábio inferior pressagia uma explosão.

– Se ele vier morar aqui...

– Sente-se, Tom – digo. – Eu vou cuidar disto.

– Não vai. Porque o papai vai dizer a você o que fazer, e você vai obedecer. E o papai vai dizer que...

– Vá ver televisão. Ande. Suma daqui.

Vagamente, percebo que este é um momento de definição no histórico da nossa família. Não só porque Brian Biruta pode morar conosco até o dia em que eu morrer, e talvez por mais tempo ainda – coisa que certamente nos definiria, como o esboço do corpo feito com giz define a vítima de um assassinato –, mas também porque se decidirmos o contrário, ou seja, se eu disser a Brian que ele não pode morar conosco, talvez as coisas passem a ser diferentes nesta casa.

– Molly... Brian, você não pode vir morar aqui.

– Por que não? – pergunta Molly.

– É, por que não? – pergunta Brian também. – Por que vocês podem ter uma família e eu não?

– Pois é – diz Molly. – Não é justo.

Ela tem razão, é claro. Não é justo. Acontece que o amor é tão pouco democrático quanto o dinheiro, de modo que se acumula em torno de gente que já tem muito: os sãos, os saudáveis, os amáveis. Eu sou amada pelos meus filhos, meus pais, meu irmão, meu esposo, acho eu, e meus amigos; Brian não tem ninguém, e jamais terá. Por mais que queiramos espalhar esse amor um pouco, não podemos. Mas nunca vi uma pessoa mais necessitada de um lar do que Brian, que por acaso só conhece o nosso lar. Por certo, então, somos nós que devemos oferecer-lhe hospitalidade. Atraio o olhar de David; ele sabe que estou trilhando um caminho escorregadio e glacial, e que ninguém consegue pisar nesse caminho sem escorregar e ir até o fundo.

– Molly, já chega. Não vamos ter esta conversa na frente do Brian. É falta de educação. E também não é uma coisa que a gente possa resolver em dois minutos.

– Eu espero – diz Brian. – Não tenho nada para fazer hoje.

Mas ele acaba indo embora, depois de uma xícara de chá e uma barra de chocolate tamanho gigante. Levo-o de carro até sua casa nova (ou melhor, até a esquina da rua, pois quando nos vemos sozinhos novamente Brian recupera a antiga desconfiança, e não deixa que eu veja onde ele mora).

– Obrigado – diz ele ao saltar do carro. – Você vai me dar a resposta amanhã? Porque se eu for me mudar, preciso avisar o pessoal daqui. E tenho que fazer as malas.

– Brian... Você não pode ir morar conosco.

– Achei que vocês iam conversar sobre o assunto.

– Nós vamos, mas eu já sei o que nós vamos decidir.

– Ah.

– Você está decepcionado?

– Estou. Muito. Estava adorando a idéia. Gostei daquele programa da adolescente.

– Você pode assistir ao programa na sua televisão.

– Posso?

– Pode.

– Tem certeza? Nunca vi aquilo antes.

– Acho que é no canal ITV.

– Ah. Bom, esse eu não vejo muito. Qual é o número dele no meu controle remoto?

– Deve ser três. No nosso é.

– Menos mal, então.

– Não é?

– É. E o frango? Posso ir comer frango de novo?

– Claro que pode. Você pode ir jantar lá em casa toda vez que a gente fizer frango assado.

– Você não está dizendo isso só porque sabe que nunca mais vai fazer frango assado? Pois é o que eu diria para enganar você.

– Não estou enganando você.

– Tudo bem, então. Tchau.

Ele sai andando rua abaixo.

Acabo de convidar um dos meus pacientes-desânimos para jantar conosco a cada quinze dias, eternamente. Meses atrás, isso seria uma prova cabal de minha própria birutice; agora, porém, indica apenas uma sanidade fria e pragmática. Sinto vontade de saltar do carro e dançar na capota. Molly sofrerá muito mais do que Brian com a notícia, mas este tipo de caridade é assim mesmo. O que interessa é o que isto faz por nós, e não por gente como Brian.

Alguns membros da família – Tom ainda não desgrudou da tevê – estão me esperando quando volto.

– Vamos conversar – diz Molly em tom sério. – Vamos resolver se Brian vai vir morar com a gente.

– Está bem – digo, sentando-me à mesa. – Posso falar primeiro?

– Se você quiser.

– Ele não vai. E eu já disse isso a ele.

– Não é justo!

Não vou dizer que a vida é injusta. Recuso-me a isso.

– Eu sei. Sinto muito. Prometi que ele pode vir jantar aqui da próxima vez que nós fizermos frango assado.

– Aposto que você nem estava falando sério.

– Estava sim. Estava falando de coração. Mas a coisa acaba aí. Esses são os limites externos da nossa hospitalidade.

– Mas você disse...

– Molly, não há o que dizer. O Brian não pode vir morar aqui. Ele não é da nossa família.

– Mas podia ser.

– Não, não podia – digo, olhando para David, que olha de volta para mim. Ele não vai me ajudar. – Molly, nossa família é esta aqui. Você, eu, papai e Tom. Só. Sem o BoasNovas, sem o Mico e sem mais ninguém. Azar. Não há o que fazer a respeito. É com essas pessoas que nós precisamos nos preocupar em primeiro lugar.

– Por quê?

Finalmente, uma contribuição por parte do meu marido. Não é uma contribuição útil, mas não deixa de ser uma contribuição.

– Por quê? Por quê? David, nós mal conseguimos cuidar de nós mesmos. Estamos quase falidos, em parte porque você se recusa a trabalhar. O Tom anda roubando coisas dos colegas de escola... – digo, sentindo uma torrente quente de palavras se avolumando dentro de mim, e sem conseguir impedir essa torrente de jorrar da minha boca, como não conseguiria me impedir de vomitar se estivesse doente. – A Molly está virando uma moralista, eu virei uma adúltera...

– O que é uma moralista? O que é uma adúltera?

– Quer dizer que a mamãe arranjou um namorado – responde Tom, sem perder um segundo do programa televisivo a que está assistindo.

– Você e eu estamos à beira do divórcio há meses, embora agora tenhamos tomado a decisão de nos trancarmos por dentro e jogarmos a chave fora, ficando assim condenados ao que pode se tornar uma vida de frustração e desprezo. E você pergunta por que temos de cuidar uns dos outros primeiro? Porque a vida já é dura para caramba, ora essa, e...

– Katie, pare. Você está perturbando as crianças.

– Que bom. Talvez elas precisem ser perturbadas. Talvez não devam crescer pensando que a vida é ótima e que tudo é tão maravilhoso, na realidade, que pouco importa para quem nós damos dinheiro ou quem abrigamos aqui. Porque importa, e muito. Queria eu que não importasse. Queria eu que nós tivéssemos competência para cuidar de mais gente, mas não temos. E vou dizer uma coisa a você, de graça. Passei a vida toda querendo ajudar os outros. Foi por isso que eu quis ser médica. Por causa disso trabalho dez horas diariamente, sou ameaçada por viciados, e vivo decepcionando as pessoas, porque prometo internações hospitalares que nunca acontecem e receito remédios que não funcionam. Depois de fracassar nisso, volto para casa e fracasso como esposa e mãe. Bom, não tenho energia para fracassar em mais nada. E se por causa disso o Brian tiver de continuar no asilo, ou o Mico tiver de dormir na rua, que seja. Azar. Já será um verdadeiro milagre, droga, se daqui a vinte anos todos nós ainda estivermos nos falando, Molly não estiver anoréxica, Tom não estiver em cana, eu não estiver viciada em tranqüilizantes, você não for um alcoólatra e nós dois ainda estivermos juntos. Não estou pedindo mais do que isso. E se ainda por cima nós conseguirmos comprar algumas cópias do *Big Issue* e levá-las ao centro de reciclagem, ora, viva nós. Mereceremos parabéns. Viva nós. Vi-va-nós! Vi-va-nós! Vamos! Todos juntos!

Ninguém me acompanha.

Acabei. Despejei o conteúdo da minha garganta em cima da família, e não sobrou nada.

– Vocês não vão se divorciar, vão? – pergunta Molly. Está chorando, mas a idéia era exatamente essa.

– Se você for boazinha, não – respondo. É uma coisa terrível de se dizer, sei disso. Mas também estranhamente apropriada.

15

Pela primeira vez em meses preciso ir a uma livraria, para comprar um presente de aniversário para o meu pai. Não sei o que comprar, e ele não sabe o que quer. Fico, portanto, perambulando sem direção. Antigamente eu passava muito tempo dentro de livrarias; conhecia a maioria dos livros e sabia o que eles queriam dizer, mas agora sinto-me simplesmente perplexa e ligeiramente em pânico. Pego um romance escrito por uma jovem autora e leio a orelha. Talvez eu gostasse disto, penso. Já estava na metade do *Captain Corelli's Mandolin* quando saí do apartamento de Janet, e embora nenhum avanço tenha sido feito desde então, ainda existe a possibilidade de que eu deseje tentar ler outro romance no novo milênio. Quando tento resolver se este é o livro que quero, percebo que já não tenho a capacidade de fazer isso. Como posso saber se eu gostaria deste livro ou não? Como alguém sabe disso? Eu gostaria de uma massagem nos ombros. Gostaria de passar uma semana deitada ao sol, dormindo ao lado de uma piscina. Gostaria de um gim-tônica grande, desde que não tivesse nada para fazer depois. Gostaria de um pouco de chocolate. Mas um livro... Este é sobre uma garota que, depois de ser perseguida politicamente e expulsa de seu país natal na África, vem morar em Bromley, onde se apaixona por um jovem bailarino skinhead branco e racista. "É como se *Billy Elliott* e *Wild Swans* se acasalassem para produzir *Romeu e Julieta*", diz uma resenha na quarta capa. Largo o livro – não porque me pareça bobo, mas porque eu não fui expulsa do meu país natal na África, e não moro em Bromley. É sério! Sério e verdadeiro! Emprego, então, essa lógica para tomar uma decisão! É claro que isto significa que muito pouco me diferencia de Poppy, a gata da família que foi encontrada na rua – embora eu tenha conseguido permanecer tridimensional, e não bidimensional, e ainda possua vísceras. Poppy gostava de ser acariciada, tal como eu gosto de massagens nos ombros; ela gostava de peixe, tal como eu gosto de chocolate. Poppy também gostava de dormir ao sol, e teria largado este romance se o tivesse encontrado numa livraria, exatamente pelas mesmas razões. Fico tão alarmada por essa comparação que compro o livro imediatamente, antes mesmo de encontrar algo para papai. Não vou virar um bichinho de estimação. Não vou.

Biografias. Será que ele gostaria de uma biografia? Hitler? Montgomery? Dickens? Jack Nicklaus? A dona do pub em *Eastenders*? Mas papai não é muito chegado a pubs, penso, de modo que provavelmente nem... Cristo, Katie. Aquilo não era um pub de verdade. O principal é que o livro é sobre uma mulher que fazia *Eastenders*. Papai não assiste a *Eastenders*. É por isso que você não vai comprar este livro para ele. Encontro uma biografia de Deus, de um tamanho que é reconfortantemente presenteável, na bancada intitulada "Escolhas dos Funcionários". Quando estou me dirigindo à caixa registradora, vejo o tal livro sobre Vanessa Bell, a artista que era irmã de Virginia Woolf. Era ela que, segundo a resenha que eu li, levava uma vida rica e bela. Compro esse livro também, para descobrir como fazer isso. E quando David e BoasNovas terminarem o "Como Ser Legal", poderemos nos sentar e comparar os dois.

David voltou a escrever brochuras empresariais. Perdeu o interesse pelo seu romance, e mesmo que ainda estivesse irritado – coisa que não está – já não poderia descarregar sua bile no jornal de bairro, pois foi substituído, destronado e superado: agora há um novo, e ainda mais irritado, Homem Mais Irritado de Holloway. E acho que isto está certo, pois se o novo colunista não fosse mais irritado do que David era no auge de sua irritação, seria o Segundo Homem Mais Irritado de Holloway, e isso faria feio impresso no jornal. Em todo caso, todo mundo está cada vez mais irritado. Era inevitável que o nível de irritação de David acabasse parecendo o final da década de 1990. Ele não conseguiria manter o título para sempre, tal como Martina não conseguiria manter o título de Wimbledon para sempre. Sempre surge gente mais jovem e mais má. O substituto acaba de pedir o fechamento de todos os parques públicos, argumentando que eles atraem gays, cães, alcoólatras e crianças: temos que erguer as mãos, derrotados. Venceu o melhor.

Antigamente, a incapacidade de David de permanecer irritado o suficiente para manter seu emprego o teria deixado furioso – furioso o suficiente para ficar irritado o suficiente para manter seu emprego. Este David, porém, simplesmente se encolhe mais um pouco dentro da casca. Ele ofereceu ao jornal uma coluna diferente, baseada no livro que está escrevendo com BoasNovas, mas não houve interesse. Acho que ele anda bastante deprimido, e se viesse ao meu consultório eu lhe receitaria alguma coisa. Mas ele não vai. Continua a passar todas as horas vagas com BoasNovas, rabiscando anotações para o "Como Ser Legal", embora atualmente lhe seja mais difícil encontrar horas vagas, pois há muitas brochuras a serem escritas.

Após um grande dilema espiritual, BoasNovas recebeu três meses para encontrar um novo teto. Ele diz que sabe que é um fardo para nós. Afinal, nós somos uma família nuclear de classe média; ele sabe disso, e tem de respeitar nossa nuclearidade, saca? Percebemos que estamos sendo insultados, mas pouco nos importamos – eu, pelo menos, não me importo.

David se agonia com isso toda noite, antes de irmos dormir; fica se perguntando em voz alta se queremos ser nucleares, ou se devemos nos tornar uma zona desnuclearizada, mas grande parte de sua convicção desapareceu.

As crianças também parecem bastante deprimidas. Ficaram abaladas com o meu desabafo, e tive de conversar com elas sobre o meu namorado. Agora elas vigiam os pais com o olhar cheio de pânico sempre que comemos ou vamos juntos a algum lugar. David e eu só tivemos uma briga nos últimos dias – sobre uma assadeira – e as crianças precisaram de terapia depois. Desconfio que após alguns meses de tédio elas esquecerão nossos problemas, mas no momento estou com pena delas, e preferia que eu e David não tivéssemos transmitido tanta insegurança a elas.

Não acho que eu esteja deprimida. A palavra não é essa. Estou intimidada. Já não fico pensando se quero me divorciar ou não, pois a tal pastora simpática me tirou essa opção. Estou começando a perceber que as fantasias pós-divórcio que eu tinha antes de me casar eram irrealizáveis, e que provavelmente eu continuarei casada até as crianças crescerem, pelo menos. Portanto, trata-se de... quinze anos? A essa altura eu serei uma cinqüentona, e uma parte da vida – a parte Kris Kristofferson – já pertencerá ao passado longínquo. Mas acho que há certa virtude nessa falta de opções. Isso certamente clareia a mente. E sempre existe a possibilidade de que algum dia David e eu consigamos dizer um para o outro: "Lembra-se daquela época em que a gente quase acabou com tudo?", rindo da pura idiotice destes últimos meses. Não consigo evitar a sensação de que se trata de uma possibilidade remota, mas existe. Tenho certeza de que aquela coisa de deixar a faca encravada quando se é esfaqueado está certa. Mas talvez seja melhor conferir novamente. Só para garantir.

Estamos preparando o jantar de aniversário do meu pai, e minha mãe ligou para dizer que ele já não come carne vermelha. David compra um frango caipira, que já está quase pronto quando Molly pergunta o que nós vamos comer.

– Viva! – exulta ela, com mais empolgação do que o cardápio deveria suscitar.

– Não sabia que você gostava tanto assim de frango!

– Não gosto. Mas isso quer dizer que o Brian pode vir jantar aqui.

– É aniversário do vovô.

– É. Mas tem frango. Você prometeu.

Eu já tinha esquecido dessa promessa. Quando foi feita, parecia ser o acordo melhor e mais fácil que eu poderia conseguir. Agora me parece ridículo e insensato, um acordo com Deus feito por um ateu num momento de crise, e esquecido no término da crise.

– O Brian não pode vir aqui hoje.

– Ele tem que vir. É por isso que ele não está morando com a gente, porque pode vir sempre que a gente fizer frango.

– O vovô não vai gostar do Brian.

– Por que você prometeu isso, então, se ia quebrar a promessa tão cedo?

Porque eu não estava falando sério. Porque só fiz aquilo para me livrar de uma armadilha. Porque já fizemos o suficiente por Brian, embora não tenhamos feito quase nada, e ele seja um homem triste e patético que devorará qualquer migalha de conforto que lhe seja atirada, feito um pato no inverno.

– Eu não estava falando de aniversários.

– Você disse a ele que os aniversários não contavam?

– A Molly tem razão – diz David. – Não podemos sair por aí prometendo coisas às pessoas e quebrando as promessas inconvenientes.

– O Brian não vai vir ao jantar de aniversário do papai – determino.

É claro que não. Isso é óbvio, não? Trata-se de bom senso.

– Então você é uma mentirosa – acusa Molly.

– Tudo bem.

– Você é mentirosa e nem se importa?

– Não.

– Está bem. Então eu também vou mentir quando quiser.

Subitamente, percebo que o papel de David nesta derrocada galinácea pode não ser inteiramente inocente.

– Você comprou esse frango de propósito – digo a ele.

– De propósito? Bom, não foi uma compra involuntária, se é isso que você quer dizer.

– Você sabe que não é isso que eu quero dizer.

– Está bem. Eu tinha alguma consciência da promessa que você fez a Brian e Molly quando pus o frango no carrinho.

– Então você queria me pegar?

– Não me ocorreu que você precisasse ser pega. Não me ocorreu que a sua oferta não fosse autêntica.

– Mentiroso.

– Você está dizendo que eu deveria ter percebido que você não estava falando sério? Embora você tivesse dito que estava falando de coração?

– Será que realmente chegamos a este ponto, David? A esta palhaçada de frango e jantar?

– É o que parece. Não sei se sobrou mais alguma coisa. Não consigo que você faça mais nada. Bem que eu queria que já tivéssemos resolvido tudo isso.

– Só quero que o papai tenha um jantar de aniversário agradável. Isso é pedir muito?

– A questão sempre foi essa. Ou uma versão qualquer dela.

Acabamos fazendo um acordo. Na noite seguinte ao aniversário do meu pai, fazemos outro frango assado e convidamos Brian para jantar; assim, o espírito do tratado de Brian mantém-se inalterado, e nós nos entupimos de carne e três legumes em noites consecutivas. Pode parecer um modo estranho de melhorar o mundo, mas conosco parece funcionar.

Está bem, Vanessa Bell. Ela era pintora; por isso, viver uma vida bela era mais fácil para ela do que para quem tem de lidar com dona Cortenza, Brian Biruta e todos os viciados de Holloway. E ela teve filhos com mais de um homem, o que talvez tenha tornado as coisas mais ricas do que seriam caso isso não tivesse acontecido. Além disso, os homens com quem ela andava eram mais interessantes e talentosos do que David e Stephen. Eles eram escritores, pintores e coisa e tal, e não gente que escreve brochuras empresariais. E, apesar de não terem dinheiro, eles eram elegantes, coisa que nós não somos. Deve ser mais fácil viver uma vida bela quando a gente é elegante.

Por isso, estou começando a achar – e ainda estou na metade do livro, mas tenho certeza de que a segunda metade será igual – é que Vanessa Bell não vai me ajudar muito. Tudo bem, meu irmão pode acabar enchendo os bolsos de pedras e pulando no rio, tal como a irmã dela, mas além disso... Em todo caso, conheço alguém que leva uma vida rica e bela? Obviamente isso já não é possível para qualquer pessoa que trabalhe para viver, more na cidade, faça compras num supermercado, veja televisão, leia um jornal, dirija um carro ou coma pizza congelada. É possível ter uma vida razoável, com uma grande dose de sorte e um pouco de grana. E talvez até uma vida legal, se... Bom, é melhor não entrar nisso. Mas vidas ricas e belas parecem ser uma espécie já extinta.

O que ajuda não é Vanessa Bell, mas ler sobre Vanessa Bell. Não quero mais ser Poppy, a gata esmagada. Desde que voltei para casa, após minha estadia no apartamento de Janet, vivo com a sensação de que está me faltando alguma coisa, sem conseguir descrever exatamente o que isso seria. Não é o grupo que dividia o casarão comigo, nem a chance de dormir sozinha na cama (pois como já disse, David e eu nos encaixamos, ou aprendemos a nos encaixar, e dividir um edredom com ele é freqüentemente um conforto e não uma provação), mas outra coisa. Algo que obviamente não é suficientemente importante para mim, num sentido duplo: deveria ser mais importante para mim do que é, pois sinto falta disso; mas obviamente, é possível viver sem isso, pois venho conseguindo sobreviver apesar dessa ausência. Em outras palavras, é algum equivalente espiritual das frutas, que não como em quantidade suficiente. E é só quando fecho a porta do quarto pela terceira ou quarta vez – isolando-me de meu marido e meus filhos para descobrir exatamente como a vida de Vanessa Bell era melhor que a minha – que entendo a coisa. Ando sentindo falta do ato de ler em si, da oportunidade de afastar-me progressivamente do mundo até encontrar um pouco de espaço, um pouco de ar fresco que não tenha sido respirado pela minha família milhares de vezes. O conjugado de Janet parecia enorme quando me mudei para lá, enorme e silencioso; mas este livro é muito maior ainda. Quando acabá-lo, vou começar a ler outro, que talvez seja maior ainda, e depois mais outro; assim conseguirei ampliar minha casa até ela se tornar uma mansão, cheia de cômodos onde ninguém possa me encontrar. E não sinto falta apenas de ler, mas também de escutar e ouvir algo além dos programas televisivos dos meus filhos, da tagarelice beata do meu marido e desse blablablá incessante na minha cabeça.

O que aconteceu comigo? Como meti na cabeça que andava ocupada demais para este tipo de coisa? Talvez eu não possa levar uma vida rica e bela, mas há coisas ricas e belas à venda por toda parte à minha volta, até em Holloway Road; e não é extravagância comprar algumas delas, se assim eu conseguir sobreviver, pois acho que se não fizer isso vou me afogar. Preciso urgentemente de um Discman, de alguns CDs e de meia dúzia de romances. Custo total: trezentas libras, talvez. Trezentas libras por uma mansão! Quem imaginaria pedir trezentas libras a um incorporador imobiliário? Ele tiraria a grana do próprio bolso. E essa quantia ridícula pode ser reduzida ainda mais. Eu posso ir à biblioteca, posso pegar os CDs emprestados... mas preciso do Discman. Não quero que mais ninguém ouça o que vou ouvir, e quero apagar todos os vestígios do mundo que habito, mesmo que seja por meia hora ao dia. E sim, tenho de pensar em quantas operações de catarata ou sacas de arroz poderiam ser compradas com trezentas libras, e em quanto tempo uma menina asiática levaria para ganhar isso numa oficina de fundo de quintal. Posso ser uma pessoa legal gastando esse dinheiro em bens de consumo exageradamente valorizados? Não sei. Mas sei o seguinte: eu não seria uma pessoa legal sem isso.

Anda chovendo sem parar há três dias – chovendo como nunca choveu antes, ao que parece. É o tipo de chuva que supostamente ocorre depois de um ataque nuclear: rios transbordam por todo o país, as pessoas andam com água pelas canelas nas ruas principais e cercam suas casas com sacos de areia, vêem-se carros abandonados e há botes a remo pelos campos. O trânsito londrino foi ficando cada vez mais lento, até parar completamente; os trens não estão funcionando, e os passageiros andam ensanduichados nos ônibus, com os braços e pernas para fora. O dia nunca clareia, e o vento uiva terrivelmente, sem parar. Para quem acredita em fantasmas – o tipo de fantasma que foi condenado a nos assombrar por ter morrido uma morte terrível e dolorosa, ou por ter feito coisas terríveis e dolorosas aos seus entes queridos – a hora é essa, pois agora todos dariam ouvidos a essas pessoas. Não teriam outra opção a não ser dar ouvidos a essas pessoas, pois as provas estão por toda parte.

A última vez que choveu assim foi em 1947, segundo o noticiário. Mas na época a coisa foi um acaso, uma aberração da natureza; desta vez, dizem que estamos nos afogando por termos abusado do planeta, surrando-o e matando-o de fome até sua índole mudar e ficar violenta. Parece o fim do mundo. E as nossas casas, casas que custaram a alguns duzentas e cinqüenta mil libras ou mais, não oferecem o tipo de santuário que nos possibilite ignorar o que anda acontecendo lá fora, pois são velhas demais: à noite as luzes tremulam e as janelas trepidam. Tenho certeza de que não sou a única nesta casa que se pergunta onde estarão Mico e seus amigos hoje.

Quando vamos jantar, a água começa a invadir a cozinha por baixo das portas duplas; o ralo externo, colocado incompetentemente na depressão entre o jardim e a casa, não consegue dar vazão suficiente. David pega um velho par de botas e uma capa de ciclista e sai para ver se algo pode ser feito.

– Está entupido de lixo – grita ele. – E tem água jorrando da calha do quarto do Tom.

Com as mãos, ele tira do ralo o máximo de lama que consegue e depois todos nós subimos para ver o que pode ser feito a respeito da calha.

– Folhas – diz David. Está com meio corpo para fora da janela, agarrado ao caixilho. Vejo que a madeira está podre e que deveria ter sido substituída há anos. – Dá para alcançar com uma vara, algo assim.

Molly sai correndo e volta com uma vassoura. David ajoelha-se no peitoril e começa a dar estocadas erráticas na calha com o cabo.

– Pare, David – digo. – É perigoso.

– Não tem problema.

Ele está de calça jeans. Tom e eu agarramos os dois bolsos traseiros da calça para ancorá-lo, enquanto Molly se agarra a nós, num gesto inútil, porém gracioso. É a minha família, penso. Só isso. Depois penso: eu posso fazer isto. Posso viver esta vida. Posso, posso. É uma centelha que quero insuflar, uma faísca de vida na bateria pifada; mas no momento errado entrevejo o céu noturno atrás de David, e vejo que lá fora não há absolutamente nada.

Este livro foi composto na Editora Rocco Ltda.
e impresso na Editora JPA Ltda.
Av. Brasil, 10.600 - Rio de Janeiro - RJ
em março de 2002 para a Editora Rocco Ltda.